Татьяна Полякова

Большой секс
в маленьком
городе

Москва
ЭКСМО
2004

УДК 882
ББК 84(2Рос-Рус)6-4
  П 54

Оформление серии художника *Н. Кудря*

Серия основана в 2002 году

П 54   **Полякова Т. В.**
       Большой секс в маленьком городе: Повесть. — М.:
       Изд-во Эксмо, 2004. — 320 с. (Авантюрный детектив).

       ISBN 5-699-05170-8

Не очень-то приятно обнаружить в багажнике собственного авто-
мобиля труп. Впрочем, Ольгу Рязанцеву таким сюрпризом не уди-
вишь. С тех пор как она взялась за поиски пропавшей девочки, трупы
стали ей попадаться с удручающей монотонностью. Однажды так
целых три — аккуратно закатанные в бетон. В конце концов она выяснила, кто в городе любит игры с садистским уклоном. Но прямых
улик нет. Значит, их надо добыть во что бы то ни стало. Тогда Ольга
едет в подозрительное местечко, где ей назначил встречу какой-то не-
знакомец...

                                                    УДК 882
                                                    ББК 84(2Рос-Рус)6-4

Свет фар вырвал из темноты две мужские фигуры. Прячась от проливного дождя под одной на двоих курткой, которую они держали над головой наподобие зонта, парни попятились от проезжей части, стараясь уберечься от брызг из-под колес моей машины, хотя и так успели вымокнуть до нитки. Один отчаянно замахал рукой, призывая меня к состраданию, а я было проехала мимо, но почти сразу сбросила скорость. Довольно глупо брать попутчиков в два часа ночи, в проливной дождь, когда хороший хозяин собаку из дома не выгонит, тем более что парней двое, а я девушка молодая, привлекательная (пока не познакомитесь со мной поближе), на дорогой машине, способной ввести в соблазн неокрепшие души. Но парни выглядели такими несчастными, а я не из робкого десятка.

Возможно, была и еще одна причина: в моей жизни последнее время ничего не случалось. Ни хорошего, ни даже плохого. Оказывается, это действует угнетающе.

Я сдала назад, такса по имени Сашка, развалившийся на соседнем сиденье и до той поры дремавший, поднял голову и с удивлением оглянулся.

— Давай поможем людям, — предложила я, точно оправдываясь. Сашка вздохнул и настороженно замер, ожидая, что последует за этим.

Я посигналила, привлекая внимание парней, кото-

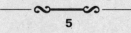

рые, решив, что им со мной не повезло, поспешно укрылись под деревом, но, увидев, что машина остановилась, бросились к ней со всех ног.

— Спасибо, — пробормотал тот, что первым влез в спасительное тепло, торопливо устраиваясь на заднем сиденье, второй сунул мокрую куртку под ноги и захлопнул дверь.

Парням было лет по двадцать, может, чуть больше, один шатен с бородкой клинышком, смышленым лицом и посиневшими от холода губами. Второй казался постарше, русые волосы липли ко лбу, который украшала нешуточная ссадина, бровь у него тоже была рассечена, но рана уже успела затянуться и превратилась в тонкий белый рубец. Губы похожи на лепешку, распухли, хоть и не кровоточили, пару зубов он наверняка утратил. Судя по всему, не так давно парень побывал в потасовке. Сашке он не понравился, пес глухо зарычал, а я спросила:

— Куда?

— На Владимирский проспект, — ответил тот, что с бородкой, — а потом, если можно, на Рабочую. Мы заплатим, — поспешно заверил он и полез в карман.

— Не надо, — отмахнулась я, трогаясь с места.

Парни сидели тихо, не произнеся больше ни слова. Тот, что с разбитым лицом, зябко ежился, несколько раз с тревогой он оглянулся в заднее стекло. Может, кого ограбили или это просто естественное желание оказаться подальше от того места, где тебе надавали по физиономии. Монотонно работали «дворники», я сделала звук приемника погромче, Сашка продолжал глухо рычать. На светофоре я свернула на Владимирский проспект, и вскоре парень с бородкой попросил:

— Вот здесь остановите, пожалуйста. — Я остановилась возле гастронома. — Пока, — сказал он приятелю,

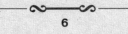

пожал ему руку и бегом бросился в арку, что была метрах в тридцати отсюда. Взгляды, которыми обменялись парни на прощание, были испуганными, что-то их тревожило.

«Это не мое дело», — напомнила я себе, разворачиваясь, чтобы попасть на Рабочую, на светофоре надо было свернуть направо.

— Хорошая тачка, — подал голос парень.

— Хорошая, — согласилась я.

— Наверное, очень дорогая.

— Наверное, — не стала я спорить.

— Не боитесь одна ездить? — вновь спросил он. Я обернулась и ответила с усмешкой:

— Тебя не боюсь. А ты сам себя считаешь страшным?

Он засмеялся, по-мальчишески заразительно.

— Я вас узнал. Еще по тачке надо было догадаться, ваш «Феррари» один такой во всем городе.

То, что гражданам знакома моя физиономия, ничуть меня не удивило. Не так давно я часто мелькала на страницах местных газет и в теленовостях, разумеется, тоже местных, поскольку являлась замом Деда по связям с общественностью (так по крайней мере это звучало), а Дед здесь царь и бог в одном лице. Мы довольно долго терпели друг друга, потом не сошлись во мнениях по ряду вопросов (мы и раньше не сходились, но мне было на это наплевать, пока однажды я не решила, что он перегнул палку). В общем, я покинула дом с колоннами и неизбежной ковровой дорожкой на лестницах и теперь обреталась на вольных хлебах, то есть, говоря попросту, бездельничала, тем более что денег, благодаря тому же Деду, у меня пруд пруди, и я могла не думать о хлебе насущном.

— Вашу собаку Сашкой зовут? — продолжил парень, поглядывая на моего четвероногого друга.

— Откуда ты знаешь? — удивилась я чужой прозорливости.

— Это все знают, — хмыкнул он, подтверждая мои подозрения, что в народе обо мне ходят легенды. Я пожала плечами и решила сказать ему в ответ тоже что-нибудь малоприятное.

— Где тебя так отделали?

— Разве это отделали? — хмыкнул он. — Видели бы вы их... Какие-то придурки пристали возле пивнушки.

— Твоему приятелю досталось меньше.

— Он — каратист, — заявил парень с таким видом, точно сообщал, что тот сам господь бог.

Я свернула на Рабочую и слегка притормозила возле новых, недавно заселенных домов, но парень молчал, и я поехала дальше. Улица неожиданно обрывалась, впереди, прямо под холмом блеснула река, слева темнело двухэтажное сооружение, назвать которое домом язык не поворачивался, кажется, бывшая казарма бывшей фабрики «Красный шляпник» (и такое было в родном городе). Я-то думала, что старых построек здесь совсем не осталось, все вытеснили многоэтажки, которые росли как грибы после дождя, но казарма, вне всякого сомнения, была обитаема, над крыльцом горела лампочка, в ее свете видны были занавески на ближайшем окне.

— Ты здесь живешь? — спросила я. Парень растянул разбитые губы в широчайшей улыбке.

— Нет, у меня скромнее... Денег правда не надо?

— Обойдусь, — отмахнулась я.

Парень подхватил куртку и бегом припустился в сторону казармы, однако обогнул крыльцо и скрылся в темноте за этим богом и властями забытом сооружением. Я поехала домой, не особенно спеша. Дома нас никто

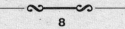

не ждет, спать не хочется, так что можно еще немного поболтаться по улицам города.

Я люблю свой город ночью, особенно в дождь. Фонари, отражение огней в лужах на асфальте... Сашка робко тявкнул, и во мне проснулась совесть.

— Ладно, псина, поехали спать.

Меня ждал сюрприз: подъезжая к дому, я увидела, что в гостиной горит свет.

— У нас гости, — сообщила я Сашке, теряясь в догадках, кого принесло в такую пору? Ключи от моего жилья есть у Деда и у Ритки, еще парочке моих знакомых ключи вовсе ни к чему. Кто бы это ни был, сейчас я отнюдь не расположена его видеть. Но моим желанием, как всегда, не поинтересовались.

Я въехала в гараж, который был тут же, в подвале, распахнула дверцу машины, Сашка вперевалку побрел в холл, пользуясь тем, что дверь в холл я оставила открытой. Выключив свет, я последовала за ним.

Холл был погружен в полумрак, узкая полоска света пробивалась из гостиной. В кресле возле камина сидел Дед и читал книгу. Услышав нас, он снял очки, которыми с некоторых пор вынужден был пользоваться, и бросил книгу на журнальный столик. Я с радостью убедилась, что это Трудовой кодекс. Не знаю, что бы я пережила, обнаружив Деда с романом в руках. Мое убеждение, что мир незыблем, наверняка бы пошатнулось, а я по натуре консервативна и не люблю перемен. К счастью, Дед их тоже не жалует.

— Как дела? — спросил он, приглядываясь ко мне.

— Нормально, — ответила я, подошла и поцеловала его, как любящая дочь, раз уж ему пришла охота последнее время быть мне отцом родным.

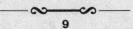

Отношения у нас непростые, я бы даже классифицировала их как чертовски запутанные. Дед — вдовец, еще несколько месяцев назад у него было столько любовниц, что он их всех по именам не помнил, хотя на память не жаловался. Я сбивалась где-то на втором десятке, втайне гордясь, что Дед у нас такой молодчина, несмотря на возраст. Но он вдруг кинулся в иную крайность: все его подруги внезапно испарились, хозяйством ведала почтенная дама, которая была старше Деда на пару лет, а он по вечерам зачастил ко мне. Но никаких попыток возобновить наши отношения не предпринимал, я имею в виду любовные отношения. Было время, когда я не мыслила своей жизни без него, а теперь только досадливо кривилась, в основном потому, что ни минуты не верила, что он способен видеть во мне дочь своего друга, которая и ему почти что дочь, даже не почти что, раз у него своих детей нет. Я не без основания подозревала его в том, что он в очередной раз пудрит мне мозги.

Дед уже несколько раз затевал разговор, что жить нам следует вместе, под одним кровом, так сказать. Пассаж о том, что он будет с радостью держать на коленях моих детей от чужого «дяди», довел меня до слез умиления. Правда, я нисколько не сомневалась: стоит «дяде» появиться — и моему «папуле» это вряд ли понравится. Когда я начинала размышлять обо всем этом, становилось так тошно, хоть волком вой, так что в конце концов я решила не забивать себе голову.

Дед взял меня за руку, притянул к себе и сказал:

— Хорошо выглядишь.

— Спасибо.

— Я привез пирожных, какие ты любишь. Выпьешь чаю или ты где-то поужинала?

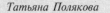

«Нет бы прямо спросил: где меня черти носят?»

— Чаю выпью с удовольствием, — заверила я его и побрела на кухню. Через минуту там появился Дед. Я взглянула на часы, вряд ли в такое время он поедет домой, машину отпустил, выходит, у меня останется. Останется и останется, утром сварю ему кофе. — Ты почему не позвонил? — все-таки спросила я. Дед в конторе появляется ровно в девять, так что не мешало бы ему хорошо выспаться.

— Не хотел нарушать твои планы, — пожал он плечами, отводя взгляд.

— Да не было у меня никаких планов, — отмахнулась я, по неведомой причине начиная чувствовать себя виноватой. Можно было бы этим и ограничиться, но Дед настороженно косился, точно не веря, и я продолжила: — Возила Ритку на дачу. Ее благоверный опять запил, впрочем, это тебе должно быть известно. — Он никак не отреагировал. Ритка была его секретаршей, которую он заслуженно высоко ценил, а ее супруг числился кем-то в администрации. Вряд ли Дед знал кем. Благоверный боялся Деда пуще смерти и показаться на глаза не смел. — Вернулись поздно, поужинали в ресторане, я отвезла ее домой и немного покаталась по городу. — Все так и было, с Риткой мы засиделись в ресторане, ей требовалось выговориться, а я никуда не спешила. Тут я непроизвольно поморщилась, выходило, что я вроде бы оправдываюсь. С какой стати, скажите на милость, раз налицо обоюдные родственные чувства?

Дед покивал с умным видом, и мы стали пить чай. Я все-таки здорово на него злилась, в основном потому, что продолжала чувствовать себя виноватой. Как бы между прочим я взглянула на часы.

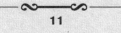

— Время позднее, — тут же отреагировал Дед, — вызову такси...

— Брось, оставайся у меня, — предложила я не без досады. Он кивнул, точно этого и ждал. Не успеешь оглянуться, как он и в самом деле здесь поселится. Я отодвинула чашку и поднялась. — Постелю тебе на втором этаже. — Он опять кивнул, уходя от моего взгляда. Я поднялась на второй этаж, где у меня две спальни, моя и гостевая, прихватив с собой Сашку. Застелив постель Деду, ушла к себе. Я слышала, как он включил воду в ванной, потом прошел в комнату напротив.

— Спокойной ночи, — сказал мой старший друг. Я сделала вид, что не слышу, завела будильник и легла, уставясь в потолок и размышляя, чему следует приписать такое поведение Деда. Догадки мои ломаного гроша не стоили, скорее всего человеку просто неуютно в своей огромной квартире, вот он и явился в мою огромную квартиру, раз уж мы с ним близкие люди (то, что когда-то он заменял мне отца, последние несколько месяцев он вспоминает слишком часто). Я размышляла об этом, пока наконец не уснула. Глаза открыла раньше, чем прозвенел будильник, и пошла готовить завтрак.

Сашка устроился перед телевизором, а я сняла с плиты кофе, когда в кухне появился Дед. Он запечатлел на моем лбу очередной отеческий поцелуй и сказал комплимент. На этот раз я поверила. Безделье, конечно, действовало мне на нервы, но благотворно сказывалось на моей внешности. Месяц назад я бросила курить, это было единственным событием за последнее время, заслуживающим упоминания. Курить, кстати, я бросила не из-за любви к здоровому образу жизни, просто хотела, чтобы хоть что-то произошло. Так и вышло у меня:

улучшился цвет лица, по крайней мере мой косметолог на этом настаивает.

— Спасибо, — вяло отозвалась я на его добрые слова.

— На работу не устроилась? — спросил Дед. Вопрос риторический, если бы устроилась, он наверняка узнал бы об этом первым, не от меня, а от добрых людей, которых вокруг него пруд пруди, так что можно было и не отвечать, но я ответила, опять-таки прикидывая: просто так он спросил или у него есть определенная цель?

— Нет.

— А собираешься?

— В основном теоретически. Благодаря твоей доброте у меня столько денег, что мне жизни не хватит, чтобы потратить их. — Вот уж правда так правда. — Это как-то не способствует трудовому порыву.

— Не хочешь завести ребенка? — огорошил меня Дед. У него что с утра, с головой проблемы?

— От кого? — спросила я, сложив руки на груди и испепеляя его взглядом. Оказалось, совершенно напрасно, он не собирался выяснять с кем и как я провожу свое время, просто пожал плечами и изрек:

— Ну... в некоторых случаях это не так уж и важно. Ты как раз в том возрасте, когда...

— Я помню о своем возрасте, — не очень вежливо перебила его я. — Охота тебе болтать глупости.

Я думала, он обидится и я смогу выпить кофе в молчании, но в него с утра точно бес вселился.

— Это не глупости, — отрезал он, посуровев. Дед это умел, сразу хотелось вытянуться во фрунт и заодно покаяться в грехах, а если грехов нет, то их лучше придумать. — Кому и что ты пытаешься доказать? — Твердости в его голосе лишь прибавилось, а я присвистнула: кажется, Дед затеял разговор по душам. В нашем случае вещь совершенно бесперспективная.

— Игорь, кончай с этой бодягой, — предупредила я. Он недовольно нахмурился и огорошил меня вторично.

— Возвращайся ко мне. — Ко мне в данном случае — это в дом с колоннами и красными ковровыми дорожками, в просторечии именуемый «контора».

— Ага, — хмыкнула я. — Думаешь, как только я вернусь, так сразу появится кандидатура возможного папаши моего будущего ребенка?

— Не делай вид, что тебя удивляет мое предложение, — разозлился он. — Чем болтаться без дела... Я очень в тебе нуждаюсь. И я уверен, что ты скучаешь по работе...

Может, и вправду скучаю? По сплетням, интригам, по лживым политикам, по прихлебателям всех сортов и мастей, что толкутся возле Деда, по ночным телефонным звонкам, склокам, сварам, оговорам, по очередной кампании против потенциальных конкурентов, по мыслям о будущих выборах, противниках, компромате и желании заткнуть недругам рты? Только Дед мог измыслить такое. Он без всего этого точно жить не может, политик до мозга костей, хотя еще один мой старший друг утверждает: Дед ничем не хуже других народных избранников, а в чем-то даже лучше. Деда хоть можно уважать за ум и твердость характера. Правда, иногда эта твердость такого сорта, что...

— Чего ты молчишь? — спросил он, тем самым прервав мои интересные мысли и его оценку как политического деятеля.

— Тебе хорошо известно мое мнение на этот счет.

— Это не мнение, а глупое упрямство. И не смотри так, ты злишься на меня, потому что я сказал правду. Ты сделала красивый жест, ушла, хлопнув дверью...

— Я...

— Выслушай, — отмахнулся он, а мне так стало даже забавно. Имея определенные интересы и желая помочь своим московским друзьям, Дед однажды зашел так далеко, что в результате погибли люди. Народу у нас как грязи, но я сочла, что это слишком и, как он выразился, хлопнула дверью. Кто его знает, может, он всерьез считал, что это красивый жест: мол, я не желаю иметь с этим ничего общего и умываю руки. Наверное, так и думал. А что, имеет право. На самом деле я ушла, потому что меня переполняли злость и отчаяние. Я не люблю проигрывать, а в тот раз я проиграла с разгромным счетом. Теперь ни злости, ни отчаяния у меня не было, лишь воспоминания, которые иногда являлись ночами и которые я безуспешно гнала прочь. Отчего бы в самом деле не вернуться? Не валяться на диване, разглядывая потолок, а заняться делом... Ну, если не делом... В общем, просто чем-то заняться. — То, что ты называешь принципами, на самом деле нежелание признать, что мир далеко не так прост, как нам того бы хотелось. Я думал, ты достаточно взрослая, чтобы понять это. — Дед продолжил, все более увлекаясь. Иногда он отрабатывает на мне свои агитационные речи, вот как сейчас, к примеру. Поговорить он мастер, при этом весьма убедителен. Гуру, да и только. Правда, на меня все это давно не действует. С постным видом я терпеливо ждала, когда ему надоест ораторствовать.

— Ты зачем мне денег дал? — спросила я, когда он наконец заткнулся.

— Что значит «зачем»? — хмуро переспросил он.

— То и значит. Я даже толком не знаю, сколько их у меня. Забери их назад, я начну пухнуть с голоду, превозмогу лень и пойду работать. Возможно, даже к тебе, больше чем ты мне никто не заплатит. Ну как, по рукам?

— Не болтай глупостей, — возмутился он.

— Хорошо. А ты не мешай мне лентяйничать.

— Я не могу поверить, что тебя устраивает такая жизнь. Хоть бы ребенка родила...

— Не верь, только оставь меня в покое, — отрезала я. Он хотел что-то сказать, но лишь скрипнул зубами. — Машину вызвать? — после непродолжительного молчания предложила я, взглянув на часы. Он кивнул. Я позвонила, а Дед пошел бриться, оставив дверь в ванную открытой.

Демонстрируя стремление к мирной жизни, я приготовила ему чистую рубашку. Дед терпеть не мог надевать вчерашнюю, а так как последнее время он довольно часто оставался ночевать у меня, то с этим возникали проблемы. Я их разрешила очень просто: пошла и купила целую дюжину рубашек. Взяв рубашку, Дед кивнул, выражая тем самым благодарность, и ни с того ни с сего спросил:

— Как премьера?

Признаться, я похлопала ресницами, прежде чем сообразила, о чем он. Надо полагать, речь шла о моем появлении в театре с Тимуром Тагаевым. Оказывается, это событие не осталось незамеченным. Да, популярность имеет свои отрицательные стороны. Я-то думала, мы тихо-мирно отсидимся в партере, да не тут-то было. Заметили, донесли, а Дед теперь голову ломает, что это с моей стороны: просто глупость или некий жест.

Я лишний раз посетовала на то, как изменились наши отношения. Ни словечка в простоте, точно мы не самые близкие люди, а агенты вражеских разведок. Белая горячка, одним словом.

— Лютецкая была неподражаема, — с умным видом изрекла я.

— Да? — Дед помялся, не зная что сказать. Я завязала ему галстук, подала пиджак и проводила до двери. И с облегчением вздохнула, когда он, сев в служебную машину, скрылся с глаз. Сашка робко выглянул из гостиной.

— Пошли гулять, — позвала его я и, как только мы оказались на улице, принялась жаловаться своей собаке. — Дед хочет, чтобы я вернулась. Слышишь, пес? Что ты об этом думаешь? Он считает, что безделье дурно на мне сказывается. Мол, от скуки человек способен на многое, к примеру, завести неподходящего любовника, порочащего честь и достоинство... не ухмыляйся, это не я, это Дед так думает, вот... и даже родить что-нибудь от этого самого любовника, что уж вовсе никуда не годится. Но если он вновь станет моим боссом, непременно решит, что может мне указывать что делать и с кем ходить в театр. Такой умной собаке, как ты, объяснять не надо, как весело мы заживем, если скажем «да», оттого лучше послать Деда к черту...

Пес не терпел, когда я ругалась, вот и сейчас он недовольно отвернулся, а мне вдруг стало жаль Деда, такое часто случается по непонятной причине. Я загрустила, а пес стал тереться о мои ноги.

— Прекрати, — буркнула я недовольно и пробормотала: — Жаль парня, да не погубить бы девку.

Ближе к вечеру я заехала на мойку, отдала ключи от «Феррари» молодому человеку по имени Денис, а мы с Сашкой устроились в кафетерии, ожидая, когда можно будет забрать машину. Против желания я вновь вернулась мыслями к предложению Деда. Не хотелось сознаваться, что безделье изрядно тяготит меня. «К нему возвращаться необязательно, — думала я. — Можно просто на работу устроиться. Например, в милицию. Когда-то я работала следователем, правда недолго. Возьмут с радостью... может, без радости, но возьмут. Или в пресс-секретари податься, у меня большой опыт работы и невероятная популярность в родном городе».

Я непроизвольно поморщилась. Стоило мне представить себя спешащей в контору, как я сразу позавидовала своему нынешнему состоянию.

— Лучше я в теннис пойду играть, — пробормотала я, но Сашка услышал и поднял уши.

Наконец появился Денис, и мы побрели к машине. Я распахнула дверь, ожидая, когда пес заберется на сиденье. Проще было бы его подсадить, но он этого не любит, считая подобное оскорблением его достоинства. На сиденье лежал фотоаппарат. Явно не мой. Правда, где сейчас принадлежащий мне фотоаппарат, я понятия не имела, но этому нечего делать в моей машине, это вне всякого сомнения.

— Откуда? — обратилась я к Денису, кивнув на фотоаппарат. Он пожал плечами:

— Девчонки нашли, когда в салоне пылесосили, под сиденьем валялся.

— Да? — Я взяла фотоаппарат и повертела в руках. Обычная «мыльница», пленка на двенадцать кадров, отснято только четыре. — Девчонки ничего не перепутали? — на всякий случай спросила я. Денис обиделся:

— Конечно, нет. Что, не ваша техника? Может, оставил кто?

— Может, — согласилась я, устраиваясь в кресле. Когда и кто мог оставить здесь фотоаппарат? Я возила Ритку на дачу, но ей в голову не придет покупать «мыльницу». Кроме нее, посторонних в машине не было, не считая двух ребят, которых я вчера подвозила. Один бросил свою промокшую куртку под ноги, фотоаппарат вполне мог выпасть из кармана и оказаться под сиденьем. Для парня-студента даже «мыльница» может быть

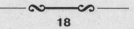

большой потерей. — Надо вернуть человеку его собственность, — вслух подумала я и решила заняться этим немедленно, благо что свободного времени у меня пруд пруди.

При свете дня переулок у Рабочей улицы выглядел еще более скверно: деревянный ящик для мусора давно сгнил, и двор превратился в помойку, казарма походила на декорации к фильму ужасов, однако на крыльце сидела старушка, наблюдая за девочкой лет трех, которая каталась на велосипеде, обе улыбались и ничего особо ужасного в окружающем не видели. «Привычка», — пожала я плечами, притормозив возле ветхого забора. Сашка наотрез отказался покидать машину, это место ему явно не понравилось. Я вошла в переулок, старушка, понаблюдав за мной, окрикнула:

— Вам что надо?

— Соседний дом, — ответила я и ткнула пальцем в убогое строение, видневшееся из-за угла казармы.

— Дом-то брошенный, выселили по весне жильцов, одна стена обвалилась. Слава богу, никого не пришибло. Вы из ЖКО, что ли?

— Нет, молодого человека подвозила...

— Живет там кто-то, — перебила бабка. — Бомж, наверное, хотя не похож.

К этому моменту я достигла угла дома и развалюха предстала передо мной во всем своем великолепии. Если люди жили здесь еще этой весной, им остается только посочувствовать. Дом, впрочем, язык не поворачивался назвать его так, был трехэтажным, деревянным. На третьем этаже рамы в окнах отсутствовали, взгляд радовали темные дыры, через которые можно увидеть клочья обоев и дырявую крышу, левая стена была обложена кирпичом и держалась на подпорках, правая просто рухнула, так что видны были комнаты. В доме было два подъезда, дверь в первый распахнута настежь, лестница на второй этаж провалилась, дверь во второй подъезд заперта на замок. Я подергала его на всякий случай, но без толку. Рядом с дверью шесть звонков с фамилиями на клочках бумаги. Прочитать их было невозможно, сохранилась лишь одна: «Сидоровы», а рядом какой-то шутник вывел крупными буквами: «Добро пожаловать в коммунизм». Ни один из звонков не работал. Рядом с дверью окно, завешенное желтой шторой. Я постучала по стеклу и позвала:

— Хозяева, есть кто дома? — Довольно глупое занятие, имея в виду наличие замка на двери, но чем черт не шутит. Тишина.

Я вернулась на тропинку, продолжая разглядывать дом. В окнах второго этажа тюлевые занавески, старые, к тому же их не мешало бы выстирать, но помещение все же казалось обитаемым. «Отцов бы города сюда хоть на недельку на принудительное жительство, — зло подумала я, — с женами и детьми». Впрочем, не мне возмущаться местной властью, я-то как раз живу в огромной квартире с отдельным входом с улицы, гаражом в подвале и прочими достижениями цивилизации.

Старушка уже покинула свой пост на крыльце, девочка тоже исчезла. «Ладно, заеду позднее», — подумала я и поспешила покинуть это место, а то от моего оптимизма и чувства юмора и следа не останется.

Второй раз я появилась здесь уже вечером, в половине одиннадцатого. Конечно, глупо было тащиться сюда на ночь глядя, но, во-первых, мы засиделись с друзьями в кафе и я отвозила одного из них на Ямскую, что находится неподалеку от улицы Рабочей, а во-вторых,

по моему мнению, в столь позднее время легче застать хозяев дома.

Я оставила машину там, где и в прошлый раз, Сашка вновь наотрез отказался идти со мной, и я скроила недовольную мину, хотя считала, что он прав, приличной собаке здесь не место.

Едва я свернула за угол, как услышала сдавленный крик. Если честно, поначалу я даже не была уверена, что действительно что-то слышу, но на всякий случай замерла, настороженно повертела головой и почти убедила себя, что мне почудилось. В окнах дома, что остался позади, горел свет, но никакого беспокойства тамошние граждане не проявили. Я ускорила шаг, замок на двери отсутствовал, дверь была приоткрыта.

Оказывается, электричество в доме было, по крайней мере на втором этаже в двух окнах горел свет. Я распахнула дверь и заглянула внутрь, в темноте угадывалась лестница на второй этаж, рядом справа дверь. Я нащупала ручку и потянула дверь на себя. Просторное помещение тонуло в полутьме, свет из окон соседнего дома с трудом доходил сюда, шторы по-прежнему были задернуты, впереди виднелась печь с плитой, у окна стол и две табуретки. Это скорее всего кухня. Я нащупала выключатель, но он оказался разбитым. Я закрыла дверь и начала подниматься по лестнице. Наверху кто-то был, я слышала шорох и невнятное бормотание, точно кто-то злился и не мог сдержать эмоций. Поднималась я очень осторожно, стараясь не шуметь, и это при том, что за минуту до того собиралась громко позвать хозяев. Отчего я раздумала, объяснить не берусь. Очередная загадка русской души.

Я благополучно поднялась на второй этаж, не свернув шею и даже не споткнувшись. Дверь на лестничную клетку была распахнута настежь, свет горел в соседней

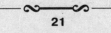

комнате, дверь в которую тоже была открыта. На стене висел плакат с изображением Курта Кобейна, рядом афиша предстоящего концерта «Арии», возле двери стоял велосипед, вполне приличный, на диване лежала гитара. Но не это привлекло мое внимание, а парень, что торопливо перетряхивал вещи в допотопном шифоньере в углу. Вещей там было немного, какие-то книги, бумаги, несколько грязных футболок, которым в шкафу по большому счету не место. Парень злился и бормотал ожесточенно: «Черт, черт, черт...»

— Привет, — сказала я и запоздало постучала по двери, стараясь быть вежливой. Он вздрогнул и резко обернулся. Черная куртка и черная вязаная шапка делала его почему-то похожим на ворону, глаза были злыми.

— Ты кто? — спросил он, попятившись, сунул руку в карман, чем, признаться, напугал меня.

— Мне нужен один парень, если не ошибаюсь, он здесь живет. Не знаешь, где он?

Вместо ответа он развернулся и бросился бежать, пнув дверь, что находилась прямо за его спиной. При этом из его кармана с легким позвякиванием что-то упало. Я сделала шаг, увидела баночку из-под лекарства с надписью «Но-шпа» и машинально подхватила ее.

— Эй! — крикнула я ему вдогонку. Преследовать парня было глупо, прежде всего потому, что происходящее в доме меня не касалось, а потом, он все-таки парень, а я хрупкая девушка (мне хотелось так думать), догоню я его и что? Однако доводы разума, как всегда, не подействовали и я бросилась следом за ним. Стена в той комнате, где я теперь оказалась, обвалилась, и парень этим воспользовался. Он уже был в соседнем подъезде и теперь перепрыгивал через поломанные ступеньки, точно горный козел, спускаясь по лестнице вниз, рискуя свернуть себе шею. — Эй! — крикнула я, перегнувшись через чудом сохранившиеся перила, парень как раз достиг входной двери, выскочил на улицу, а я в сером свете, что пробивался сквозь незакрытую дверь, увидела возле лестницы нечто, поначалу принятое мною за большой мешок. Приглядевшись получше, я чертыхнулась и достала телефон. Спускаться по сгнившей лестнице я не рискнула, вернулась в комнату, где парень рылся в шифоньере, затем в коридор, спустилась вниз и вышла на улицу. Я не удержалась и заглянула в соседний подъезд, успев за это время вызвать «Скорую» и милицию.

Парень лежал без движений. «Скорая» вряд ли ему понадобится. Мне не раз приходилось видеть трупы, и я сразу поняла, что передо мной труп. На затылке кровь, я потянула его за плечо, чуть повернула и ничуть не удивилась, узнав своего недавнего спутника. Фотоаппарат ему теперь не нужен.

Следователь был молод и то ли страдал с перепоя, то ли торопился выпить. В общем, он здорово злился, в основном на меня.

— Все яснее ясного, — ораторствовал он, — парень — наркоман. Перебрал и свалился с лестницы. Не свалился бы, так от передозировки загнулся. Они все так кончают.

— Это точно, — не стала возражать я, уговаривая себя не злиться, а главное, не лезть не в свое дело, раз оно совершенно меня не касается. Но все-таки не удержалась и съязвила: — Только упал он как-то затейливо, сначала хрястнулся затылком, потом на живот перевернулся и тогда уж лбом тюкнулся.

— Ну и что?

— Ничего. Говорю, затейливо падает.

— Очень умная, да?

— Почти что дура. А что по этому поводу думают гении?

— Я вот что думаю... — перешел он на зловещий шепот, но тут к нам подошел еще один мужчина, приехавший с ним. Лицо его было мне смутно знакомо, но фамилию я не смогла вспомнить.

— Вы утверждаете, что здесь был еще один человек?

— Утверждаю. Кстати, он потерял вот это. — Я протянула мужчине баночку с но-шпой.

— Что это? — нахмурился он, с недоумением глядя на меня.

— Лекарство, — пожала я плечами. — Очень хорошее. Называется но-шпа. От желудка помогает. У вас желудок не болит?

— Издеваешься? — ядовито улыбнулся тот, что помоложе.

— Значит, не болит, — удовлетворенно кивнула я. — Спазмы не мучают? — Ему очень хотелось ответить в том смысле, что спазмы будут у меня, если я немедленно не заткнусь, и никакая но-шпа уже не поможет.

— Что в этой банке? — спросил второй. — Действительно но-шпа?

— Действительно, — кивнула я, высыпав на ладонь таблетки.

Маленькие желтые таблетки... Их оставалось совсем немного, штук семь.

— И что это доказывает?

— То, что у парня скорее всего проблемы с желудком. Он поступает мудро и постоянно носит но-шпу с собой.

— И это единственное доказательство того, что кто-то еще был в доме? — хихикнул первый. — И рылся в вещах покойного.

— Вы же видели: шифоньер открыт и вещи разбросаны.

— Вещи, — фыркнул следователь. — Какие вещи? Здесь весь дом сплошная помойка.

— Насчет помойки не спорю, но тот парень что-то искал.

— Кроме тебя, этого парня никто не видел. Интересно, самой тебе что здесь понадобилось? Может, ты паренька и столкнула, в вещичках порылась, а потом придумала...

— Подожди, Сережа, — перебил его второй, потянул меня за локоть в сторонку. — Вы погибшего хорошо знали?

— Я даже не знаю, как его зовут. Вчера подвозила его на машине, дождь проливной, вот и...

— А сегодня зачем приехали? Или вам молодой человек понравился?

— Да, — кивнула я, не сдержав раздражения. — Очень. Такой милый, дай, думаю, загляну. И повод есть. Он фотоаппарат в моей машине оставил.

— Фотоаппарат?

— Да.

— У такого типа и фотоаппарат? У наркоманов ничего не задерживается, что представляет хоть какую-то ценность. Уверены, что его фотоаппарат?

— Нет, — ответила я неохотно. — Девчонки нашли на мойке, когда машину пылесосили.

— А до этого когда вы машину мыли?

— Три недели назад, — ответила я.

— Вот видите, никакой гарантии, что вещь его. Вдруг вы еще кого-то подвозили? Может такое быть?

— Может.

— Ольга Сергеевна, — ласково сказал он, — я все прекрасно понимаю, натура вы деятельная и времени у вас сейчас предостаточно. Только ведь это не повод из обычного несчастного случая делать убийство. Парень просто свалился с лестницы. Ну и что? Такое случается сплошь и рядом.

— Ясно, — кивнула я. По-своему этот мент прав, у него, кроме этого, наверняка еще пяток убийств, а здесь все проще простого: ну и чего себе жизнь портить? — Фотоаппарат возьмете? — спросила я.

— Зачем? — удивился он. — Вы даже не знаете, кто его оставил в вашей машине.

Я сцепила зубы, с трудом сдерживаясь. Меня очень подмывало поскандалить и для начала заехать этому типу в ухо, чтобы пришел в себя. А Дед потом скажет, что у меня от безделья крыша едет и я кидаюсь на людей. Опять же, заехать парню в ухо я могу совершенно безбоязненно только по одной причине: как бы ни повернулось дело, Дед меня отмажет и за это деяние никакой кары я не понесу. То есть налицо использование своего положения в личных, пусть и не корыстных целях. Мент тоже пользуется своим положением: пытается откреститься от малоприятной работы. Ну и чем я лучше? Тем, что со своей точки зрения справедливость отстаиваю? «Он обязан выполнять свою работу», — разозлилась я, но тут же сникла, точно зная, что в очередной раз останусь в дураках, если вмешаюсь. Хуже того — чего доброго, начну считать себя виноватой, что от безделья порчу людям жизнь. «Меня все это не касается, — напомнила я себе. — И этот парень, и его убийство», — сунула фотоаппарат в карман и побрела к машине.

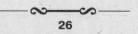

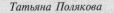

Утром, гуляя с Сашкой, я дала себе слово выбросить вчерашнее происшествие из головы, но слово не сдержала. У меня налицо отсутствие твердости характера и чувства собственного достоинства. Часов в одиннадцать я уже болталась по длинному коридору, стены которого недавно выкрасили ядовито-зеленой краской, что сразу подействовало на мою ослабевшую душу: я начала впадать в депрессию. На счастье, я быстро отыскала нужный кабинет, заглянула в него и обнаружила там Славку Сычева, с которым когда-то вместе работала. С тоской в очах он разгадывал кроссворд. Увидев меня, он тут же разулыбался, то ли правда обрадовался, то ли вежливость проявлял.

— Привет, — сказал он весело и протянул руку, которую я пожала. — Какими судьбами?

— Вчера паренек с лестницы свалился...

— Это тот, который с Рабочей?

— Он самый.

— Знакомый, что ли?

— Ага. Так что там с пареньком?

— Нет больше паренька, о чем не трудно догадаться, если уж он ко мне в руки попал.

— Это я сообразила. А вот отчего его не стало?

— С лестницы упал, сломал шею, перед этим вкатил себе такую дозу...

— Сам вкатил? — невинно поинтересовалась я. Славка серьезно посмотрел и кивнул мне на стул.

— Садись. — Я села, а он вздохнул. — Объясни, чего ты от меня хочешь?

— Вскрытие провели?

— Вон заключение на столе.

Я прочитала и не смогла удержаться от усмешки.

— А рана на затылке?

— Про рану там тоже есть.

— Вижу, что есть. Откуда она взялась, по-твоему? Славка хмыкнул и покачал головой:

— В таком состоянии можно столько шишек набить и даже не заметить.

— Парень наркоман со стажем? — спросила я.

— Не похоже, — ответил Славка. — Вены чистые... В общем-то парень занятный, все тело в синяках и шрамах. Такое впечатление, что он у кого-то был боксерской грушей.

— То есть кто-то над ним здорово потрудился? — нахмурилась я.

— Ты не поняла, — покачал головой Славка. — Одним шрамам год, другим больше, есть и свежие. Если занимаешься боксом, таких шрамов вряд ли будет много, а вот если часто участвуешь в уличных драках...

— Наркоман и уличная шпана, — заключила я.

— Точно.

— А не могло быть так: сначала он схлопотал по голове, а уж потом его как следует накачали наркотой, после чего сбросили с лестницы?

— Могло, — согласно кивнул Славка. — Но могло быть и по-другому. Бродил по дому очумелый, хрястнулся башкой об косяк, а потом свалился с лестницы. Почему нет?

— В самом деле, почему? — съязвила я.

— Потому, моя дорогая, что мы по показателям на последнем месте в городе. Алексеич рвет и мечет, ему до пенсии два года. В этой бумажке все правда и подписаться под ней не грех, что я и сделал, а уж там пусть другие голову ломают — что да как было. — Я поднялась и пошла к двери. — Приятно было тебя увидеть, — сказал он вдогонку.

Ну и чего я злюсь? Славка прав, парень вполне мог сам себе набить шишек и даже с лестницы мог сам свалиться. Я бы в это поверила, если б не его гость, который рылся в шифоньере...

В задумчивости я продвигалась к выходу без должной бдительности, оттого нос к носу столкнулась со вчерашним ментом. Как его фамилия... Глаголев, кажется.

— Ольга Сергеевна? — удивился он, улыбнувшись.

— Здравствуйте, — кивнула я.

— Вижу, вы не оставили идею загрузить нас работой.

— На самом деле заглянула к знакомому, соскучилась.

— Сычева имеете в виду? — проницательно глядя на меня, поинтересовался он.

— У меня полно знакомых, я девушка общительная.

— Что ж вы так к этому наркоману прицепились? Обворожил он вас, что ли?

— Может, обворожил, а может, мне просто не нравится, когда людей безнаказанно убивают.

— Ну, так уж сразу убивают... — попенял он мне с таким видом, точно я несмышленое дитя, а он добрый дядюшка. — Зайдемте ко мне, — предложил он милостиво. Его кабинет оказался рядом. Я зашла и устроилась возле окна на расшатанном стуле.

Он открыл папочку, лежавшую на столе, и монотонно начал:

— Александров Роман Юрьевич, двадцать один год, закончил школу № 37, поступил в колледж, где проучился ровно месяц. Типичный шалопай. Косил от армии, даже в психушке полежал, да не помогло. В армию ему очень не хотелось, из дома ушел, болтался по друзьям, а потом устроился жить в доме под снос, где ранее обитал его приятель, Козиков Лев Николаевич. В настоящее время Козиков находится в СИЗО. Старушку ограбил на соседней улице. Наркоман со стажем, мозги совсем в отключке. Старушке повезло, что он к ней с поленом явился, а не с топором, жива осталась. А парень разжился шестьдесят одним рублем. Его жилище, можно сказать, по наследству перешло Александрову. Как видите, публика малоприятная.

— Согласна, — вздохнула я, — но...

— Вот только этого не надо, — в притворном ужасе замахал руками Глаголев. — Все я знаю... Я присягу давал и, между прочим, к своей работе отношусь серьезно. Скажите честно: чего вы так к этому несчастному случаю прицепились?

— У меня встречный вопрос: почему вы так упорно не желаете признать этот случай убийством?

— А с какой стати? Парень свалился с лестницы в невменяемом состоянии...

— Там был еще один парень.

— Допустим...

— Допустим? — подняла я брови.

— Я забыл, — усмехнулся он, — у вас серьезные доказательства его существования. Но-шпа, кажется? Продается в любой аптеке. Самое ходовое лекарство. У меня жена его в сумке постоянно таскает.

— По-вашему, я парня выдумала? Не скажете, зачем мне это?

— Хорошо, — поморщился Глаголев. — Был парень. Такой же наркоман. Увидел, что дружок свернул себе шею, и принялся в шкафу шарить. Может, надеялся деньги найти или наркоту, а вас увидел, испугался и дал деру. Скажите, с какой стати нормальному мужику бояться женщины и убегать от нее со всех ног? Уж если он убийца, то мог и вам шею свернуть за компанию.

— Может, он не столь кровожаден...

— Вы к нам на работу не хотите? Нам такие настырные нужны. Правда, не знаю, насколько хватит вашего упрямства.

— Вы меня работой не пугайте, — хмыкнула я. — Про зарплату вашу я тоже знаю, и про то, что жены без шуб, а пацаны без отцов растут. Так что у меня встречное предложение: идите в банкиры. И жена в мехах, и пацан под присмотром...

— Я подумаю, — перестал он улыбаться, но остался спокойным — большой выдержки человек.

— Давайте так, — ласково предложила я. — Возьмите фотоаппарат, проверьте его и если...

— Знаете, у нас есть дела поважнее. Хотите — проверьте сами. И попробуйте доказать, что это фотоаппарат Александрова.

— И вам даже не интересно? — попыталась я воздействовать на одну из человеческих слабостей.

— Нисколько, — ответил он, и я с досадой покинула его кабинет.

Можно, конечно, позвонить Деду, настучать на этих малолюбопытных... Да пошли они все к черту! Все равно никого не найдут. А у них будет еще один «висяк». Глаголев за него по шее получит и скажет в мой адрес доброе слово. Только и всего.

Я села в машину, взглянула на недовольного Сашку и зло чертыхнулась. Хотела выбросить фотоаппарат, но вместо этого сунула его в «бардачок».

— Все. Меня это не касается, — сказала я грозно Сашке, как будто во всех несчастьях виноват был именно мой пес.

Однако жажда деятельности переполняла меня. Правда, звонить Деду я все же не стала, вместо этого позвонила своему приятелю, и мы весело провели с ним время, путешествуя из одного бара в другой. Утром я с большим трудом смогла подняться с постели и с изумлением обнаружила на своем предплечье татуировку. «А мне все по фигу», — прочитала я и присвистнула, после чего позвонила Коле, очень рассчитывая, что он, в отличие от меня, помнит, как на моей руке появилась эта гадость.

— Я не виноват, — тут же заявил он. — Я тебя отговаривал, но в тебя точно черт вселился.

— А по рукам дать ты мне не пробовал? — вздохнула я. — А еще лучше по башке.

— Ага... у меня здоровья не хватит. Между прочим, когда на тебя находит, иметь с тобой дело совсем не сахар.

Я вторично вздохнула и повесила трубку. Ладно, переживу. Наколка ерунда, она не настоящая, то есть не на всю жизнь, месяца через три сотрется. Рожа цела — и слава богу.

Тут очам моим предстал Сашка. Он укоризненно смотрел на меня и тоже вздыхал.

— Не вздумай читать мне нотации, — предупредила его я и почувствовала себя еще хуже. Застонала, держась одной рукой за голову и прижав другую руку куда-то к области желудка. Сразу и не сообразишь, на каком органе ночной загул отразился с большей силой.

Я устроилась на диване ждать, когда полегчает.

Забота о здоровье подействовала на меня самым благотворным образом: свернувший себе шею Александров перестал волновать меня, а ментам я даже сочувствовала.

Однако через несколько дней, проезжая неподалеку от улицы Рабочей, я не удержалась и свернула в переулок. Помойка была на месте, а вот развалюха претерпела значительные изменения: левая половина дома почернела от копоти, окна заколочены, крыша провалилась. Ясное дело: пожар. В правой половине, судя по

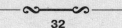

занавескам, люди еще жили. Я прошла в переулок и смогла убедиться, что вместо двухэтажной руины, где погиб Александров, теперь черное пепелище. Выгорело так, что только фундамент остался, да в стороне возвышалась груда ржавого железа с крыши.

Я прогулялась по пепелищу, насвистывая какой-то мотивчик и разгребая носком кроссовки кучи мусора.

— Занятно, — сказала я вслух и вновь принялась злиться на ментов, хотя они скорее всего этого не заслуживали: развалюха могла сгореть и без чьей-то помощи, хотя я упорно не желала верить в это.

— Здравствуйте, — услышала я за спиной. Я оглянулась и увидела старушку, которая на прошлой неделе присматривала за ребенком, сидя на крыльце.

— Здравствуйте, — ответила я как можно доброжелательнее, сообразив, что, с точки зрения бабки, наверняка выгляжу подозрительно.

— Что-нибудь потеряли? — спросила она не без язвительности.

— Здесь дом стоял...

— Стоял. Вы на днях были, я вас узнала.

— Так и есть, — покаялась я. — Давно дом сгорел?

— В субботу. Тут ведь труп нашли, вы знаете? То ли убил кто парня, то ли сам разбился... А на следующий день и заполыхало. Так горело, страсть! Пожарные приехать не успели, все дотла выгорело и на нашу крышу огонь перекинулся. Уж лучше б и наш дом сгорел, а то Ивановым квартиру дали, а что с нами будет, неясно. Дожди начнутся, зальет.

— А вам квартиру не обещали?

— Сказали, если изыщут возможность. Это как понимать? Живите с худой крышей? Да еще полдома обуглено и окна заколочены. Хотя начальству здесь не жить... — Бабка так увлеклась своими несчастьями, что вроде бы забыла обо мне, вздыхала и с тоской смотрела на полуобгоревший дом.

Я поспешила удалиться. Если верить ее словам (а с какой стати не верить?), дом сгорел на следующий день после убийства.

— Несчастного случая, — сказала я вслух, садясь в машину и не спеша трогаясь с места. Очень похоже, у парня что-то искали, а не найдя, сожгли дом. По их мнению, искомое обязано сгореть в огне. Прав мент, это меня от безделья клинит, кто поджег, что сгорело? А если сгорело, тем более беспокоиться не о чем. Я вновь дала себе слово забыть о парне. И в тот момент твердо намеревалась слово сдержать. Но человек, как известно, предполагает, а господь вносит свои коррективы.

Уже на следующий день часа в три мне позвонили. Мы как раз пришли с Сашкой домой после длительной прогулки. Пес у меня злопамятный, после того как мы с Колей, обойдя все кабаки в округе, вернулись домой в полубессознательном состоянии, он на меня здорово осерчал. Подозреваю, из-за того, что сам в походе не участвовал. Я пробовала оправдаться тем, что пью очень редко, оттого мой неприученный к алкоголю организм реагирует своеобразно и я практически теряю сознание (хотя с потерей сознания тоже явное преувеличение, кое-что я все же помнила). В общем, пес дулся, а я вовсю подхалимничала перед ним, пытаясь вернуть его расположение, оттого гуляли мы теперь по нескольку часов в день. Сашка был доволен, а у меня одной заботой стало меньше: не надо придумывать, чем себя занять. Из-за этого звонок застал меня в благодушном настроении.

— Ольга Сергеевна? — осведомился мужской голос.

— Да, а вы кто? — задала я встречный вопрос, потому что голос не узнала.

— Глаголев моя фамилия, Кирилл Алексеевич. Помните такого?

— Мент, что ли?

— Точно.

— Помню. Зачем звоните? — удивилась я. — Ведь не чаяли от меня избавиться.

— Начальство одолело, — вздохнул он.

— Неужто работать заставило?

— Вам смешно, — хмыкнул он, — а у меня... Ольга Сергеевна, можно мне к вам заехать? — без перехода спросил он.

— Зачем это? — съехидничала я.

— Поговорить.

— Заезжайте, — согласилась я, потому что никогда не жаловала ехидство. — Адрес...

— Я знаю, — перебил он и обещал появиться через полчаса.

Я накормила Сашку и успела перекусить сама. В дверь наконец позвонили. На пороге стоял Глаголев, рядом с ним мужчина без определенного возраста, невысокий, сутулый, с жидкими рыжеватыми волосами, торчавшими из-за ушей неопрятными космами, и злыми глазками, которые очень бы подошли какому-нибудь сказочному персонажу, к примеру кикиморе. Он мне сразу не понравился, и я ему тоже, об этом было нетрудно догадаться, раз его физиономия недовольно скривилась, а глазки не просто засверкали гневом, а заполыхали вовсю.

— Проходите, — милостиво предложила я.

— Спасибо. Мы много времени не займем, — забубнил Глаголев.

— Занимайте, — усмехнулась я, — у меня его сколько угодно.

Глаголев тоже усмехнулся и вспомнил о хороших манерах.

— Вот, знакомьтесь — Ольга Сергеевна Рязанцева. Уверен, вы о ней наслышаны. А это Шутов Юрий Николаевич.

— Очень приятно, — заверила я, рыжеватый в ответ молча кивнул. — Присаживайтесь, — предложила я. Мужчины как-то без охоты устроились на стульях. — Чай, кофе?

— Нет-нет, не беспокойтесь. Мы буквально на минуту.

— Что ж вы собираетесь успеть за минуту? — подивилась я. Глаголев засмеялся, а его приятель нахмурился.

— Ольга Сергеевна, вы в прошлый раз говорили о пленке, точнее, о фотоаппарате.

— Говорила. У вас к нему появился интерес?

— Ну... проверить мы обязаны.

— Ага. А что с Александровым?

— В каком смысле?

— В буквальном.

— В буквальном его похоронили.

— А теперь вы расследуете убийство?

— Далось вам это убийство, Ольга Сергеевна.

— Значит, все-таки несчастный случай?

— Конечно, несчастный случай.

— И дело закрыли?

— Какое дело, Ольга Сергеевна? Но раз вы настаивали... И фотоаппарат этот... Мы, собственно, за ним и пришли, — слегка стыдясь, сообщил Глаголев.

— Зря, — переводя взгляд с одного на другого, ответила я. Глаголев, слегка растерявшись, поднял брови, а вот Шутов впился в меня взглядом так, точно готовился сразить наповал усилием воли.

— Что? — наконец подал голос Кирилл Алексеевич.

— Зря пришли, говорю, — разулыбалась я, продолжая по непонятной причине упрямиться. Как только речь зашла о фотоаппарате, я сразу поняла: я его не отдам. Не отдам, и все. И даже не потому, что сразу не взяли, а теперь вдруг опомнились, просто рыжий мне не нравился и с этим ничего нельзя было поделать. Парню с таким взглядом улики заныкать — раз плюнуть. Может, я к нему придираюсь, и он честнейший мент, но проверять это как-то не хочется.

— Я вас не понимаю, — слегка насторожился Кирилл Алексеевич, должно быть решив, что я с ним шучу.

— Вы не пожелали его взять в свое время, — напомнила я, — и я сильно разгневалась. Так что фотоаппарат стоит поискать в мусорном баке рядом с вашей конторой. Именно туда я его и определила.

— Вы выбросили фотоаппарат в мусорный бак? — впервые подал голос Шутов. Его голос звучал так, точно его обладатель здорово сомневался в правдивости моих слов, или в наличии у меня здравого смысла, или в том и другом одновременно.

— Выбросила, — скроив самую разнесчастную мину, ответила я и тут же почувствовала себя гораздо лучше. То есть до сего момента кое-какие угрызения совести все же имели место, а тут у меня точно камень с души свалился. Врать иногда очень полезно и даже приятно.

— И пленку тоже? — вцепившись в меня взглядом, спросил Шутов.

— Конечно. Надеюсь, кто-то нашел его и порадовался. Я имею в виду фотоаппарат. Кому-то и «мыльница» в радость.

— Надеюсь, вы понимаете... — посуровел Шутов, пока Глаголев укоризненно вздыхал.

— Кирилл Алексеевич не даст мне соврать, — кивнула я на него, — я упрашивала взять у меня эту улику. Не взял. Говорил, что не надо, раз я даже не уверена, что фотоаппарат оставил погибший паренек. Кстати, я и вправду не уверена в этом, обзвонила на всякий случай всех знакомых, спрашивая, кто потерял фотоаппарат. Никто не сознался.

— Вы точно помните, в какой контейнер выбросили его?

— Само собой. Пью я редко, вопреки слухам, а в тот день точно была трезвой.

— Что ж, мы проверим, — заявил Шутов, поднимаясь. Глаголев кашлянул и с потерянным видом пошел вслед за товарищем.

Проводив их, я спустилась в гараж, достала фотоаппарат из «бардачка», а из фотоаппарата пленку, повертела ее в руках и сунула в карман, фотоаппарат же решила выбросить в ближайшую к дому урну.

Проделав все это, я вернулась домой и задумалась. Отчего бы не отдать людям вещественные доказательства? Странно, дела нет, а интерес к вещдокам имеется. Нормальному менту вещественные доказательства без надобности, если дело закрыто, а эти не поленились заехать ко мне. И дом, где парнишка шею сломал, вдруг сгорел. Может, пленочку в доме и искали, да не нашли. А когда про фотоаппарат узнали, зашевелились и ментов ко мне отрядили. Ладно, скоро станет ясно, фантазирую я или все примерно так и есть.

Пока я размышляла на эту тему, вновь зазвонил телефон. На этот раз голос Кирилла Алексеевича я узнала сразу.

— Забыли что-нибудь?

— Ольга Сергеевна, — начал он жалостливо, — я, конечно, понимаю, у вас есть причина сердиться на меня, но... вы ж знаете, что у меня будут неприятности. Если фотоаппарат у вас, очень прошу...

— Сожалею, но я его правда выбросила. Зла была очень, а под горячую руку я и не такое могу выкинуть, то есть на самом деле все, что угодно. Вот, к примеру, наколку себе сделала, тоже со злости.

— На наколку я обратил внимание. Вам идет, то есть... я хотел сказать...

— Кирилл Алексеевич, вы мне лучше скажите, откуда вдруг такой интерес к пленке, если дела-то нет?

— Ну... — невнятно промычал он и надолго замолчал. Я было решила, что потеряла его навеки, но он все-таки продолжил: — Я так понял, что это вы...

— Я что? — пришла я в изумление от его ответа.

— Надавили где следует. У вас ведь есть возможности...

— Подождите. Вы решили, что проявить интерес к пленке вас вынудила я?

— Конечно.

— И на каком основании вы так решили?

— Кому еще это надо?

— От кого вы получили такой приказ?

— От начальства, естественно. Шутов — мой непосредственный начальник. Он был в бешенстве, когда узнал о фотоаппарате, хоть я и уверен, что этот фотоаппарат к парню никакого отношения не имеет. Выговор мне уже вкатили, а теперь могут и с работы турнуть. Вот я и звоню вам. Кто старое помянет... Ольга Сергеевна, вы ж у нас работали, вам объяснять не надо. Проучили дурака и будет, а, Ольга Сергеевна?

— Я долго злиться не умею, это вам каждый скажет, — вздохнула я. — И фотоаппарат, конечно, бы отдала, будь он у меня. Но я его выбросила.

— Нескладно получилось, — вздохнул Глаголев и, попрощавшись, повесил трубку, а я задумалась еще сильнее. Парень решил, что я настучала начальству, но я-то точно знаю, что это не так. Выходит, кто-то еще проявил инициативу. Этот «кто-то» тип непростой, раз сумел надавить на милицейское начальство и Шутов даже лично пожаловал ко мне, точно у него других забот нет. Шутов наверняка знает, кому интересна пленка. Знает, да мне не расскажет. Похоже, никто уже не сомневается, что фотоаппарат принадлежал Александрову. Я бы даже сказала, что Шутов убежден в этом и именно ему пленка и интересна. Само собой, мне тоже. Можно сказать, изнываю от любопытства, хотя по опыту знаю, что любопытство до добра не доводит и даже иногда способно завести человека так далеко, что ему, бедолаге, уже и не выбраться. Но грех потому и грех, что бороться с ним трудно.

Скроив разнесчастную мину, я потянулась к телефону с намерением позвонить своему другу Артему Вешнякову. Вот уж обрадуется он, когда я расскажу ему про пленку. Я бы тоже не обрадовалась, да что делать. Друзья существуют на свете для того, чтобы было кому поднимать тебя по тревоге среди ночи и вообще всяческими способами портить жизнь. Все, с кем я дружу, в курсе, что друг я настоящий. По крайней мере жизнь им порчу самозабвенно. Больше всех достается Вешнякову, парень явно родился под дурной звездой. Должно быть, поэтому до сих пор ходит в майорах, хотя я не раз сулила ему полковника. Но почему-то всегда выходило, что мы на пару только шишек набивали, оттого и кривила я сейчас физиономию. Кое-какая совесть у меня все же есть, и я стыдилась, что вновь пытаюсь втравить

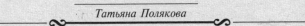
Артема в историю. Хотя, может, и нет никакой истории, может, это мои фантазии.

— Привет, — задыхаясь от счастья, пропела я, услышав родной голос, счастье я слегка переигрывала, и мой друг забеспокоился.

— Чего у тебя?

— У меня хорошее настроение, а у тебя?

— У меня работы по горло.

— Жаль. Хотела тебя пивом угостить.

— Просто так? — заподозрил неладное Артем.

— Не просто так, а с воблой. Хочешь?

— Конечно, хочу. Давай через час на Смоленской, там пивнуха в подвале, найти легко.

— Найду. Значит, через час? А как же работа? — не удержалась я.

— Пиво работе не помеха, — резонно ответил Артем. — Хотя я бы и от водки не отказался.

Я весело хихикнула и начала сборы, размышляя, взять с собой Сашку или нет. Сашка, обратив внимание на мои передвижения, решил вопрос сам: сполз с кресла и побрел к машине, недовольно оглядываясь на меня.

— Можешь оставаться дома и смотреть телевизор, — предложила я, но Сашка презрительно отвернулся. Итак, на Смоленскую мы отправились вдвоем.

Найти пивнушку труда не составило, она имела громкое название «Парнас» и могла похвастать относительной чистотой. Это улучшило нам настроение, особенно Сашке, он довольно привередливый пес.

Возле окна сидели художники, из тех, что днем болтаются по Соборной площади. Их непроданные работы стояли возле стены, прикрытые мешковиной. День, судя по веселому гомону и количеству выпитого, у них был удачным. Впрочем, у нас одинаково охотно пьют и с горя, и с радости.

Я устроилась подальше от шумной компании. Неподалеку от меня пили пиво двое ребят, по виду студенты. Один обратил на меня внимание и улыбнулся, второй тоже уставился на меня. На счастье, появился Вешняков. Со времени нашей последней встречи он поправился на пару килограммов. Пуговицу на пиджаке не худо бы переставить, застегивалась с трудом. Вешняков плюхнулся на стул рядом со мной, а я сказала:

— Наконец-то у тебя вид преуспевающего майора, а то бегал как выпускник-лейтенантик.

— Я полковника хочу, — съязвил Артем и тут же вздохнул: — Скажи, отчего пузо растет?

— У баб в основном от беременности, а у тебя от пива.

— Нет, от непосильной работы.

— Брось все и иди к Лялину, — предложила я. Ни одна наша встреча не обходилась без его сетований на тяжелую работу и моего предложения. Это что-то вроде ритуала перед первой кружкой пива. Артем досадливо махнул рукой и позвал официантку. Она принесла нам по кружке пива, мы не торопясь выпили, похваливая воблу. Артем отодвинул пустую кружку и со вздохом сказал:

— Ну, что там у тебя?

— Ничего, — прикинулась я дурочкой.

— А то я поверю, что ты меня за просто так пивом угощаешь.

— Зря вы, дяденька, сироту обижаете, я вам не раз и не два даже водки наливала совершенно безвозмездно. — Артем ухмыльнулся, а я осчастливила его: — Гости у меня были, вот и потянуло к родному человеку.

— Какие гости? — спросил Артем, и я все ему подробно рассказала. — То, что менты поспешили дело закрыть, — почесал он бровь, — вполне понятно, кому лишнее убийство нужно? Говоришь, улица Рабочая? Это Первомайский район... Ясно, у них третий начальник за два года, показатели дохлые... А то, что за пленкой явились, может, правда кто шею намылил, а может... Что там на этой пленке?

— Понятия не имею, — пожала я плечами, выкладывая ее на стол.

— Неужто любопытства не проявила?

— Теперь, конечно, проявлю.

Артем сунул пленку в карман пиджака.

— Ты на всякий случай поосторожнее, вдруг там наши политики, чтоб им... — При слове «политики» Вешнякова так перекосило, что я всерьез испугалась, как бы у него пиво назад не попросилось. — Завязала бы ты с этим, — сказал он укоризненно.

— С чем?

— Лезть не в свое дело. Чего фотоаппарат ментам не отдала?

— Я отдавала, они не брали.

— Сегодня?

— Сегодня не отдала из вредности.

— Ясно. Пленку проявим, посмотрим. А про убитого парня даже не заговаривай, у меня своих дел выше крыши, хоть караул кричи.

— Но хотя бы справки навести о нем ты можешь?

— Как ты мне надоела, — простонал Артем, поднялся, чмокнул меня в макушку и ушел.

— Я ему надоела, — пожаловалась я Сашке, он все это время лежал в сумке, не замеченный Артемом. Для такой выдающейся собаки это попросту оскорбление. Сашка продемонстрировал зубы и зарычал.

Мы встретились с Вешняковым уже на следующий день. На этот раз инициатива исходила от него.

— Я сегодня домой собрался пораньше, можем встретиться по дороге, возле парка, часов в шесть. Идет?

Ровно в шесть я была возле парка. К моему удивлению, Артем приехал раньше, он бродил возле своих «Жигулей», с сердитым видом пиная то одно, то другое колесо.

— Резину пора менять, — сообщил он.

— Поменяй.

— Было бы так просто, я б тебе не жаловался, — съязвил он.

— Хочешь, я тебе подарок сделаю на день рождения. Хочешь?

— Я хочу, чтоб ты никуда не лезла и оставила меня в покое, — вздохнул он.

— Фотографии интересные? — насторожилась я.

— Дерьмо, а не фотографии. — Он распахнул дверь машины, предлагая мне сесть, и сел сам, достал из кармана конверт и бросил мне на колени. — Отснять успели лишь четыре кадра. Взгляни.

Я достала фотографии из конверта, две были практически одинаковые: четверо мужчин с напряженными лицами. На второй фотографии у того, что слева, широко раскрыт рот, похоже, он кричит. У седого благообразного мужчины с бородкой сжаты кулаки.

— На что это похоже? — удивилась я.

— На футбольный матч, — хмыкнул Артем. — Когда наши по воротам мажут.

Другие две фотографии были гораздо худшего качества. Мужчин на них было больше, они стояли плотной толпой, лица почти у всех смазаны.

— Знакомые среди этих типов есть? — спросила я.

— У меня нет.

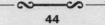

— У меня тоже. Так что политиками здесь не пахнет.

— И слава богу, — обрадовался Артем. — Зря ментам фотоаппарат не отдала, ничего в этих фотографиях особенного нет. Чего губы надула? Небось горюешь, что никаких пакостей откопать не удалось?

— Еще как, — вздохнула я, продолжая разглядывать фотографии. — Скажи на милость, зачем нужны парню фотографии каких-то типов?

— Вот уж не знаю. Может, хотел запечатлеть какое-нибудь памятное событие. Почему обязательно что-то криминальное...

— Потому что парень мертв, дом, где он жил, сгорел, а некто интересуется пленкой.

— Ты же сама видишь, интересоваться здесь нечем.

— Ну... не знаю. Может, кому-то с кем-то рядом находиться не положено.

— Только не жди, что я буду рыть землю носом, — начал вредничать Вешняков.

— И не надо. На твой интерес, кстати, могут обратить внимание.

— Ох ты, господи... Скажи на милость, с чего ты вообще взяла... Ладно, горбатого могила исправит. Узнаю, что это за публика.

— Не надо, — покачала я головой. — Я серьезно.

— Ты серьезно выбросишь все это из головы? — не поверил Артем.

— Нет. Просто загляну к Лялину.

— Вот уж он обрадуется, — фыркнул Артем.

Вопреки прогнозам, Олег Лялин мне обрадовался, по крайней мере вначале. Его секретарь встретила меня улыбкой, а Лялин даже вышел навстречу, что при его лени вещь прямо-таки фантастическая.

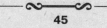

— Похорошела. Влюбилась, что ли?

— Нет, я тебя жду.

— Стыда у тебя нет, так издеваться над пожилым человеком, — заворчал Лялин.

— Это у тебя стыда нет, — отрезала я. — Кто обещал полюбить меня хоть на время, хоть разок и совсем чуть-чуть? Вам все шуточки, а девушка надежды питает.

— Это произошло в минуту слабости. Я, считай, был без сознания и мог наболтать что угодно.

— Понятно. Но я все равно надеюсь.

Лялин засмеялся, придвинул кресло, не сводя с меня взгляда, и покачал головой:

— Нет, в самом деле похорошела. Замуж не собираешься?

— За кого? — подняла я брови.

— Да хоть за Тагаева. Говорят, вас в театре видели. Чтобы такой парень, как Тимур, добровольно отправился в театр, его должны переполнять чувства посильнее благодарности.

— Лялин, в нашем городе есть хоть что-то, способное укрыться от твоего соколиного взора?

— А честному человеку прятать нечего, — дурашливо пропел он. — Ну, так как?

— Это ты про Тагаева? Никак. Я, кстати, зашла зоркость взгляда проверить. Твоего, разумеется. — Я выложила на стол фотографии и придвинула их Лялину. Надо сказать, что на его знания и память я рассчитывала не зря. Они у него, прямо скажем, выдающиеся. С такими талантами не в охранной фирме начальствовать, а прямиком в разведку... Впрочем, как раз там Олег и служил долгие годы. Потом был у Деда начальником охраны, а теперь вот на вольных хлебах. Но старые привычки, как известно, живучи, и я надеялась, что он мне поможет. Если захочет.

Он взял фотографии, внимательно просмотрел их и спросил:

— И чего в них особенного?

— Вот и я думаю о том же, — сказала я.

— Только не говори, что из-за этой хрени кого-то пришили...

— Провидец, — ахнула я, а Олег нахмурился:

— Тебе, конечно, больше всех надо.

— Вовсе нет. Простое любопытство.

— Хорошо, если так, — буркнул он и еще раз просмотрел фотографии. — Двоих я знаю. Вот этот, — он щелкнул ногтем по изображению мужчины с открытым ртом, — Синявин Василий Павлович, бывший главврач пятой городской больницы. Ныне бизнесмен, торгует медицинским оборудованием. Говорят, виллу купил в Испании, не из дешевых. В любом случае не бедствует. Рядом с ним Кондаревский Руслан Сергеевич, в далекой юности комсомольский вожак, сейчас бездельник. От тестя ему достались склады бывшей овощебазы, ныне торговый центр «Раздолье». Если память мне не изменяет, там примерно тысяч пять квадратных метров. Если их помножить на среднестатистическую плату за аренду квадратного метра... Мужику с таким доходом работать — здоровье не беречь. Супруга впала в религиозный экстаз, по монастырям катается, постится и о мирском не думает, так что дядя живет припеваючи. Вот эта рожа мне тоже знакома. Вроде адвокат, но фамилии не вспомню. Остальные по виду люди приличные, то есть я хотел сказать не бедные, их костюмы мне нравятся.

— А не мог бы ты очень аккуратно узнать, что это за публика и вообще...

— Зачем? — посуровел Олег, а я тяжко вздохнула:

— Вы сговорились, что ли?

— С кем?

— С Артемом.

— Понятно. Он тебя послал, так ты ко мне притащилась. А еще на любовь намекала, нет у людей совести...

— Вот тут ты ошибаешься. Я не о совести, о ней и сама толком не знаю, когда вроде она есть, а когда и нет. Я насчет того, что Вешняков меня послал. Я сама решительным образом отказалась от его помощи.

— Да неужели?

— Ага. Менты проявили интерес к пленке. Как бы они не узнали о чужом любопытстве.

— Менты?

— Сначала от меня отмахивались, как от назойливой мухи, потом сами прибежали за пленкой.

— Но ты им ее не отдала.

— Конечно.

— Почему?

— А не фига баловать.

— О господи, — простонал Лялин, получилось у него очень натурально. Он вытянул ноги, подергал себя за рыжий ус, потом сложил руки на животе и скомандовал: — Валяй, рассказывай.

Видя такую доброту, я поспешно поведала ему о случившемся, начав со встречи на дороге с двумя молодыми людьми.

— Что я тебе могу сказать, — выслушав мой рассказ и немного поразмышляв, изрек Лялин. — Конечно, все это выглядит подозрительно. Хотя очень может быть, что мент прав: в шкафу шарил дружок, а увидев тебя, перепугался и сбежал. Мог и парнишку столкнуть, и такое между приятелями бывает. Начальство могло узнать о вещдоке, не спрашивай как, но могло, и менту надавали по шее.

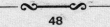

— Второй по фамилии Шутов выглядел так, точно готовился меня целиком заглотить.

— Это уже твои эмоции, а их к делу не пришьешь. Постой, Шутов, а зовут Юрка, Юрий Николаевич?

— Он самый.

— Редкая сволочь, к тому же продажная. Да-а... действительно наводит на размышления... только вот фотографии — фигня. За такое не убивают. Согласна?

— Полностью. Но если я права и паренек погиб из-за фотографий, значит...

— Значит, кто-то из мужчин не должен быть здесь, — закончил Олег, глядя на фотографии. — Хорошо, личности установим, это не трудно. Говорить тебе о том, что совать свой нос куда не просят вредно для здоровья, конечно, бесполезно.

— Конечно. Дед говорит, я от безделья дурею, вот и страдаю любопытством.

— Правильно Дед говорит, — кивнул Олег. — Как вы, кстати, ладите?

— Как кошка с собакой.

— Ну, значит, все нормально. Иди ко мне на работу. Больших денег не обещаю, но и скучать не дам.

— А любовь?

— Какая любовь?

— Большая и светлая. Если пообещаешь, хоть завтра на работу выйду.

— Угораздило меня сболтнуть, — проворчал Олег, — теперь по гроб помнить будешь.

— А ты как думал? Нечего языком молоть, девушку тревожить.

Я поднялась, Олег сгреб фотографии и пленку в ящик стола.

— Пусть у меня полежат. Береженого бог бережет. Будут новости, позвоню.

Я сделала ему ручкой и удалилась. По дороге домой я заехала в магазин. Сворачивая с проспекта, я поймала себя на мысли, что без конца поглядываю в зеркало заднего вида и присматриваюсь к потоку машин за спиной. Я разозлилась и пожалела, что не отдала вовремя пленку. Теперь на попятный не пойдешь. Прав Дед, это все от безделья.

Дед, легок на помине, позвонил буквально через полчаса. Точнее, позвонила Ритка, его секретарь и моя подруга.

— Привет, — начала она заискивающе. — Дед просил найти тебя.

— Чего меня искать, раз я не терялась.

— Не придирайся к словам. Он хотел, чтоб ты заехала в контору.

— Не сказал зачем?

— Нет, а я, конечно, не спросила. И что я должна ему передать?

— Что я спешу по первому зову.

— Я же серьезно спрашиваю.

— И я не шучу. Когда надо быть в конторе?

— В 17.45 у него «окно».

— Хорошо, буду в 17.45.

Я приехала раньше, решив не заезжать домой. Немного погуляла с Сашкой около здания под укоризненными взглядами охраны. Однако подать голос никто не решился, лишь Сашка заливисто лаял, бегая за мячиком. Я сидела на ступеньках, грызла зубочистку и доводила охрану до белого каления, не зубочисткой, а тем, что сижу, можно сказать, в святая святых и развлекаюсь со своей собакой. И ведь не прогонишь, хотя, наверное, руки чешутся. У меня не было намерений злить их, просто Сашку к Лялину я с собой не брала, а долгое сиде-

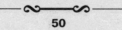

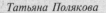
ние в сумке дурно сказывается на его настроении, пусть немного побегает.

— Дед вызвал? — услышала я и даже оглядываться не стала, потому что и без того знала, что за спиной у меня Ларионов, начальник охраны Деда. Мы с ним друг друга не жаловали. Я свои чувства не особо скрывала, он же предпочитал демонстрировать дружелюбие. Ларионов спускался по лестнице, поравнявшись со мной, остановился. Пиджак застегнут на все пуговицы, рубашка белоснежная, галстук модный, физиономия честного служаки, хотя я точно знала, что ему убить человека раз плюнуть. Дед об этом тоже знал, но расставаться с ним не спешил. Впрочем, у Деда свой резон.

— Привет. Говорю, Дед вызвал?

— Тебе-то что за дело? — проявила я встречный интерес.

— Да я так просто... спросил.

— Сашка, — позвала я. Ларионов, вместо того чтобы двигать себе дальше, точно прилип к мраморным плитам, кашлянул и сделал ценное замечание:

— Смешная у тебя собака.

Сашка забрался в сумку, а я подхватила ее и начала подниматься по лестнице.

— Как твои дела? — вдруг спросил он.

— Нормально, — удивилась я его заботе.

— Да? Хорошо... заходи как-нибудь... поговорим...

— О чем? — я даже притормозила, так мне сделалось интересно.

— Ну... о чем люди говорят.

— Так то люди. Нам с тобой говорить не о чем.

— Зря ты... — пожал он плечами и поспешил к машине, оставив меня в недоумении. Что это на него нашло? Такой тип ни с того ни с сего глупых разговоров не заводит.

— Чудеса, — пожаловалась я Сашке. Мент на входе широко улыбнулся мне.

— Здравствуйте, Ольга Сергеевна. — А Сашке даже подмигнул, чем сразу же завоевал мое расположение.

Игнорируя лифт, я поднялась по лестнице и вошла в приемную. Ритка грызла печенье, пользуясь тем, что приемная пуста.

— Подожди пару минут, — сказала она тихо. — Он сейчас освободится. — Не выдержала и все же добавила: — Не могла одеться поприличнее.

Ритке, как и Деду, не нравились мои джинсы, хотя Дед последнее время стал гораздо демократичнее.

— Времени не было, — отмахнулась я.

— Чем ты, интересно, занимаешься?

— Отдыхаю.

— Везет же некоторым...

— Что нового в нашей богадельне? — сунув в рот печенье и предварительно угостив Сашку, спросила я.

— Что тут может быть нового? — вздохнула Ритка.

— Ну, не скажи. Сейчас встретила Ларионова, так он мне в друзья набивался.

— Серьезно? — Ритка задумалась. — Хрен его знает, может, ему просто нравится твоя новая стрижка.

— А еще моя собака.

— Он терпеть не может собак.

— Уверена, это взаимно.

Эту содержательную беседу пришлось прервать: дубовая дверь распахнулась и появился заместитель Деда, брови нахмурены, физиономия пятнами, небось влетело от Деда. Кивнув мне, он поспешно удалился, а я шагнула к дверям и едва не столкнулась со своим старшим другом.

— Ты уже здесь? Очень хорошо. Проходи, я вернусь через минуту.

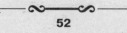

Я вошла в кабинет и устроилась в кресле, поставив сумку на пол. Сашка хотел было выбраться, но я покачала головой, пес вздохнул и остался в сумке, тут и Дед вернулся. Торопливо чмокнул меня в макушку и устроился за столом.

— Хорошо выглядишь, — сказал он, перекладывая на столе бумаги, потом нацепил очки, без которых в последнее время уже не мог обходиться, и уставился на меня.

— Что это? — спросил он с неудовольствием. Я проследила его взгляд, короткий рукав моей футболки задрался, так что любопытство Деда было вполне обоснованно.

— Так, ерунда, — отмахнулась я.

Он не поленился подняться, подошел и задрал рукав повыше, после чего его физиономия приобрела разгневанное выражение.

— Ты с ума сошла?

Я пожалела, что откликнулась на его призыв и приехала. Впрочем, не сегодня так завтра он бы все равно увидел татуировку.

— Она не настоящая. Через пару месяцев сойдет.

— Знаешь что... Короче, займись чем-нибудь полезным. В голове ветер свищет, какие-то сомнительные знакомства, теперь вот татуировка. До чего ты еще додумаешься?

— Не заводись. Это вроде шутки.

— Ага, — хмыкнул он, — нет бы оригинальность проявила, написала, например: «Не забуду мать родную» или там «Сидел, опять сяду»...

— У тебя глубокие познания в этом вопросе, — хихикнула я.

— А у тебя детство в одном месте играет...

— Ты чего звал-то? — решила я сменить тему, раз уж он такой противник татуировок.

Дед устроился за столом, посверлил меня взглядом и наконец изрек:

— У меня к тебе просьба.

— Слушаю, — склонив голову набок, ответила я. Если честно, я была уверена, просьба будет примерно такой: не лезь не в свое дело. Кто-то вполне уже мог настучать Деду о фотоаппарате. Эта мысль свидетельствует о том, что к тому моменту я смогла убедить себя, что парнишку убили из-за пленки и эта пленка для некоторых людей или одного человека очень важна. Оправданием мне может служить тот факт, что подобное в моей жизни встречалось не раз и не два и ранее чутье меня не подводило. Потому-то я слегка удивилась, когда Дед сказал:

— Ты знаешь Якименко? Федора Васильевича?

— Зампредседателя Законодательного собрания? Знаю, конечно, но в моих друзьях он не числится.

— А кто числится? — не удержался Дед, что не делало ему чести, он это и сам понял, нахмурился и продолжил: — Так вот, у него проблемы. Пропала дочь. Уже три дня дома не показывается и нигде не могут найти. Отец боится, с ней что-то случилось.

— Допустим. Я-то здесь при чем? — Я не могла понять, куда он клонит, оказалось все очень просто.

— Найди ее.

— Я?

— Ну не я же... Отец волнуется и вообще... просил помочь.

— Чудеса. Сколько девочке лет?

— Пятнадцать.

— Ребенок не появляется дома уже три дня, а папа

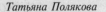

просит о помощи тебя? Он что, спятил? Ему в милицию надо.

Дед поморщился:

— Я ему то же самое посоветовал.

— И что?

— Девчонка совершенно отбилась от рук, попала в какую-то сомнительную компанию, учится плохо... короче, ты поняла. В прошлом году ее дружки ограбили чей-то гараж. Отец боится, что в этот раз могло быть и похуже. Чем меньше людей об этом узнает, тем лучше. Поэтому желательно обойтись без милиции. А у тебя полно свободного времени, так что отказать мне в такой малости ты не сможешь.

— Если честно, желание возиться с чужими детьми у меня отсутствует начисто, — сообщила я.

Дед нахмурился:

— Я о твоем желании не спрашиваю, я прошу тебя об одолжении. Ты знаешь ситуацию: Якименко...

— Знаю, — перебила я.

— Вот и отлично.

— Давай уточним: я должна найти девочку и вернуть ее домой.

— Конечно. А что еще? Спустись вниз, Валерий Степанович выпишет тебе удостоверение, чтоб с народом легче было общаться.

— У меня этих удостоверений...

— Тогда поезжай к Якименко, его жена дома, ждет тебя. Адрес знаешь?

— Нет.

— Спроси у Риты. — Он начал перекладывать бумаги на столе. Я поднялась. — На вечер у тебя какие планы? — спросил Дед, когда я уже подошла к двери.

— Девчонку искать, — буркнула я и поспешно покинула кабинет.

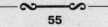

— Зачем звал? — зашептала Ритка.

— Буду чужих детей искать.

— Дочку Якименко?

Я покачала головой:

— Все-то ты знаешь, не интересно с тобой.

— А чего тут знать, если он к Деду сегодня прибегал, а все, кому надо, в курсе, что дочка у него... в общем, папе с мамой скучать не дает.

— Тогда давай адрес Якименко, — вздохнула я.

— Пожалуйста, — Ритка передала мне листок бумаги. — К нему поедешь?

— К ней.

— Мамаша тоже не подарок. Редкая стерва. Ты отлично проведешь время.

Сделав ручкой, я отбыла. Сашка из сумки с любопытством поглядывал на меня.

— У нас есть работа, пес, — сообщила я ему, но так и не поняла, обрадовался он или нет.

Якименко жил по соседству с Дедом. Дом не хуже моего, правда, подъезд на восемь квартир. Зато в холле дежурил охранник, я назвалась и стала ждать, когда он позвонит по телефону.

— Проходите, пожалуйста. Лифт направо.

Я поднялась на второй этаж. Возле распахнутой настежь двери в квартиру стояла женщина лет сорока, с очень короткой стрижкой, в брючках в обтяжку, топе с блестками, который больше подошел бы подростку, и туфлях на высоченном каблуке. Глаза у нее были серые и злые, кожа, несмотря на усилия косметологов, дряблая, рот странно кривился, то ли женщина пыталась улыбнуться, то ли удержаться от слез.

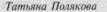

Татьяна Полякова

— Здравствуйте, — сказала я. — Моя фамилия Рязанцева. Ольга Сергеевна.

— Я знаю. Проходите. Думаю, мое имя вам хорошо известно.

Пользуясь тем, что женщина шла впереди, я заглянула в листок бумаги, полученный от Ритки, вместо имени одни инициалы, Е.К. Екатерина, Елена? Обойдемся без имени.

Мы вошли в просторную гостиную, с огромным камином и хорошей копией Рубенса над ним, мягкой мебелью из белой кожи и напольными светильниками, обои с позолотой, дорогой ковер.

— Можете сесть, — кивнула хозяйка. Я выбрала диван, женщина нервно прошлась до окна и вернулась. — Надеюсь, вас предупредили, что дело... Никакая огласка попросту невозможна. Скоро выборы в Законодательное собрание, и мой муж...

— Давайте поговорим о вашей дочери, — предложила я. Женщина взглянула на меня так, точно я ей вылила кофе на вечерний наряд за полторы тысячи баксов.

— Мы как раз и говорим о том деле, из-за которого вас сюда прислали, — отрезала она. Тон у нее был такой, что, будь я менее дружелюбна, уже пять минут назад послала бы ее к черту. — Вы обязаны сознавать, что малейшая...

— Я осознала, — невежливо перебила я. — Мы перейдем к делу или мне зайти попозже?

Теперь она смотрела на меня в крайней растерянности. Либо у меня галлюцинация, либо в глазах ее появились слезы.

— Вы соображаете, с кем говорите? — наконец спросила она.

— Вы так и не представились, но я думаю, что вы жена Якименко Федора Васильевича. Все верно?

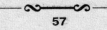

57

В первое мгновение я решила, что сейчас она набросится на меня. Было очень похоже на это, но дама просто стремительно покинула комнату, сцепив зубы так, что глаза от напряжения чуть не вылезли из орбит. Отсутствовала она минут пять. Думаю, именно столько времени потребовалось ей, чтобы позвонить мужу. Если они решат, что я им не подхожу, буду только рада. Видимо, в семействе наметились разногласия в оценке моей личности: лицо мадам еще пылало гневом, но интонация сменилась и стала почти любезной. Говорю почти, потому что дамочка по складу своего характера любезничать ни с кем не могла, сильных мира сего я, разумеется, не считаю, но к ним я себя не отношу. Должно быть, муж настоял на том, что искать их дочь должна именно я, и мадам пришлось с этим согласиться. Она села в кресло напротив, сцепила руки и заговорила уже гораздо спокойнее:

— Может, выпьете кофе?

Такая доброта едва не вызвала у меня слезы умиления, но я с благодарностью отказалась.

— Нет, спасибо.

— Я бы хотела, чтобы вы поняли меня правильно. Доброе имя моего мужа... скоро выборы... нам не нужны разговоры и сплетни...

— Поэтому меня и попросили заняться вашим делом, — кивнула я. Уверена, будь ее воля, она бы выцарапала мне глаза. Но это было осуществимо только в мечтах. Дама скривилась, что, видимо, должно было означать улыбку, и сказала:

— Рада, что вы это понимаете.

— Может, поговорим о вашей дочери? Простите, как ваше имя-отчество? — Лучше бы я плюнула ей в лицо. С точки зрения мадам, ее имя должен знать каждый житель нашего города. Она дернулась всем телом, точно подавилась, но нашла в себе силы ответить:

— Елизавета Константиновна.

— Как зовут вашу дочь?

— Юля.

— Когда вы видели ее в последний раз?

— В субботу. Она собиралась к подруге.

— Сегодня среда. То есть девочка отсутствует уже четверо суток. Раньше такое случалось?

— Месяц назад она сбежала из дома. Объявилась в Москве, у моего мужа там живет сестра. Разумеется, нам сразу позвонили. Дома ее не было пять дней, в Москве сначала жила у какой-то подруги или у ее родственников, я так и не поняла. Исчезать на несколько дней для нее вообще дело обычное.

— Давно это началось?

— С прошлой осени. Мы перевели ее в частную школу, но и это не помогло избавить ее от дурного влияния.

— До этого она в какой школе училась?

— В сорок второй. Школа непрестижная, спальный район, вы понимаете.

— Училась хорошо?

— Да. Сначала. С прошлой осени пошли двойки, потом хамство родителям, потом Юля стала совершенно неуправляемой.

— Говорить с ней пробовали? — Вопрос был скорее риторическим. Доверительная беседа с этой дамочкой мне виделась с трудом. Я достала из кармана зубочистку и принялась ее грызть, что, к сожалению, не свидетельствовало о моих хороших манерах, но мне на это наплевать. Достаточно того, что я оставила Сашку в машине, бедный пес скучает в одиночестве. Впрочем, я больше думала о его благе, чем о хозяйке дома, встречаться с ней воспитанной собаке ни к чему.

— Сотни раз, — ответила на мой вопрос Елизавета Константиновна. — На отца и его репутацию ей наплевать. Она так и сказала. Откуда в детях этот эгоизм?.. Вы не могли бы прекратить жевать? — строго спросила она.

— Извините, нет. Я недавно бросила курить... Мобильный у девочки есть?

— Конечно, но телефон не отвечает, выключен. Хотя она могла потерять его. Уже трижды теряла, точно нарочно. И каждый раз выбирала телефон подороже. Я говорила мужу, незачем ей его покупать, если она не ценит заботы... — Женщина махнула рукой и отвернулась.

— Вы знакомы с ее друзьями?

— В доме никого из них не было, я бы не потерпела... но по телефону звонили. Чаще всех какая-то Катя и Владик.

— Вы говорили с ними о Юле?

— Нет, конечно. У меня нет номеров их телефонов.

— Они школьные друзья Юли или просто живут рядом?

— Точно не знаю.

— Вы не пытались их найти?

— Зачем? — удивилась она.

— В субботу Юля в какое время ушла из дома?

— Около трех. Обещала вернуться в десять. Я ее очень просила, в тот день у нас были гости и мне не хотелось, чтобы возникли пересуды... Девочка в пятнадцать лет вечером должна быть дома.

— Когда в десять она не вернулась, вы ей позвонили?

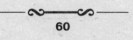

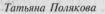

— Да, часов в двенадцать, лишь только разъехались гости. Но она не ответила. Утром я опять позвонила, то же самое. Связалась с бабушками, предупредила их... но Юля к ним не заходила. В понедельник позвонила в школу. Разумеется, на занятия она не явилась. Мы забеспокоились. Я даже в Москву звонила. Дети страшные эгоисты, к тому же неблагодарные.

— У вас есть еще дети?

— У Федора Васильевича есть сын от первого брака.

— Проблемы с законом у Юли случались?

— Вы что, с ума сошли? — возмутилась Елизавета Константиновна. — Федор Васильевич...

— Федор Васильевич поспешил бы пока не поздно проблемы разрешить, это я прекрасно понимаю. Но вопрос я задала вполне конкретный.

Она в отчаянии покачала головой, в глазах ее стояли самые настоящие слезы, одна слезинка даже скатилась по щеке, выглядело все это даже трогательно.

— Как вы можете, — прошептала она.

— Если вы хотите от меня каких-то результатов, потрудитесь быть откровенной. Если вам это не по силам, ищите дочь сами.

Она надолго замолчала. Я уже собралась удалиться, и тут она наконец обрела дар речи.

— Проблемы были. Кто-то из ее дружков обокрал гараж. Слава богу, Юля при этом не присутствовала. Потом на дискотеке устроили потасовку и всех забрали в милицию. Дочь была так пьяна, что не могла позвонить домой. Три месяца назад у родителей ее подруги пропали деньги, довольно крупная сумма. Выяснилось, что деньги взяла собственная дочь, но Юля здесь ни при чем. Она не воровка, уж можете мне поверить. Был

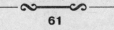

еще случай — их как-то задержали возле Горбатого моста.

Октябрьский мост, в просторечии Горбатый, прозванный так из-за своей формы, напоминающей перевернутый полумесяц, был местом сбора городских проституток. Рядом парк, куда счастливые пары и отправлялись, если у избранника не было машины. Там из-под каждого куста доносились сладкие стоны, еще чаще вопли и матерщина. Куда они отправлялись зимой, мне неведомо, может, в те же самые кусты, охота, как известно, пуще неволи. Милиция появлялась там редко, выходит, девчонке просто не повезло.

— Я, конечно, была в шоке, — кашлянув, продолжила Елизавета Константиновна. — Потребовала объяснить, как такое могло произойти. Юля сказала, что они с подружкой просто гуляли, а милиция забирала всех подряд. Вы не верите? — вдруг спросила она.

Я пожала плечами:

— Почему же. Иногда такое случается.

— А вот я не верю. Приличных девушек не забирают. Только тех, кто шляется по ночам бог знает где, забыв, что ее отец... Впрочем, я отвлеклась. Вот, пожалуй, и все.

— Наркотики? — спросила я.

— Слава богу, нет. Иногда являлась пьяной. Два или три раза. В каком виде она пребывает, когда не ночует дома, могу только догадываться.

— Можно взглянуть на комнату вашей дочери? — Видя недоумение на лице женщины, я пояснила: — Она могла где-то записать телефоны друзей, очень бы пригодились фотографии.

— Хорошо, пойдемте.

Мы поднялись на второй этаж, помещения здесь

были попроще. Женщина толкнула ближайшую дверь и отступила, пропуская меня в комнату.

Комната была небольшой и уютной. Кровать застлана клетчатым пледом, на окне голубые шторы с рюшами, плюшевый медведь, книги на полках. Я пробежала взглядом по корешкам, в основном фантастика. Слева тонкая брошюра «Как завоевать друзей», том Фрейда, рядом сонник.

— Юля много читает?

— Не уверена. Если читает, то какую-нибудь ерунду.

— С вашего разрешения я загляну в стол?

— Я там смотрела. Никаких телефонов. Она не хотела, чтобы я знала о ее друзьях. Юля очень хитрый и осторожный ребенок.

— Вы раньше проверяли ее стол?

— Конечно. Нашла дневник. У нас после этого вышел крупный разговор. Я заставила ее уничтожить эту гадость. Так что вы вряд ли что найдете.

— Что было в дневнике?

— Хотите, чтобы я повторяла всякие пакости?

— Только в общих чертах.

— Обливала грязью своих родителей. Ей бы папашу алкоголика и мамашу училку, тогда бы знала... — прошипела женщина с поразившей меня злобой.

— Простите, а кем вы работаете?

Она нахмурилась, точно я спросила страшную глупость.

— Федор Васильевич очень занят, он много работает и имеет право на то, чтобы дома ему создавали нормальные условия для отдыха.

— Вы сами их создаете или домработница?

— Дважды в неделю к нам приходит уборщица, все остальное на моих плечах. Поверьте, быть супругой такого человека, как Федор Васильевич, совсем нелегко. Это тоже труд и...

— А где вы работали раньше?

— Это имеет какое-нибудь отношение к исчезновению дочери? — недовольно спросила она.

— Нет. Простое любопытство.

— Я работала в институте.

— Кем работали?

— Лаборантом. Я не имела возможности получить высшее образование из-за тяжелого материального положения нашей семьи. А выйдя замуж, все силы отдала мужу, то есть его карьере.

Слушая ее и время от времени согласно кивая, я, устроившись на стуле, не спеша просматривала содержимое трех ящиков стола. Ничего особенного. Несколько учебников, тетради. В большинстве из них заполнены две-три страницы. Я полистала школьный дневник. Химия, математика, физика — тройки, литература, история — пятерки. Под обложкой две фотографии. Девочка с косами и серыми грустными глазами. На другой пушистый белый кот.

— Это ваша дочь? — спросила я.

— Да, — подойдя к столу, ответила женщина.

— Давно сделана фотография?

— Не знаю. Я ее раньше не видела.

У девчушки было милое личико, назвать ее девушкой было трудно — девочка, девчушка, и уж совсем невозможно представить ее пьяной или взламывающей чей-то гараж.

— Кот тоже ваш? — кивнула я на вторую фотографию.

— Был. Юля принесла его с улицы, хотя я ей сто раз повторяла: животное в доме... он все обои порвет... и паркет... вы же понимаете.

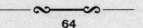

— Понимаю. У меня собака.

— Вот видите. Это же просто кошмар. Я потребовала избавиться от него. Вы не представляете, какой скандал она мне закатила.

— От кота избавились? — вздохнула я.

— Его забрала Валентина... уборщица.

— Какие у Юли с ней отношения? — заинтересовалась я.

— С уборщицей? Помилуйте, какие же могут быть отношения?

— Дружеские, к примеру.

— Ну, знаете ли... Странные у вас фантазии.

— Номер ее телефона у вас, конечно, есть?

— У нее нет телефона.

— Вы ее о дочери не спрашивали? Не могла Юля отправиться к ней?

— Конечно, нет. С какой стати? Но я, разумеется, спрошу.

— Когда она приходила в последний раз?

— Сегодня.

— Но о дочери вы с ней не говорили?

— Я не обсуждаю свои проблемы с домработницей. — Она поспешно вышла из комнаты, а я сосредоточилась на содержимом письменного стола.

Мадам права, девочка — ребенок осторожный, никаких записей и номеров телефонов, а тем более фотографий. На всякий случай я заглянула в шкаф, проверила карманы куртки и плаща, что висели на плечиках. Пусто. Пролистала книги. Открытка с днем рождения. «Ты — царевна Несмеяна, но я заставлю тебя хохотать до слез», — прочитала я, и подпись: «Твой Кот». Детишки обожают прозвища. Спрашивать мамашу о приятеле дочери скорее всего бесполезно. Тут она как раз вернулась, на ее лице читалось недоумение.

— Звонила Валентина, забыла свою сумку. Я спросила про Юлю, оказывается, она заходила к ней в субботу. Около пяти. Пробыла минут двадцать и ушла. Ничего не понимаю. Что у них может быть общего?

— Кот, — напомнила я.

— О господи, я даже не подумала... Конечно, кот. Что же еще?

— Приятель у вашей дочери есть? — все же спросила я.

— Понятия не имею. Могу сказать одно: после того инцидента с милицией, ну, когда их забрали возле Горбатого моста, я отвела ее к гинекологу. Так вот моя дочь девушка. Была, по крайней мере, — пробормотала она.

— Приятель — не обязательно любовник, — дипломатично изрекла я и показала открытку. — Прозвище Кот никогда не слышали?

— Я бы этого не потерпела. — Открытку она в руки брать не стала и даже убрала их за спину, на лице отвращение, скорее всего не к открытке, а к существу, которое способно называть себя котом. Я вернула открытку на место.

— Что ж, очень жаль, что вам ничего не известно о друзьях Юли, пара телефонных номеров очень бы облегчила поиски. Придется заглянуть в школу. Если Юля вернется или позвонит, дайте мне знать.

Я протянула ей визитку и пошла к двери, фотографию девочки я прихватила с собой.

— Я бы хотела встретиться с вашей домработницей, — сказала я, точно зная, что ей это не понравится. Так и есть.

— Зачем? — тут же насторожилась она.

— Вдруг Юля ей что-то рассказывала? Может, кто-то звонил при ней или заходил?

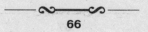

— Проще сказать, вы намерены собирать сплетни о нашей семье, — посуровела дама. Я позволила себе удивиться:

— Как же еще я найду вашу дочь?

Я уже была возле двери, когда женщина впервые проявила материнские чувства, она вдруг жалобно спросила:

— Как вы думаете, с ней ничего не случилось?

— Надеюсь, нет, — ответила я.

В машине я показала фотографию Сашке.

— Если хочешь знать мое мнение, на ее месте я бы тоже сбежала. Но дело есть дело. Давай заглянем к одной женщине. Она любит котов, возможно, и собак тоже.

Жила Валентина за рекой в частном доме, выглядел он довольно убого, зато красавец кот, что сидел на крыльце, был явно доволен жизнью. Я без труда узнала его, это он был на фотографии. На крыльце появилась женщина, наверное услышала шум подъехавшей машины. Я поколебалась: стоит ли взять с собой Сашку или нет, и в конце концов оставила его в машине. Женщина показалась мне очень молодой, худенькая, в джинсах и бежевом свитере, светлые волосы собраны в хвост, лицо интеллигентное, симпатичное. Только подойдя ближе, я заметила морщинки возле глаз и носа, на самом деле ей было лет сорок, может, даже больше.

— Вы Валентина? — спросила я.

— Да.

— А я Ольга. Ищу Юлю по просьбе ее родителей. — Я предъявила удостоверение, на которое женщина даже не взглянула.

— Заходите.

— Может быть, на крыльце посидим, раз погода отличная?

— Да, погода в самом деле... Что ж, здесь так здесь. Мы устроились на ступеньках.

— Что с Юлей? — спросила она.

— Не знаю, — пожала я плечами, — но хотела бы выяснить.

— Ребенка нет пятые сутки, а они даже в милицию не заявляют. Как вы думаете, если я...

— Если вы пойдете в милицию, толку от этого не будет, но работы, конечно, лишитесь. Кстати, почему вы работаете уборщицей? Трудно поверить, что это ваша основная специальность.

Валентина улыбнулась и пожала плечами:

— Теперь основная. Я беженка, из Таджикистана. Муж меня бросил и прихватил деньги за квартиру, что мы там продали. Знакомые видели его в Москве, счастливым он вроде не выглядел. Мне, правда, тоже далеко до счастья. Жилье снимаю, моих денег только на это и хватает. На работу по специальности пока устроиться не могу, жду бумаги... Только вот дождусь ли... — Она опять улыбнулась. — Там я преподавала в музыкальной школе.

— Фортепиано?

— Скрипка.

— Могу устроить вас в ресторан. Вполне приличный. И зарплата неплохая. С бумагами тоже решим.

Она недоверчиво посмотрела на меня.

— Да? — спросила она неуверенно. — Я что-то должна сделать взамен?

— Ответить на мои вопросы, но, думаю, вы на них в любом случае ответите, ведь вы беспокоитесь за девочку?

— Бедный ребенок, — глядя куда-то перед собой, с печалью сказала она. — Она ни разу не позвонила, и меня это очень беспокоит.

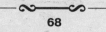

— Куда она обычно звонит? — Я сомневалась, что в этом богом забытом месте есть телефон.

— К себе домой, она знает, по каким дням и в какое время я работаю, трубку тоже снимаю я. Если мать рядом, я отвечаю «вы ошиблись». Конспирация... Юля ко мне часто приходит.

— Подождите, зачем же она в свою квартиру звонит?

— Если мамаша увидит, что мы разговариваем, ее инфаркт хватит. Я же прислуга. Поэтому Юля всегда сначала звонит, а если матери дома нет, прибегает домой. С уборкой мне помогает, чтобы было время поговорить без спешки.

— Действительно конспирация, — подивилась я.

— В понедельник я работала, а ее мать уезжала в Москву, Юля обязательно пришла бы или хотя бы позвонила, она ведь знает, что я беспокоюсь. А она не позвонила, и теперь я места себе не нахожу. Она такая доверчивая, вдруг что-то случилось?

— Для доверчивой девушки у нее неподходящая компания, — заметила я.

— Это точно. Не думайте, что она этого не понимает. Но так вышло, что настоящих друзей у нее нет, а человек, тем более ребенок, совсем один быть не может.

— Давайте поговорим об этом подробнее. Вы кого-то из ее друзей знаете?

— Только по Юлиным рассказам. Лучшая подруга Катя Савельева, они учатся вместе. У Кати мать умерла, отец женился второй раз, отношения с мачехой не сложились. Заводилой у них Света Коршунова, она старше. У Юли были друзья, когда она училась в обычной школе, но мать решила, что ей там не место, и перевела ее в частную. Наверное, хотела как лучше.

— Кот из прежних друзей или новых?

— С него-то все и началось, — вздохнула Валентина. — Он тоже учится в частной школе, только классом старше. Юля девочка стеснительная, а тут новые ребята, она никого не знает, а Кот обратил на нее внимание, стал ухаживать. На самом деле его Костя зовут, Ухтомский. Она, конечно, влюбилась. Возраст такой. А он оказался негодяем. Письма ее мальчишкам читал, хвастался интимной близостью, хотя ничего такого не было. Это мы с вами понимаем, что все это ерунда, плюнуть на этого Кота и забыть, а ребенок разве нам поверит? Для нее это страшная трагедия. Тут подвернулась эта Света, ну и...

— Наркотой баловались?

— Слава богу, нет. В основном по улицам болтались. Портвейн пили для куража. Владик, конечно, самая настоящая шпана, гараж обворовали, избили кого-то. Со старыми друзьями Юля связь потеряла и очень боится, что останется совсем одна, вот и танцует под чужую дудку. Если бы у ребенка была мать, никаких проблем с девочкой не возникло.

— Мать у нее есть.

— Вы же ее видели. Видели?

— Имела счастье, — кивнула я.

— Неудивительно, что ребенку в подвале лучше, чем дома. Душа у меня не на месте, — с тоской сказала она. — Чувствую, случилось что-то. Найдите ее, пожалуйста.

— Я думаю, особенно переживать не стоит, — попробовала я успокоить ее. — Если бы что-то случилось, родителей уже известили бы. Она у подруг.

— Но пятые сутки...

— Загуляли на чьей-то даче, погода хорошая...

Не очень-то я сама в это верила, но и худшего не опасалась. Мобильный не отвечает, потому что подзарядное устройство дома лежит, а причина не являться домой может быть самой банальной, к примеру синяк под глазом и нежелание слышать в связи с этим мамины упреки. Хотя, если Валентина права, ей она позвонить просто обязана.

Я оставила визитку и простилась с женщиной. Сегодня мне девчонок все равно не найти, коли я даже их адресов не знаю, заеду завтра в школу.

Утро началось со звонка Якименко Федора Васильевича. Он извинился и спросил, есть ли новости. В голосе сквозило неподдельное беспокойство, однако когда я, сославшись на отсутствие новостей, предложила ему обратиться в милицию, он отказался наотрез. Стеная и охая, я отправилась под душ, потом погуляла с Сашкой и поставила его перед фактом: ему придется остаться дома. Совершенно не возражая, он пошел смотреть телевизор, видно вчера намучился. А я поехала в частную школу «Вдохновение», которая располагалась в бывшем детском санатории, в живописном месте у реки в черте города. Забор вокруг покрасили, а ворота снабдили табличкой «Частная школа «Вдохновение». Каждый ребенок уникален». Надо полагать, это их девиз.

Ворота были распахнуты, вдоль здания из красного кирпича вереница машин, представлены практически все известные фирмы от «Фольксвагена» до «Понтиака». Из машин выходили в основном подростки, но были дети и помладше, позже выяснилось, что сюда принимали детей, уже окончивших начальную школу. Детишки торопливо поднимались по ступенькам и исчезали за стеклянными дверями, машины тут же отъезжали, так что я без проблем нашла место для стоянки.

Когда я вошла в здание, в нем царила тишина, уроки уже начались. Охранник у дверей подсказал мне, где находится учительская.

В учительской я застала даму лет пятидесяти, она в одиночестве пила чай. Увидев меня, расцвела приветливой улыбкой, но когда узнала, по какой я надобности, посуровела.

— Что вы от нас хотите? — спросила она раздраженно.

— Помощи, — удивилась я.

— Обратитесь к директору, — посоветовала она. — Я не вправе разглашать информацию об учениках.

Директор, дама примерно того же возраста, что и первая, поначалу, как и завуч, тоже была не вправе. Тогда я предложила им вместо себя бригаду следователей, которые побеседуют с каждым ребенком в отдельности, что займет несколько дней. Дама от такой перспективы пришла в чувство и заверила, что она всецело в моем распоряжении.

— Юля Якименко сегодня пришла в школу? — спросила я.

— Сейчас узнаю. — Она исчезла за дверью и вернулась в рекордно короткий срок. — Она отсутствует с понедельника, — сообщила эта деятельная дама еще с порога.

— Причина отсутствия вам известна?

Дама кашлянула, устроилась за столом и взглянула на меня с некоторым томлением.

— Конечно, мы еще в понедельник сообщили родителям... Поймите, у нас особая школа... Наша система обучения и воспитания направлена на раскрытие индивидуальных возможностей ребенка, каждый ребенок для нас...

— Я видела табличку на воротах, — невежливо перебила я ее. — У вас частная школа и, судя по тому, что я успела увидеть, дорогая. По этой причине вы не желаете ссориться с родителями, потому детям здесь позволено то, за что из обычной школы их давно бы выперли.

— Ничего подобного, — возмутилась дама.

— Давайте вернемся к Юле. — Спорить с ней мне совершенно не хотелось. — Где, по-вашему, она может быть?

— Боже мой, но откуда же мне знать?

— Ее подруги сейчас в школе?

— Я вызову воспитателя, вам лучше поговорить с ней.

Она придвинула телефон, позвонила, и через три минуты в кабинете появилась еще одна дама. Эта была моложе. Отвечая на мои вопросы, она без конца косилась на директора.

— Савельева и Коршунова здесь? — спросила я.

Женщина, звали ее Зоя Петровна, кивнула и тут же покачала головой:

— Коршунова здесь, а Савельевой нет.

— Давно нет?

— Со вторника.

— Вы их о Юле Якименко спрашивали?

— Да. Они ничего не знают.

— Почему Савельева отсутствует?

Директриса нервно перекладывала на столе бумаги, а Зоя Петровна напряженно следила за ее лицом, точно читала по губам.

— Мать позвонила, предупредила, что она заболела, — наконец сообщила она.

— Простуда? — не унималась я.

— Наверное. Я не уточняла.

— Вы с Коршуновой разговаривали?

— О чем?

— О том, что Юля с субботы не была дома, о том, что ее родители беспокоятся.

— Они не хотели поднимать шума. И эта девчонка все равно ничего бы не сказала.

— Ясно, — вздохнула я. — Тогда с вашего разрешения я поговорю с ней сама. Можно ее пригласить сюда и оставить нас наедине?

Обеим эта идея не понравилась. Однако директриса кивнула, и Зоя Петровна со всех ног кинулась выполнять поручение.

— В таком случае я тоже вас покину, — кашлянув, заметила дама, и я осталась в одиночестве.

Вскоре дверь распахнулась и в кабинет вошла девица, выглядевшая моей ровесницей. Джинсы в обтяжку, большой бюст, который она старательно выставляла напоказ, длинные черные волосы уложены в замысловатую прическу, пенки для придания объема было потрачено столько, что голова выглядела огромной, это создавало слегка комический эффект. Лицо с таким количеством косметики, что ее хватило бы на четверых.

— Привет, — сказала она насмешливо, видя некое недоумение на моем лице, и достала сигарету из пачки. — Покурю, раз уж вы меня с урока вытащили.

— А в школе это разрешается? — все-таки поинтересовалась я.

— Мне на их разрешение... Вы Юльку ищете?

— Ищу.

— Зря. Сама явится. Родители забеспокоились? Вот придурки... А вы кто, частный сыщик?

— Не смешите... Послушайте, сколько вам лет? — не выдержала я. Считается, что такие вопросы особам женского пола задавать не принято, но мне было наплевать на это, как Свете на школьные правила. Она засмеялась, видимо моя растерянность ее забавляла.

— Восемнадцать.

— Но ведь вы учитесь с Юлей в одном классе?

— Точно. Просто у меня столько талантов, что они замучились их развивать. Начиная с пятого класса я сижу в каждом классе по два года. Мамаша решила, что здесь мне будет лучше, и запихнула сюда. Так и есть, из девятого перевели в десятый. Достижение. Потом в институт пойду. Ну, туда лет на двадцать как минимум.

— Вы знаете, где сейчас Юля? — настойчиво спросила я.

— Нет. — Она меня не убедила, хотя ответ звучал вполне категорично.

— Когда вы виделись в последний раз?

— В пятницу.

— Где?

— Здесь, в школе.

— А после школы?

— После школы не виделись. У моей бабки день рождения, и меня предки с собой потащили. Отбиться не удалось. Вернулись только в воскресенье. Все выходные насмарку. В понедельник Юльки в школе не было.

— Вы пытались связаться с ней?

— Ну... на дискотеку собирались, звонили на мобильный, она не ответила. Во вторник училка цеплялась, где Юлька, само собой, ей позвонили. Бесполезно.

— И вы даже не догадываетесь, где она может быть? Девица насмешливо скривилась:

— Да где угодно. К примеру, парня нашла или в Москву свалила, у нее там родня и подруга какая-то. Или просто запила.

— Она что, много пьет?

— Нет, не много. Но иногда может надраться так, что ноги не носят.

— Значит, ничего не знаете, — вздохнула я.

— Ничего, — кивнула девица.

— Не очень-то я в это верю.

— Я ничего не знаю. И отвалите. Ее папаша большая шишка, но и мой не лаптем щи хлебает, так что хрен вы меня достанете.

— Я и не собиралась. Просто хочу найти Юлю.

— Вот и ищите, — хмыкнула она, поднялась и вышла из кабинета. Продолжать разговор и у меня не возникло желания. Если она и знает, где Юля, то не скажет, а убеждать ее в том, что родители волнуются, напрасный труд.

Едва за девушкой закрылась дверь, как в кабинет заглянула директриса.

— Вы закончили? — спросила она с беспокойством.

— Да, благодарю. Мне нужен адрес Кати Савельевой.

Адрес я получила и поехала к ней. Звонить и предупреждать о своем визите не стоило, если девчонка не захочет со мной встречаться (после разговора со Светой меня бы это не удивило), то скорее всего сбежит, а гоняться за ней по городу удовольствие небольшое.

Дом был попроще, чем тот, в котором жили Якименко, но тоже неплохой. Я набрала номер квартиры на домофоне и стала ждать. Дверь открыли, не спросив, кто я и что мне надобно. Пожав в некотором удивлении плечами, я поднялась на третий этаж и позвонила в дверь под номером семнадцать. Из-за железной двери не доносилось ни звука, сколько я ни прислушивалась. Я хотела позвонить еще раз, но тут дверь открылась и я увидела девчонку с карими глазами и копной непослушных волос, они свивались кольцами и при этом

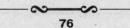

торчали в разные стороны. Я дала бы ей лет тринадцать, от силы четырнадцать, это могла быть не Катя, а ее младшая сестра, и я спросила:

— Катю можно увидеть?

— Вы кто? — испугалась девчонка и даже попятилась, но вдруг опомнилась и попыталась закрыть дверь, однако я ей этого не позволила. — Вы кто? — повторила она. — Я думала, мачеха вернулась, ключи забыла... Чего вам надо? Я вас не знаю.

Я достала из кармана удостоверение (похоже, у меня их действительно целая коллекция) и показала ей. Удостоверение ее отнюдь не успокоило, даже наоборот.

— Из милиции? Зачем? Что я такого сделала?

— Уверена, что ничего, — ответила я, нахально внедряясь в холл и закрывая дверь. — Где мы могли бы поговорить?

— В моей комнате, — пробормотала девочка и пошла, то и дело оглядываясь.

В комнате она устроилась на кровати, забравшись на нее с ногами, и уткнулась в подушку, которую прижимала к груди. Смотрела она не на меня, а куда-то в пол. Не дожидаясь приглашения, я устроилась в кресле.

— Я ищу Юлю Якименко, — сообщила я со вздохом. Девочка испуганно подняла голову.

— Я ничего не знаю. Я болею, я вообще из дома не выхожу.

Насчет болезни она говорила правду, вид у нее в самом деле был не очень. Лицо изможденное, а взгляд какой-то затравленный.

— Вы когда в последний раз виделись с Юлей? — спросила я.

— В пятницу. В школе.

— А после школы?

— После школы не виделись.

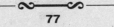

— Катя, не ври мне, ладно? — ласково попросила я. — Дело серьезное. Ее нет дома уже пятый день. Ты знаешь, где она?

— Нет, — вздохнув, покачала головой девочка, на этот раз я ей поверила.

— Тогда расскажи, что произошло в субботу.

Она не отвечала довольно долго, я не торопила ее.

— Я с парнем поссорилась, — сказала она.

— С Владиком?

Катя вроде бы удивилась, потом кивнула.

— Да. Мы хотели на дискотеку, а он с друзьями на рыбалку смылся. Я разозлилась.

— Он тоже в вашей школе учится?

— Нет, в двадцать пятой. Живет рядом, в одиннадцатом доме. Я его давно знаю. Мы... у нас серьезные отношения... Правда, что сейчас можно выходить замуж уже в четырнадцать? И родители не имеют права помешать?

— Я думаю, без согласия родителей в четырнадцать лет замуж выходить не стоит, — мягко заметила я.

— Мне скоро шестнадцать. Я хочу уйти отсюда. — Она вдруг заплакала, уткнулась в подушку, вздрагивая всем телом. — Она меня ненавидит, она только рада будет...

— Это ты о мачехе? — Девочка кивнула, вытерла лицо ладонью и вновь уставилась в пол.

— Я всегда во всем виновата. Всегда.

— В чем, по ее мнению, ты виновата на этот раз? — осторожно поинтересовалась я. Катя опять испугалась, взгляд затравленно заметался, она облизнула губы и попросила:

— Ничего ей не говорите. Пожалуйста.

— Давай вернемся к субботе. Итак, Юля собиралась встретиться с подругой. С тобой?

— Да.

— Вы поссорились с Владиком...

— Поссорились. И у Юли было скверное настроение. Кот опять к ней цеплялся на перемене, шуточки отмачивал. Свинья. Все они свиньи. Я их ненавижу. Если бы я могла... если бы у меня были деньги... я бы уехала далеко-далеко и всю жизнь прожила одна, завела бы собаку...

— Могу сообщить по секрету: это не так уж и весело, — заметила я, улыбаясь.

— Вы ничего не понимаете, — крикнула она в отчаянии и вновь собралась зареветь.

— Как я могу понять, если ты ничего не рассказываешь? Кот цеплялся к Юле, дальше что?

— Ну, я ее уговаривала не расстраиваться. Позвала ее на дискотеку, а Владик смылся. Все они козлы. Козлы и эгоисты. Я их ненавижу.

— Не увлекайся... То, что ты их ненавидишь, я поняла, вот за что, пока не ясно. — Она вновь испугалась и начала прятать взгляд, а я продолжила: — На дискотеку вы пошли вдвоем?

— Да. В клуб «Марсианские хроники». Там обычно весело, а в субботу народу ни души, погода летняя, и все сдернули на природу. Надо было с Владиком ехать. Юля предложила выпить, раз танцевать не с кем. Мы выпили, а потом пошли домой.

— Сразу домой пошли?

— Погуляли немного.

— Где?

— В центре... Шли пешком.

— Тогда выходит, что гуляли довольно долго. От клуба до центра не близко.

— Ну, может, мы на такси ехали, я не помню.

— Мне придется поговорить с твоими родителями, — вздохнула я.

— Зачем?

— К примеру, чтобы выяснить, в котором часу ты вернулась домой в субботу.

— Я не помню. Правда. Мы вышли из клуба, прогулялись, потом поехали домой.

— Вместе с Юлей?

— Нет. Ей в другую сторону. Я уехала, она осталась на площади.

— На какой площади?

— Там, где банк, — буркнула девочка.

— Ты имеешь в виду площадь Победы?

— Ну... да... — Катя вдруг насторожилась, к чему-то прислушиваясь. — Мачеха пришла, — захныкала она. — Не говорите...

Тут дверь открылась и женский голос произнес:

— Катюша, я виноград принесла... — Женщина заглянула в комнату и с удивлением уставилась на меня. — Здравствуйте.

— Здравствуйте, — кивнула я, разглядывая ее. Вот уж кто меньше всего походил на мачеху из детских сказок. Симпатичная молодая женщина с добрым лицом и лучистыми ярко-синими глазами. Смотреть на нее без улыбки было невозможно. Свободный брючный костюм не скрывал, что женщина вскоре станет матерью. Пока я придумывала, что сказать, Катя заявила:

— Это из милиции.

— Из милиции? — удивилась женщина. На ее лице появилось беспокойство. Я протянула удостоверение и пояснила:

— Юля Якименко ушла из дома. Родители беспокоятся, не знают, где она. На звонки она не отвечает. Ра-

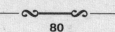

зумеется, они не заинтересованы в том, чтобы это событие стало достоянием гласности.

— Да, понятно. Катя, если ты знаешь, где Юля, надо обязательно рассказать...

— Я не знаю, — истерически закричала девочка и с рыданиями уткнулась в подушку.

— Катя, успокойся, пожалуйста, — бросилась к ней женщина, но та отстранилась и принялась выкрикивать что-то бессвязное.

— Лучше ее оставить на несколько минут, — заметила я. Женщина неуверенно кивнула и первой вышла из комнаты.

— Я ее мачеха, — сказала она, когда мы прошли в гостиную. — Ирина Михайловна, можно просто Ирина. Зря мы ее оставили одну...

— Так она быстрее успокоится. Истерики — дело обычное?

— К сожалению, да. Она очень переживала смерть мамы. И меня восприняла в штыки. Мы познакомились с Сергеем пять лет назад, он уже год был вдовцом. Но из-за Кати первое время мы жили врозь. Потом я все-таки настояла... Теперь сама не знаю, может, не стоило...

— Отношения с Катей не сложились?

— Нет. Хотя я очень старалась. А когда стало ясно, что у меня будет ребенок, она точно с цепи сорвалась.

— Ревность, — пожала я плечами. — Катя очень любит отца?

— Наверное. Хотя последнее время, мне кажется, никого она не любит. Просто маленькая злая эгоистка. Если так пойдет дальше, она доведет отца до инфаркта. Извините. Что с Юлей?

— Ушла из дома. С Катей они подруги, поэтому вполне естественно...

— Да-да, я понимаю. Она вам что-нибудь рассказала?

— Так, кое-что, но я ей не верю. В субботу, по ее словам, они были на дискотеке. Не помните, в котором часу Катя вернулась домой?

— Конечно, помню. В половине седьмого утра. Мы всю ночь не спали, хотя должны были бы привыкнуть. Отец раз двадцать звонил ей на мобильный, но он был выключен.

— Она как-то объяснила, почему не ночевала дома?

— Если бы это было в первый раз... — горестно усмехнулась Ирина. — Катя умудрилась превратить нашу жизнь в ад. Только не подумайте, что я жалуюсь.

— Отец пробовал с ней поговорить?

— Он чувствует себя чуть ли не преступником. Дает ей сумасшедшие деньги на карманные расходы, вместо того чтобы... Я не вмешиваюсь, потому что автоматически становлюсь виноватой. Я же мачеха, — невесело засмеялась она. — Но в субботу она превзошла саму себя. В буквальном смысле на ногах не стояла. Таксист, что привез ее, сказал, что подобрал Катю на площади Победы, она брела прямо по проезжей части. На счастье, смогла сказать, где живет. Человек, к счастью, попался хороший, родителей пожалел, отвез домой. Муж был в шоке. Пытался с ней поговорить, какое там. В воскресенье отлеживалась. Мы решили оставить ее в покое, ей было очень плохо, даже врача намеревались вызвать. В понедельник Катя пошла в школу, хотя отец предлагал ей остаться дома. Домой пришла часов в пять, бледная, в ознобе, и я, честно говоря, испугалась. От врача отказалась, теперь сидит в своей комнате, плачет.

— Плачет?

— Да. Я боюсь... я боюсь, что ее изнасиловали. Напоили и изнасиловали. Муж разговаривал с Владиком, это ее парень, тот говорит, что они поссорились в субботу и с тех пор не виделись, на телефонные звонки она не отвечала. Такая депрессия на пустом месте не возникает. Должна быть причина. Поэтому я и решила... Но я даже не знаю, как сказать об этом мужу, тем более уговорить ее обратиться к врачу.

— А если ее депрессия как-то связана с исчезновением Юли? — высказала я свое предположение.

— Что вы имеете в виду?

— Если не возражаете, я задам Кате еще пару вопросов.

Я вернулась в комнату девочки, теперь она лежала на спине и таращилась в потолок.

— Ты вернулась домой уже утром, — сказала я, устраиваясь в кресле. — Так где вы были всю ночь?

— Это она вам сказала? Мачеха? Она нарочно. Она все врет. Вы что, не понимаете...

Я подошла, схватила ее за плечи и хорошенько встряхнула.

— Кончай строить из себя несчастную сиротку. С твоей подругой беда. Я хочу ей помочь. Где вы были ночью? — Она попробовала сопротивляться, но быстро поняла, как это бесперспективно, и то, что ее вопли на меня не подействуют, поняла тоже. — Где вы были ночью? — повторила я.

— Не помню, — жалобно захныкала Катя. — Я не помню. Ну почему вы мне не верите?

— Потому что ты врешь. И я думаю, у тебя есть на это причина.

— Нет. Честно. Я не вру. Мы ушли из клуба, у нас была бутылка водки, мы ее в клубе купили. Во дворе выпили, потому что тошно было, скукота и день не задался. У нее Кот, у меня Владик, все так по-дурацки... А больше я ничего не помню. Наверное, я уснула на скамейке. Когда пришла в себя, Юльки не было. Меня тошнило и вообще... Не помню, как добралась домой, помню только, что на такси. Я Юльке звонила в воскресенье, у нее мобила в отключке. В понедельник в школу она не пришла, и я испугалась. Я не знаю, где она. Честно не знаю. Я пить больше не буду, никогда, и школу прогуливать. Я стану хорошо учиться...

— Вот это бы не помешало, — кивнула я, поднимаясь. — Если ты врешь и с Юлей беда, это будет на твоей совести. Не думай, что с таким грузом удобно жить.

Я поспешно удалилась, чтобы еще чего-нибудь не сказать сгоряча.

Не успела я устроиться в машине и завести мотор, как увидела Свету Коршунову. Она перебегала дорогу, направляясь к дому, где жили Савельевы.

— Интересно, — пробормотала я, взглянув на часы. — До конца занятий девушка не высидела.

Я решила подождать ее, а чтобы ожидание не томило, позвонила Тагаеву.

— Рад тебя слышать, — заявил он. Тимур всегда так говорит, это у нас вроде пароля.

— Не спеши, — хмыкнула я, — в смысле радоваться, я с просьбой.

— Наконец-то. Ты никогда ни о чем не просишь, и это меня тревожит. Что я должен сделать?

— В твоем ресторане «живая» музыка, а у меня безработная скрипачка.

— О господи, другой просьбы у тебя нет? — вздохнул Тагаев.

— Нет, — ответила я. — А эту что, не выполнишь?

— Выполню, конечно. Правда, я понятия не имею,

на кой черт мне скрипачка, но если тебе так хочется... присылай.

— Спасибо, — искренне поблагодарила я.

— Ты помнишь, какой завтра день?

— Помню.

— Тогда до завтра, — сказал Тимур, и мы простились.

Я набрала номер Ритки, уж если выступать в роли Санта-Клауса, то по полной программе.

— Надо помочь одной беженке из Таджикистана, у нее нет каких-то документов. Деда просить или сама займешься?

— Чего его по пустякам беспокоить, — усмехнулась Ритка. — Диктуй фамилию, запишу на прием, здесь все и решим. Девчонка нашлась?

— Нет. Зато есть нехорошее предчувствие.

— У меня будет полчаса свободного времени, выпьем вместе кофе? — спросила Ритка.

— Конечно.

— Тогда я перезвоню.

«Ну вот, сделала доброе дело, — похвалилась я самой себе. — Глядишь, на том свете зачтется». Обычно я только пакощу гражданам, потому теперь страшно собой гордилась. Даже настроение улучшилось. Может, открыть бюро добрых дел — и депрессухи как не бывало?

Тут из подъезда появилась Светлана, это отвлекло меня от приятных мыслей. Брови девицы были нахмурены, лицо сердитое.

— Навещали подругу? — посигналив и тем самым обратив на себя ее внимание, спросила я и распахнула правую дверь.

— Навещала. Что в этом особенного? — зло поинтересовалась девушка.

— Садитесь, я вас подвезу.

— Обойдусь. Не тратьте на меня свое время. Я ничего не знаю. Слышите, ничего. Меня там даже не было.

— Где? — невинно поинтересовалась я.

— Да пошли вы... — рявкнула девица и торопливо зашагала прочь. Я помахала ей рукой на прощанье.

Девчонки нервничают. Впрочем, повод для беспокойства налицо: подруга не ночует дома и не отвечает на звонки. Хотя, возможно, не отвечает лишь родителям, а подружки в курсе, где ее искать. Наверное, я бы так и решила, если бы не истерика Кати и страх в глазах Светы, хотя, по ее же собственным словам, «ее там не было». Где там? На скамейке в парке? Что-то девчонки скрывают и это «что-то» их здорово беспокоит.

Можно было бы понаблюдать за Светой, но вряд ли это даст результат, девчонка хитрая, и я ей явно не понравилась. Встречаться с Юлей сейчас она поостережется, проще позвонить и предупредить, что ее ищут. Вот только не ясно, от кого или чего девочка прячется. Если в парке что-то произошло, разумнее вернуться домой под защиту родителей. Это для меня разумней, а в их возрасте... Надо полагать, я старею, шестнадцатилетние девчонки кажутся мне несмышлеными детьми. Однако такие детишки вполне способны наломать дров.

Ожидая звонка от Ритки, я съездила к Валентине, не застала ее дома, оставила записку. Как раз и Рита позвонила. Времени у нее было мало, кофе решили выпить в конторе. Двигая в сторону приемной, я встретила Деда.

— Ты ко мне? — спросил он.

— Нет. К Рите. Надо посплетничать.

— Раз уж ты здесь, выпьем кофе в баре. Оттуда позвонишь Рите, она спустится.

Я согласно кивнула, и мы отправились в бар. Разумеется, я ожидала, что Дед захочет мне что-то сказать, и то, что сделать это он задумал в неформальной обстановке, меня только настораживало. Сейчас начнет вещать о нашей ответственности перед народом, необходимости помнить о том, что мы всегда на виду, а многочисленные враги только и ждут случая... Время от времени приходится все это выслушивать, в такие минуты я откровенно скучаю, а Дед, конечно, злится. Но в этот раз о делах или об одном-единственном деле, которое он доверил мне, Дед говорить не пожелал.

— Думаю махнуть куда-нибудь на выходные, — заявил он. — Не хочешь присоединиться?

— Если будет время, — кивнула я. Дед поднял брови, собираясь выразить недоумение отсутствием того, чего, по общему мнению, у меня завались, но тут, должно быть, вспомнил, что дал мне работу. — Созвонимся в пятницу, — предложила я.

— Что там с девочкой? — все-таки спросил он.

— Пытаюсь ее найти. Скажи, все дети так надоедливы и беспокойны в этом возрасте или бывают исключения?

— Откуда же мне знать? Достоверно могу сказать лишь одно: в шестнадцать лет ты была прелестным ребенком, умной, доброй и очень веселой. Я помню, как ты смеялась, просто так, оттого что светит солнце.

— По-моему, это признак идиотизма, ты не находишь?

— Признак идиотизма шляться по кабакам в компании пьяного дегенерата и делать наколки на руках.

— Коля практически не пьет, — вступилась я за своего друга.

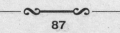

— Тогда ему стоит за тобой приглядывать.

На счастье, в баре появилась Ритка, и Дед оскудел словами, по-настоящему так и не успев разойтись. Ритка не торопясь приблизилась, Дед джентльменски пододвинул ей стул и поспешил откланяться.

— Воспитывал? — заговорщицки спросила Ритка.

— Не успел. Сегодня мне везет.

— Дед надеется, что ты вернешься. Сегодня сам сказал мне об этом. Ты же знаешь, не очень-то он любит откровенничать, а тут прямо так и заявил... он в тебе очень нуждается. Может, правда перестанешь дурака валять и вернешься на работу?

— Может, ты лучше заткнешься? — внесла я встречное предложение, и Ритка поспешила сменить тему.

— С женой Якименко встречалась?

— Имела удовольствие.

— Психушка по ней плачет. Как-то назвала меня «милочкой». Представляешь?

— Надеюсь, ты ей мозги вправила?

— Уж можешь мне поверить. Дама сразу почувствовала недомогание и из приемной свалила. О своем муже говорит так, точно он господь бог, совершенно помешалась на его положении. Если дядя слетит с насиженного места, ее хватит удар.

— А он слетит?

— Вне всякого сомнения. Дед им недоволен. А если Дед недоволен, значит, пакуй чемоданы.

— Ага, — согласилась я. — Или гроб заказывай.

Ритка поморщилась, потому что служила Деду верой и правдой, и хоть в сердцах порой могла высказаться нелицеприятно (разумеется, с глазу на глаз), критики в его адрес не выносила, но мне прощала, иначе с кем же ей сплетничать?

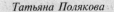

— Якименко эта мегера подцепила в институте, она там работала лаборанткой. Дура дурой, а хватило ума у жены отбить. Говорят, она спала со всеми, когда муж делал карьеру, от начальника до его шофера, по принципу авось пригодится, а муж делал вид, что ничего не знает. Та еще парочка.

— Да, парочка занятная, — согласилась я. — Ребенка который день нет дома, а у них беспокойство только о том, что люди скажут.

— Ты чем-то озабочена, — понаблюдав за мной, вынесла вердикт Ритка. Я кивнула.

— Что-то в этой истории не так. То ли родители недоговаривают, то ли у ребенка проблемы посерьезнее переходного возраста.

— Дурная компания?

— Да вроде бы ничего особенного. Шляются по ночным клубам, а чего не шляться, раз деньги есть?

— Тоже верно. Тогда что тебя так беспокоит?

— Я же сказала...

— По-твоему, родителям известно, где она? — нахмурилась Ритка. — Тогда с какой стати бежать к Деду?

— Ладно, — махнула я рукой, потому что не очень-то люблю гадать на кофейной гуще. — Мне пора ехать, а тебе трудиться.

— Обожаю, когда ты вредничаешь, — сказала Ритка. Мне стало стыдно, и я поцеловала ее в знак примирения.

Теперь путь мой лежал в ночной клуб «Марсианские хроники». В этом клубе я как-то бывала и, несмотря на раннее для подобных заведений время, надеялась застать там ребят из охраны. Клуб с улицы особо не впечатлял. Он занимал первый этаж двухэтажного дома, на фасаде скромная вывеска, железная дверь с «глазком» и листком бумаги, приклеенным скотчем: «Требуется уборщица. Вход со двора». Во дворе дверь была тоже железной, имел место и звонок, я надавила на него и стала ждать. Наконец дверь открыли и я увидела парня, чей вид не имел ничего общего с моими представлениями об охране. Щуплый очкарик прищурился, а потом раздвинул рот до ушей.

— Вы меня ищете? — спросил он задушевно.

— Конечно, — кивнула я. — Чашка кофе, ответ на два вопроса — и я буду любить вас всю оставшуюся жизнь.

— Могу ответить сразу: не женат, не привлекался...

— Тогда вы мужчина моей мечты.

Он пропустил меня и закрыл дверь.

— Кофе за мной, — сказал он, продолжая улыбаться. Мы прошли в бар.

— Вы здесь менеджер? — задала я первый вопрос.

— Да. Кстати, я Олег. А как зовут вас?

— Ольга. Я своего рода тоже менеджер, только контора у нас иного профиля. — Я протянула удостоверение, а он внимательно изучил его.

— Вот в чем дело, а я голову ломаю, откуда мне знакомо ваше лицо. В жизни вы красивее, чем на экране.

— Просто на телевидении одни бездари, вечно портят мою красоту. Мы поссорились, и теперь меня почти не снимают.

— Вас это огорчает?

— Ничуть, красота целее будет. Теперь, когда мы так мило поговорили по душам, у меня второй вопрос. Кто из охраны дежурил в субботу?

— А что случилось? — смеяться ему сразу расхотелось.

— Две девчушки школьного возраста посетили вас в тот вечер, и одна из них не вернулась домой. — Я выложила на стойку фотографию Юли. Бармен заинтересованно косился в нашу сторону, поймал взгляд Олега и тут же отошел.

— Послушайте, у нас солидное заведение, — заверил меня Олег, от недавнего улыбчивого паренька и следа не осталось.

— Верю, — кивнула я. — Скажу больше: очень бы не хотелось разочаровываться, видя ваше нежелание помочь.

— Да ради бога... поговорите с ребятами, если кто-то видел этих девушек...

— Тогда начнем с бармена, — согласно кивнула я и махнула ему рукой, он приблизился, избегая моего взгляда. — В субботу была ваша смена? — спросила я.

— Моя, — ответил он, взял в руки фотографию и сказал: — Я ее помню. С ней девчонка была, такая же пацанка. Явились уже пьяненькие, водки просили. У нас водки вообще нет. Я сказал, что несовершеннолетним ничего, кроме пива, не наливаем, они принялись пререкаться, здорово достали, я их хотел выгнать. Потом из бара они ушли, но где-то через полчаса вернулись. Взяли пива и совсем осовели. Я думаю, они где-то водку раздобыли.

— Где? — спросила я для поддержания разговора.

— Скорее всего в магазине напротив, он круглосуточно работает. По субботам в такую погоду у нас обычно ребятня тусуется, а цены здесь немалые, вот они и приспособились со своим ходить.

— Разве это не запрещено?

— Конечно, запрещено. Но за всеми не уследишь, а летом и вовсе просто: выйдут на улицу, хлопнут по стакашку и назад.

— Не помните, в котором часу они ушли?

— Из бара около двенадцати. Вы с охранником поговорите, с Володей. Он их должен помнить. Одна из них в коридоре на каблучищах навернулась, он ее поднимал, еще потом мне замечание сделал: мол, зачем малолеткам наливаешь.

— Где его найти? — спросила я Олега.

— Идемте, он уже должен быть здесь.

Володю мы нашли в холле, он листал журнал, развалясь в кресле. Олег взял на себя труд объяснить ему, кто я и откуда, мне осталось лишь согласно кивать в такт. Володя взял фотографию и очень внимательно стал ее разглядывать.

— Здесь она, конечно, моложе, но узнать можно. На той слой штукатурки, как на клоуне. Да, были две девчонки, пьяные в лоскуты. Народу в субботу немного, и не обратить на них внимания я просто не мог. Одна даже упала, на ногах не держалась. Я им посоветовал немного отдохнуть в уголочке, но им до моих советов... В общем, я их предупредил, что вести себя надо скромнее или вышвырну. Вот эта, что на фотографии, мне грозить стала, папой очень пугала. Потом они ушли.

— В котором часу?

— Десять минут первого.

— Откуда такая точность? — удивилась я.

— Покурить вышел, на доме напротив часы на фасаде. Может, обратили внимание? Ну вот, стою, эти две соплюхи выходят и направились напрямую к Горбатому мосту. Я почему на часы и посмотрел, самое время для шлюх, у них там сбор после двенадцати.

— Девчонки были похожи на шлюх? — удивилась я. Как-то это не вязалось с обликом Кати.

— Пьяные, одеты как шлюхи, рожи раскрашены... Может, они мамочкины дочки и отличницы, но по их виду ни за что не догадаешься.

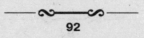

— Как думаешь, Володя, если б они еще выпили бутылку...

Он засмеялся, не дав мне договорить.

— Если б они еще по грамму выпили, тут же бы вырубились. Какая там бутылка, они и так сознание теряли.

Ну вот, пожалуйста. Если верить парню, девчонки были в таком состоянии, что запросто могли уснуть на скамейке и ничего не помнить. Катя, по ее собственным словам, проснувшись, Юлю рядом не обнаружила. Я даже предположить затрудняюсь, куда она могла отправиться.

Я простилась с ребятами и, вернувшись в машину, позвонила Деду. Коротко доложила о результатах своих изысканий.

— Позвони Якименко. Пусть заявляет в милицию. Здесь рядом река, а девчонка была в отключке.

— Почему бы тебе самой с ним не поговорить? — удивился Дед.

— Избавь меня от этого, — сурово отрезала я. — Пусть звонит в ментовку, они прочешут район и, возможно, что-то найдут.

— Труп, ты хочешь сказать? — тоже посуровел Дед. — И это я должен заявить отцу?

— Всегда надо надеяться на лучшее. К примеру, она в бесчувственном состоянии остановила машину и уехала в неведомом направлении. Бывало, что шальные детки и через несколько месяцев находились, не только через пять дней.

— Ты настаиваешь на милицейском вмешательстве? — поразмыслив немного, спросил Дед.

— Я же сказала: одной мне ее не найти.

— Хорошо, я с ним свяжусь. — Дед вздохнул и отключился.

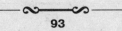

А я отправилась домой кормить Сашку. По дороге меня и застал звонок Лялина.

— Спешу доложить, что задание я выполнил, — со смешком начал он. — Только толку от этого никакого.

— В этой жизни вообще никакого толку, — поспешила согласиться я, но Лялин вздохнул и добавил:

— Я серьезно. Установил личность всех мужчин, что на фотографиях. Это, кстати, легче легкого, люди-то все известные. Председатель спортобщества «Олимпийский» господин Рылов, владелец ночного клуба Дубников и Яков Борисович Ковтан.

— Фамилия знакомая... — заметила я.

— Как же, он строительный подрядчик. Никитский мост ремонтирует...

— И что?

— А ничего. Об этом я тебе, моя дорогая, и толкую. На фотках бизнесмены. Крепкая дружба, насколько я смог узнать, их не связывает, но встречаться время от времени они вполне могут. Ничего в этом предосудительного нет. И уж точно никому в голову не придет убивать парнишку из-за этих фотографий.

— Но ведь убили?

— Знаешь, что я тебе скажу: обжегшись чаем, дуют на молоко. Привыкла везде видеть заговоры, вот тебе и мерещится. Короче, наплюй на это дело и живи спокойно.

— Наплюю, — пообещала я. — Фотографии пусть у тебя в сейфе полежат.

— Пусть полежат, — милостиво согласился Лялин и добавил, не удержавшись: — Не поверишь, как я обрадовался.

— Чему, интересно? — удивилась я.

— Тому, что ты хоть раз в жизни не смогла втравить меня в историю...

— Ну, еще не вечер, — оптимистично заверила его я.

Покормив Сашку, я решила заглянуть к Вешнякову. Сашка направился к машине, игнорируя мои слова о занятости и невозможности посвящать все свое время ему, любимому. Пришлось взять его с собой.

Вешняков с самым разнесчастным видом сидел за своим столом и пялился на толстые папки, что возвышались перед ним Вавилонской башней и, как их знаменитая предшественница, грозили рухнуть в любой момент.

— Сочувствую, — опережая его жалобы, сказала я, устраиваясь на стуле. Сашка громко тявкнул, приветствуя моего друга.

— Вот было б мне счастье поменяться с твоей собакой местами, — все-таки заныл Вешняков.

— Иди работать к Лялину, — сразу же заявила я. Это всегда действовало на него отрезвляюще, Артем затихал, должно быть представляя, какая распрекрасная жизнь была бы у него, и отчаянно завидуя самому себе.

— Как там Лялин? — спросил он, посидев немного с очумелым видом.

— Шлет привет и наилучшие пожелания.

— А что с фотками?

— С фотками нестыковочка. На них добропорядочные бизнесмены нашего города.

— Без порток, что ли?

— Ну почему сразу без порток? — попеняла я. — Напротив. Все в костюмах и даже при галстуках.

— А между ними голая девка? — обрадовался Артем своей сообразительности, но я и здесь разбила все его надежды.

— Нет никаких девок, а также парней. Ничего нет. Бизнесмены на отдыхе. Чего ты дурака валяешь, — вздохнула я, — ты же видел фотографии.

— У меня этих фотографий, всяких разных... Может, была девка, может, не разглядели? — Я развела руками. — Еще хуже, — затосковал он. — Теперь вот сиди и думай... просто так людей не убивают. По мне, конечно, лучше бы девка и прочий компромат. Хоть голову ломать не надо. А здесь что: убийство есть, фотки есть, а компромата нет. Может, забьем на это дело?

— Может, и забьем, — кивнула я.

— Значит, все-таки что-то накопала? — насторожился он. Я отрицательно покачала головой.

— Думаю с его дружком поговорить. Вдруг ему что-то известно о пленке.

— Поговори, если есть охота, — кивнул Артем. — Шей да пори, без дела не сиди. Домой меня отвезешь? У меня опять тачка сломалась. Заколебала, зараза, никакой совести.

— Чего ты на совесть давишь, твоя тачка — моя ровесница, ей давно развалиться пора.

— Нет, моя-то помоложе будет... — что-то высчитывая в уме, ответил Артем.

По дороге ему понадобилось в аптеку, потом в магазин, потом он предложил выпить пива, что мы и сделали. Наконец Артем взглянул на часы и заохал, вспомнив, что обещал жене вернуться пораньше.

— Вас ментов от дома, как черта от ладана, — ядовито заметила я.

— Нет привычки к семейному уюту, — поникнув головой, констатировал Артем и тут же начал цепляться: — А ты когда замуж выйдешь? Тебе рожать пора. Глядишь, добрее станешь к нашему брату, пригреешь на груди.

— Вы с Лялиным два пустобреха, все только обещаете, а чуть девушка к вам душевно расположится, так сразу к женам.

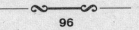

— Нет, надо тебя в самом деле замуж выдавать, постоянный соблазн рядом, а я слаб, соблазны для меня тяжкие испытания. Вот вчера взятку давали, еле-еле не поддался, аж в очах потемнело, думал, сердце разорвется от горя, а сегодня ты перед глазами мелькаешь, похуже денег. Изыди, — вздохнул он, но исчез сам, помахав нам рукой на прощание.

— Пива выпили, — сказала я Сашке, — поехали домой.

Но домой не получилось. Позвонила Ритка.

— Дед разговаривал с Якименко. Тот напишет заявление в милицию, но просит тебя поиски не прекращать. Не верит он, что менты девочку найдут.

— Странная позиция для государственного деятеля, — удивилась я, но отцовские чувства были понятны, и я заверила, что сделаю все возможное.

Охранник видел, как девчонки отправились в сторону Горбатого моста, место сбора городских проституток. Один раз Юлю там уже задерживал милицейский патруль, так что проверить стоило. Вот так я и оказалась вечером возле Горбатого моста. Чтобы попасть к мосту со стороны моего дома, надо пройти через парк, там девицы в основном и тусовались. В парк по склону холма вела лестница. Желающим прокатиться по парку на машине приходилось объезжать квартал со стороны реки. Парк не огорожен, но располагался он на возвышенности, и с двух сторон естественной границей служили крутые откосы. Аллеи ухоженные, и днем здесь любили гулять мамаши с детьми. Возле входа — бильярдная и кафе, слева — детская площадка с аттракционами, которые ночью, естественно, не работали. Сейчас здесь горели фонари и кучковалась молодежь. В глубине по аллеям слонялись весьма легко одетые девицы, в одиночку и стайками, в последнее время к ним присоединились юноши. Потенциальные клиенты по аллеям не шастали, предпочитая появляться на машинах. В черте света возле бильярдной бродил милицейский патруль в количестве трех человек и собака. Все, в том числе и пес, отчаянно зевали. Я подумала, что бродить по аллеям мне ни к чему, свернула и вскоре уже въезжала в парк. Фонари здесь тоже горели исправно, и в их свете я увидела группу девиц, которые при ближайшем рассмотрении оказались дамами далеко не юного возраста. Моя машина вызвала у них интерес. Женщины глядели на нее настороженно, а молодой человек, который до той поры тосковал возле фонаря, вдруг отлепился от него и сделал мне ручкой, с улыбкой, обещавшей райское блаженство. Пожалуй, довольно глупо было мне являться сюда на своей машине, уж очень она приметная. Я не стала принимать близко к сердцу свою ошибку и, не мудрствуя, остановилась возле двух девушек в коротких юбках и чулках в крупную сетку, у одной в районе тазобедренного сустава прикорнула бабочка из красного атласа. Выглядело это почему-то жалко.

Я приоткрыла окно и продемонстрировала купюру, бывшую в большом ходу у девиц. Та, что с бабочкой, наклонилась к стеклу и, увидев меня, слегка растерялась. Правда, длилось это не больше мгновения, здешнюю публику удивить не так-то просто. Я кивнула, и девица, обойдя машину, устроилась на сиденье рядом со мной. Я проехала чуть дальше, здесь аллея тонула в темноте.

— В машине или поедем куда? — спросила девица.

— Как хочешь. Можем поговорить здесь, могу угостить тебя коктейлем в баре. Ну, так как?

— Чуяло мое сердце, — досадливо пробормотала женщина (ей было лет тридцать, не меньше, работа тоже

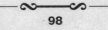

наложила на ее облик свой отпечаток, и «девушка» звучало скорее издевательски). — Деньги давай.

Я протянула ей купюру, она быстро спрятала ее в сумку и хмуро поинтересовалась:

— Ну, чего надо-то?

Я показала ей фотографию.

— Видела ее здесь в субботу?

Она отнеслась к моим словам серьезно, внимательно рассмотрела фотографию и вернула назад.

— Нет, не видела.

— Может, все-таки заметила, как здесь болтались две пьяные девчонки-подростки?

— Чего случилось-то? — вздохнула женщина.

— Девочка пропала. С субботы ее никто не видел. Они с подругой были здесь.

— Еще сотню дашь? Я быстро по девкам пробегусь, может, ее в самом деле кто видел?

— Пробегись, — кивнула я.

Женщина поспешно растворилась в темноте, а я стала ждать, устроившись поудобнее и закрыв глаза.

Прошло полчаса, я уже начала думать, что девица попросту сбежала, наплевав на сотню, но тут по стеклу постучали. Возле машины стояла моя «бабочка», а рядом с ней здоровенная девка в серебристом платье, которое прибавляло ей полноты и делало совершенно необъятной.

— Садитесь, — предложила я, великанша хлопнулась на переднее сиденье, а «бабочка» сказала:

— Бабки ей отдашь. — И поспешно отошла.

— Эта точно была в субботу, — возвращая фотографию, заявила великанша, голос у нее был под стать фигуре, могучий.

— Одна?

— Нет, с такой же пигалицей. Вертелись на входе,

возле бара. Я их погнала, малолеток нам только и не хватало, а вот эта огрызаться стала. Прикинь? Ну, я ей и дала леща хорошего. Вторая, видно, поумнее, а может потрезвее, потащила подружку из парка.

— В котором часу это было?

— После двенадцати, но не позднее часа. На час ночи у меня договоренность была, вот я и паслась поближе к выходу.

— Девчонки остались на площади или взяли такси?

— Их «жигуль» подобрал. Они по ступенькам спускались, когда он подъехал. Видно, кто-то из любителей малолеток. Притормозил и явно за девками наблюдал, потом малой скоростью двинул за ними. Очень мне хотелось девок догнать да накостылять как следует, чтоб здесь больше показываться не смели. Повадились шастать, шлюхи поганые, клиентов перебивают. Не трахается им с пацанами, сюда лезут. Охрана их, конечно, гоняет и менты, но им здесь точно медом намазано, дуры...

— Девчонки сели в «Жигули»?

— А как же. Он остановил, пошептались, и девки поехали с ним.

— Номер машины не запомнила?

— Конечно, нет. Нужны мне номера. «Жигуль» светлый, старый, вроде «шестерка», мужиков двое было, задняя и передняя дверь разом открылись. Поехали в сторону проспекта. Деньги давай.

Я расплатилась и задала еще вопрос:

— Раньше эти «Жигули» здесь не замечала?

— Здесь столько народу за ночь бывает, а «Жигули» тачка неприметная, это ж не твоя красавица... Девок кто-нибудь из молодняка увез. Выпили мальчишки, на любовь потянуло, и вот, пожалуйста, идут две пьяные дурочки... Обычное дело.

— Не совсем, — вздохнула я, — раз одна из них вдруг исчезла.

— А вторая что говорит?

— Вторая ничего не помнит.

— Может, и правда. Они здорово навеселе были и, если еще по пятьдесят грамм хватили, наверняка отключились. Вдруг не поделили чего и парни девку того... бывает. Хотя довольно странно отпускать в этом случае вторую. Если только разбились на парочки... Поговори с девкой, может, и вспомнит чего.

— Поговорю, — кивнула я. Великанша с трудом выбралась из машины и махнула мне рукой на прощание.

По словам Кати, она очнулась на скамейке в одиночестве, что вполне вероятно. Правда, она забыла рассказать о том, что в парке они оставались недолго и куда-то отправились с новыми знакомыми. В самом деле забыла или предпочла забыть? Было это примерно в час, а дома она появилась в половине седьмого. За эти пять часов успело что-то произойти, что-то скверное, раз с той поры никто не видел Юлю. Завтра звоню Деду. Поисками Юли должна заниматься милиция. Мне эти «Жигули» при всем желании не найти.

Я размышляла над этим, покидая парк, и тут увидела «бабочку», она садилась в темный «Вольво». Машина некоторое время ехала за мной, затем свернула в боковую аллею, а я выехала на проспект.

Утром я поднялась поздно и сразу же позвонила Деду. Он выслушал меня внимательно, но ничем не порадовал.

— Детка, мы уже обсуждали это. Якименко сомневается, что в милиции сделают все возможное. Поэтому моя просьба остается в силе. Ты одна за день сделаешь больше, чем эти деятели за неделю.

Надо полагать, Дед надеялся, что после этих слов я проникнусь к нему благодарностью, возгоржусь и кинусь рыть землю носом.

— Не представляю, что еще я могла бы сделать, — вместо бурной благодарности ответила я, прихлебывая остывший кофе.

— Я в тебя верю, — оптимистично заявил Дед, вешая трубку.

— Старый змей просто боится, что от безделья я выкину номер похуже дурацкой татуировки, — пожаловалась я Сашке. Мы собрались идти гулять, когда позвонил Вешняков.

— Через полчаса сможешь подъехать? — сказал он голосом мученика.

— Смогу. А что случилось?

— Еще совести хватает спрашивать.

— Ты же знаешь, у меня такая совесть, ее на многое хватит.

— Вот-вот, а мне отдувайся. Мало работы, так еще пропавших деток высокопоставленных папаш ищи. За детишками присматривать надо, тогда и не пропадут.

— Это дело поручили тебе? — сообразила я.

— Поручили, — передразнил Артем. — За что тебе нижайший поклон и вообще большая моя благодарность. Нет бы поспособствовала подполковника получить, куда там, одно беспокойство от тебя и пустые хлопоты. — Он вздохнул и отключился, не желая слушать моих оправданий.

Через полчаса я была у него в кабинете. Ко мне он за это время не подобрел, но Сашке улыбнулся, и я воспряла духом.

— Валяй докладывай, чего накопала, — буркнул Артем, но его совесть, в отличие от моей, покоя ему не давала, и он напоил меня чаем, может, потому, что и сам хотел чайку. За чаем он не утерпел и опять пожаловался, что начальство взяло это дело под личный контроль.

— Начальство тебя ценит, — улыбнулась я.

— Лучше бы зарплату прибавили. Ну, давай не тяни.

Тянуть я не стала и поведала все как есть, коротко и без комментариев.

— Как думаешь, девчонка жива? — спросил он, выслушав меня с постной миной.

— Не думаю, — вздохнула я.

— Может, вправду куда отправилась в беспамятстве, в Москву или еще дальше? — вздохнул в ответ Артем.

— Район надо прочесать. Хотя на тачке при желании можно уехать довольно далеко, к примеру, в лес. Повезет, грибники найдут, а нет... значит, нет, — оптимистично закончила я.

— До чего ты добрая, — съязвил Артем.

— Знаю. Через это терплю многие несправедливости от ближних, в особенности от ментов.

— Зато им от тебя одна радость. Район, конечно, прочешут, девок опросят, может, кто еще эти «Жигули» заметил. А что с другой девчонкой, как ее?..

— Катя Савельева. С девчонкой тоже ничего хорошего. То ли вправду не знает, что произошло, то ли вспоминать не хочет.

— Ты сама-то как думаешь? — полюбопытствовал Артем.

— Она напугана. Может, тем, что подруга исчезла, а может, очень боится, что кое-какие ее грешки наружу выйдут. Поди разберись. Девчонке пятнадцать лет, в ее возрасте можно так напиться, чтобы целая ночь напрочь стерлась из памяти?

— Запросто, — кивнул Артем. — Я и в своем возрасте так могу. А ты нет?

— Только с тобой, — поспешно ответила я. — Катина мачеха боится, что девчонку изнасиловали.

Артем поморщился, но согласно кивнул:

— Когда садишься ночью в машину с незнакомыми мужиками...

— Вот-вот. Допустим, девчонки еще на грудь приняли, хотя свидетели говорят, и так уже были в лоскуты... Юля чем-то дружку не угодила, и тот сильно разгневался...

— С этой Катей придется поговорить.

— Попробуй.

— Может, лучше ты?

— Я с ней уже разговаривала.

— С женщиной своей бедой поделиться легче, — ныл Артем и в конце концов уговорил меня поехать с ним.

На этот раз о своем визите мы предупредили. Я минут пять поговорила по телефону с Ириной Михайловной, мачехой. По ее словам, девочка все еще чувствует себя неважно, в школу не ходит, практически ни с кем не общается, не считая Светланы. Само собой, нашему появлению Катя не обрадовалась. Увидев Артема, и вовсе попыталась закатить истерику, но, так как Ирина по моей просьбе удалилась, а меня чужие истерики по-прежнему не занимали, успокоилась она довольно быстро.

— Ты знаешь, что Юлю до сих пор не нашли? — спросила я, когда она, выпив стакан воды, уткнулась лицом в плюшевого медведя. Катя молча кивнула. Артем, пристроившись на краешке стула, смотрел на нее с недоумением, мне хорошо понятным: трудно было вообразить себе эту девчонку, шатающуюся пьяной в по-

исках залетного кавалера. — Может, ты все-таки расскажешь, что произошло?

— Я же рассказала, — захныкала она.

— В прошлый раз, когда мы с тобой разговаривали, я была почти уверена, что твоя подружка задержалась у кого-то в гостях. Теперь боюсь, что с Юлей стряслась беда. Значит, и разговор у нас будет другой. Начнешь валять дурака, отправимся в милицию, посидишь в клетке пару часов, может, мозги на место встанут... Давай начнем с того момента, когда вы вышли из клуба. С бутылкой водки, кажется?

— Нет, мы до этого выпили, — вздохнула Катя. — В клубе бармен вредный попался, мы в магазине купили, там рядом с клубом гаражи, выпили и пошли танцевать.

— Что, всю бутылку выпили? — не поверил Артем.

— Нет, половину. В клубе делать было нечего, и охранник без конца цеплялся, и мы ушли. Бутылка в кустах была спрятана, она упала, и водка вылилась, совсем чуть-чуть осталось. Мы допили и пошли в парк, там бар всю ночь работает. Выпили пива, и тут к нам тетка привязалась. Малолетками обзывала, гнала из парка. Так вопила... Больше я ничего не помню.

— Да? Ребят на «Жигулях» как звали? — Девчонка испуганно вскинула голову и замерла, глядя на меня. — Так как их звали? — повторила я вопрос.

— Одного вроде Саша, другого Валера. Я точно не помню. И никакие они не парни.

— А кто?

— Ну... они уже взрослые дядьки.

— Ясно. И куда вы с этими дядьками поехали?

— Они сказали, что в боулинг. Тот, что на Тимирязева. Там после часа скидки пятьдесят процентов и первая кружка пива бесплатно. Потом Валера, он сзади сидел, достал бутылку и предложил выпить. Я первой выпила и больше ничего не помню. А когда проснулась, то сидела на скамейке, а Юльки нет. Я поехала домой, а в понедельник, когда она в школу не пришла, здорово испугалась. Я ей и до этого звонила, хотела узнать, где мы были и вообще...

Говорила она вроде бы вполне искренне, однако я ей не верила. Чего-то девчонка боится. Того, что от Юли до сих пор нет вестей, — это понятно, но было еще что-то, заставлявшее ее бледнеть и стискивать кулаки.

— Они заставили тебя выпить водки? — спросила я, приглядываясь к ней.

— Нет. Они просто предложили, и мы согласились.

— Как вели себя эти мужчины? К вам приставали?

— Нет. Нормально вели. Предложили в боулинг съездить, мы и поехали.

— А как они выглядели?

— Я не помню. В машине темно было. У одного, Саши, волосы очень короткие, он почти лысый, это я помню. А больше ничего...

— Может, он шепелявил или у него на руке наколка была? — не унималась я.

— Он таблетки пил, — нахмурилась девочка. — Достал пузырек из кармана и выпил две штуки.

— Что за таблетки?

— Но-шпа. На пузырьке так написано. Саша заметил, что я на него смотрю, и мне таблетки протянул. Но-шпа, говорит, у меня с желудком проблемы. Я и успокоилась, правда но-шпа. Я эти таблетки знаю, мачеха их покупает, они у нас на кухне хранятся, в шкафчике.

Я взглянула на Артема, а тот недовольно поморщился.

— Когда Юля в понедельник не пришла в школу, ты испугалась. Чего?

Теперь девчонка выглядела удивленной.

— Как чего? Если она на звонки не отвечает и в школу не пришла, значит, что-то случилось.

— Что, по-твоему, могло случиться? — не отставала я.

— Но ведь ее до сих пор нет, правда? Значит, они... что-то с ней сделали.

— Необязательно, — покачала я головой. — С тобой они ничего не сделали. Так?

— Так, — судорожно вздохнув, согласилась она.

— Почему, в таком случае, должны были сделать с ней? Может, просто отправились отдыхать втроем? А телефон молчит, потому что подзарядное устройство Юля забыла дома.

— Вы что, с ума сошли? — не выдержала девчонка.

— Я, нет. А вот ты скорее всего врешь. И уж точно понятия не имеешь о том, что такое логика. С какой стати им желать Юле зла? Или в их поведении все-таки было нечто, что тебя напугало?

— Я их совсем не помню. И вообще ничего не помню, — заныла она.

— Ты говоришь неправду. По крайней мере, не всю правду. Если ты все расскажешь нам, мы найдем этих парней. Если не расскажешь, тоже найдем, просто времени потратим больше. Ну, так что?

— Я не помню. — Она заплакала так отчаянно, что мне стало жаль ее. — Я ничего не помню...

— Идем, — кивнула я Вешнякову, поняв всю бесполезность дальнейших вопросов.

Ирина ждала нас в холле.

— Она вам что-нибудь рассказала? — бросилась она к нам.

— Совсем немного.

— И вы не знаете, что произошло на самом деле?

— Могу лишь догадываться. Присматривайте за девочкой. Она чего-то боится. Если вдруг ей начнут звонить какие-то люди, обязательно сообщите нам.

— Вы хотите сказать, что Кате может кто-то угрожать?

— Я хочу сказать, — стараясь быть терпеливой, пояснила я, — девочка чего-то боится, возможно, нагоняя от отца, а возможно, чего-то гораздо худшего. Что я могу ответить вам, если она ничего не желает рассказывать?

Вешняков кашлянул, бестолково топчась рядом, буркнул «до свидания» и первым покинул квартиру.

Как только за нами захлопнулась дверь, он обрел дар речи.

— Черт-те что... — сказал он с печалью.

— Ценное замечание, — хмыкнула я. — Нечего сказать, так уж и дальше молчи.

— Раз ты за двоих болтала, чего ж мне соваться? — отмахнулся он. — Девчонка — сущий ребятенок, и то, что здорово она напугана, вполне понятно. Могла, кстати, в самом деле ничего не помнить. Весь вечер водка с пивом, а много ли надо таким пигалицам, чтобы вырубиться?

— Врет она, — в свою очередь сделала я ценное замечание, устраиваясь за рулем. — Может, напугал кто, а может, по собственной инициативе.

— Думаешь, она знает, что случилось с Юлей?

— Думаю, у нее есть причина бояться.

— Беда с тобой, — буркнул Вешняков. — Что ж, будем искать Сашу с Валерой на светлых «Жигулях». У Саши предположительно проблемы с желудком, раз но-шпу жрет. — Вспомнив об этой детали, я нахмурилась. — Не дури, — понаблюдав за мной, изрек Артем. — Твой Александров здесь ни при чем. Знаешь, сколько людей пьют но-шпу? А вот девок у Горбатого моста надо поспрашивать. Может, правда кто-то из тамошних девок их знает.

— Поспрашивай, — согласилась я. — И в боулинг этот самый пошли кого-нибудь, вдруг все-таки заезжали?

— Вот сама и проверь, — начал вредничать он, — а у меня и без того работы по горло, людей не хватает...

— Людей всегда не хватает. В боулинг, так и быть, сама съезжу.

— Что ж, будем искать, — повторил Артем и тут же добавил: — Знать бы где...

— Если на Катю надавить как следует, она расскажет, что произошло.

— Надавить, — передразнил Артем. — Между прочим, она несовершеннолетняя, и папаша у нее человек с бабками.

Артем оказался прав, папаша встал на защиту дочери. Тут же появились врачи и семейный адвокат, все в один голос утверждали, что беспокоить Катю нельзя. В боулинг я тоже съездила напрасно. В ночь с субботы на воскресенье Юли и Кати там не было. По поводу мужчин с именами Саша и Валера на светлых «Жигулях», предположительно «шестерке», ничего сообщить тоже не могли — место в народе популярное, вполне вероятно, что среди посетителей были и Саша с Валерой.

Не солоно хлебавши я вернулась домой и собралась лечь спать, когда раздался звонок. Звонил Тагаев. Я сразу

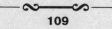

вспомнила, какой сегодня день, и запела сладким голосом:

— Извини, я задержусь на полчаса. — После чего кинулась в ванную приводить себя в надлежащий вид.

Когда я подъехала к ресторану, Тимур ждал меня, прогуливаясь по аллее возле входа. «Шанхай» дорогой ресторан, и особого наплыва посетителей здесь не наблюдалось. На стоянке всего пять машин, одна из которых «Хаммер» Тимура. Ресторан тоже принадлежал ему. Пару раз я пыталась завести разговор на тему не является ли это заведение убыточным, хотя, скажите на милость, что мне-то за дело? Тимур улыбался, отвечая весьма уклончиво, и я поняла, что напрасно расточаю свое красноречие: хочется человеку иметь дорогую игрушку, ну так и на здоровье.

С Тимуром мы познакомились несколько месяцев назад при обстоятельствах малоприятных для меня и откровенно скверных для него и поначалу друг другу не понравились. Я — тягой к глупым разговорам (это не мое мнение, а его), он тем, что воплощал все то, что я терпеть не могла в этой жизни. Своего благосостояния Тагаев достиг путем явно неправедным и теперь жил в свое удовольствие, нимало не печалясь. Его манеры и внешность соответствовали анектодическому новому русскому: золотые цепи, бриллианты, кривая ухмылка и стойкая привычка говорить нараспев, точно он в этой жизни никуда не спешит. Однако обстоятельства сложились так, что нам пришлось наплевать на взаимную неприязнь и некоторое время трудиться бок о бок. Вот тут-то и выяснилось, что Тагаев мало чем отличается от слуг народа, которым я, в свою очередь, долгое время служила верой и правдой. Возможно, «верой и правдой» сильно сказано, но служила и даже пользовалась кое-какими благами. Тимур, по слухам, был крими-

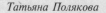

нальный авторитет, а Дед — защитником обиженных и угнетенных. Я, кстати, пыталась вставить это определение в предвыборную листовку, но Дед воспротивился, буркнув «конкуренты прицепятся». То есть, если бы не зловредные конкуренты, он против данной формулировки не возражал бы, являясь в собственных глазах бесстрашным Робин Гудом и бессребреником к тому же. Так вот, несмотря на явную полярность двух этих личностей, я обнаружила между ними большое сходство, особенно в методах ведения борьбы за лучшее будущее (свое, разумеется), и заметно подобрела к Тагаеву, наплевав на общественное мнение.

Отношения наши неожиданно для обоих зашли слишком далеко, что не могло меня порадовать, хотя бы потому, что подобные отношения с мужчинами у меня вечно обрастают ненужными сложностями. Благополучно завершив наше невольное сотрудничество, мы вроде бы расстались, хотя и не оповестили об этом друг друга официально. Через несколько дней Тагаев пригласил меня поужинать, причем сделал это так естественно и непринужденно, что я не увидела повода отказать. С этого момента начался второй этап наших отношений, который я окрестила «нежной дружбой». Раз в неделю мы ужинали, а также играли в шахматы. Иногда гуляли в парке и ездили к нему на дачу, где тоже прогуливались и играли в шахматы. Поначалу я проявляла легкое беспокойство, когда после ужина или тех же шахмат он отвозил меня домой, но Тимур ни разу не высказал желания вновь оказаться в моей постели. Так что волноваться я перестала и начала получать удовольствие. Кстати, парень он занятный, а моя жизнь бедна событиями. Прошло около двух месяцев и его поведение стало вызывать у меня любопытство. Должно быть, женщина устроена так, что, если мужчина, общаясь с ней столь долгое время, не предпринимает попытки стать ее любовником, она либо начинает подозревать его во всех смертных грехах, либо чувствовать себя оскорбленной. Примерно тогда я вспомнила историю, рассказанную мне Тимуром. История, кстати, любопытная. О том, как он на одну ночь стал любовником жены своего друга, в тот момент уже вдовы. По его словам, они друг другу не подходили, и данный шаг был жестом отчаяния, с чем вдова наутро согласилась. Однако Тимур упорно чувствовал себя виноватым, и это позволило даме вести себя с ним так, как никакой другой и в голову бы не пришло, потому что в любом индивиде заложено устойчивое стремление к самосохранению. До самой ее смерти он возился с ней, точно с ребенком, и все потому, что «не должен был, а сделал». Я уже говорила, что Тимур непростой парень.

Вспомнив эту историю, я решила, что со мной у него примерно то же: он считает, что вроде бы обманул мои надежды, раз не любил, но занял место любимого. Мне-то на это было наплевать, а вот его сильно мучило, и он как мог старался скрасить мою жизнь игрой в шахматы и прогулками.

Могла быть и еще одна причина, совсем уж простая: Тагаев страдал от одиночества и скрашивал свою жизнь, а не мою, но поверить в такое я не могла, во-первых, потому что человек он занятой и скучать у него времени нет, во-вторых, огромное количество женщин жаждали разделить с ним не только его доходы, но также и некоторые жизненные трудности, а уж о том, чтобы просто развлечь парня, тут и речи нет.

Заметив мою машину, Тимур помахал мне рукой и пошел навстречу. Я вдруг подумала, что он изменился. Вот так сразу и не скажешь в чем, но точно изменился, хотя кое-какие внешние признаки тоже имели место.

Прежде всего исчезли золотые побрякушки, к которым он некогда питал слабость. Надо сказать, исчезали они поэтапно, и я поначалу не обратила на это внимания. В настоящее время он носил лишь часы, конечно, дорогие, но скромные, и перстень, который я сама же и присоветовала ему купить взамен антикварного страшилища, который украшал его мизинец. Не только перстень был куплен с моей подачи, но и кое-какие предметы гардероба: сначала костюм, потом галстуки, которые Тагаев терпеть не мог и за редким исключением не носил. То, что он обращался ко мне за помощью в выборе этих вещей, меня не удивило: друзья должны помогать друг другу, но и здесь я видела его желание продемонстрировать мне свои симпатии, доверие моему вкусу и так далее, что по сути тоже являлось некоей формой извинения.

Он старался изо всех сил, но я в его искренность не верила. Просто он очень хотел быть порядочным парнем, как это он себе представлял, меня же его стремления интересовали мало, а своих я не имела.

Когда в один прекрасный день Тагаев выразил желание отправиться со мной в театр, я решила, что его стремления зашли слишком далеко, и прямо сказала ему об этом.

— Раз ты не сделал мне ничего плохого, может, не стоит так истязать себя? — ядовито поинтересовалась я. Он взглянул на меня как-то странно, пожал плечами и уклончиво ответил:

— Мне нравится, что ты рядом. И мне нравится театр, хотя ты в это никогда не поверишь.

Возражать я не стала, но решила наказать человека, чтоб впредь не завирался, а в результате наказала себя: к шахматам и прогулкам прибавились еще и культпоходы. Я никогда не была особым фанатом театра, по большей части на спектаклях я зевала и, если бы не хорошее воспитание, точнее его остатки, сбежала бы после первого акта. Словом, мы с Тагаевым были странной парой.

Об этом я думала, поспешая ему навстречу. Тагаев подошел, сказал: «Привет» — и поцеловал меня в щеку.

— Отлично выглядишь, — порадовал он.

— Спасибо, — растянула я губы в улыбке и как обычно в его присутствии начала чувствовать себя тяжело больной, которой противопоказаны всяческие волнения, да и жить по большому счету противопоказано. За одно это хотелось придушить его, не сходя с места.

— У тебя новый костюм, — продолжил радовать меня Тимур. Никто этого и не заметил, а вот он сразу отличил новый от старого. — Тебе идет. — Взял меня за руку и повел к стеклянным дверям, предусмотрительно распахнутых настежь китайцем, что выполнял здесь роль швейцара. — Я заказал семгу, — сообщил Тагаев. — Ты ведь любишь рыбу. Но если ты...

— Я обожаю семгу, — заверила его я. Мы вошли в зал, практически пустой, и устроились за столом возле черно-красной ширмы. Неслышно подошла официантка и так же неслышно удалилась. Мы выпили и приступили к ужину.

Тагаев разглядывал меня, но стоило мне поднять глаза, как он тут же торопливо отводил взгляд. Надеюсь, он получает удовольствие от этой дурацкой игры. Мы не спеша ели и так же неспешно болтали о всяких пустяках, сразу даже и не поймешь о чем. Неожиданно он полез в карман пиджака и извлек оттуда бархатный футляр, улыбаясь, протянул его мне. Улыбка, против его воли, у него всегда выходила насмешливой.

— Это что? — удивилась я.

— Посмотри.

В футляре оказался мундштук.

— Я же бросила курить, — нахмурилась я, потому что считала это большим достижением и даже гордилась собой.

— Точно. И теперь без конца грызешь зубочистки, лучше грызи мундштук.

— Спасибо за заботу, — буркнула я, с недовольством косясь на зубочистку в своих руках. Кстати, курить мы бросили одновременно, то есть я высказала идею, а Тимур ее поддержал, но, в отличие от меня, он зубочисток не грыз. По-моему, парень просто упивается своим превосходством. — Если я этим действовала тебе на нервы, мог бы так и сказать, а не выбрасывать деньги на ветер.

— Ты не действуешь мне на нервы, — спокойно возразил он. — Можешь хоть ногти грызть, я и это переживу. А мундштук мне понравился. По-моему, красивый. Авторская работа, какой-то армянин, там написано. Мне сказали, они сейчас в моде.

— Мундштуки или армяне?

— Армяне, — пожал он плечами. — То есть художники. Или как там зовутся парни, что делают такие штуки? Извини, мне не хватает образования, чтобы выразиться правильно.

Я разве что не плакала от умиления. Золотой парень, а я, неблагодарная, подарок не оценила. Мысленно чертыхнувшись, я сунула мундштук в рот.

— Ужасно неудобно, но попробую привыкнуть.

Он откинулся на спинку стула, разглядывая меня, и вновь в его улыбке была насмешка, хотя спросил он серьезно:

— Ты надумала вернуться?

— Ну и вопрос, — удивилась я. — Что значит вернуться? Куда?

Тимур пожал плечами:

— Возможно, тебе надоело безделье.

— Возможно.

— Вот я и подумал...

— Я не стремлюсь вернуться на свою прежнюю работу.

— Почему?

Я засмеялась и покачала головой:

— Как будто ты не знаешь.

— Но ты ведь помирилась с Дедом, — возразил он.

— По большому счету мы и не ругались.

— Я имею в виду, что ты примирилась с его грехами, раз он то и дело ночует у тебя. — Теперь он не отвел взгляд и смотрел мне в глаза. Я пожала плечами, никак не желая комментировать данное утверждение. — Я зря заговорил об этом? — помолчав, спросил он.

— Говори на здоровье.

— Ты злишься?

— Нет. Только скажи на милость, с какой стати мне обсуждать с тобой наши с Дедом отношения? — Тимур виновато пожал плечами, а я разозлилась: — Слушай, почему тебе так нравится меня спасать?

Теперь он удивился.

— Я не понял, о чем это ты?

— Какого хрена ты ведешь себя так, точно я чахну от неизлечимой болезни?

Он отвернулся, разглядывая узор на ширме. Когда он не хотел говорить, он молчал, и с этим ничего не поделаешь.

— Ты ведь его не любишь, — вдруг заявил он, чем, признаться, поверг меня в изумление. — И даже не уважаешь.

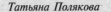
— Допустим. Тебе-то что?

— Пытаюсь понять, зачем ты это делаешь.

— Ты лезешь не в свое дело, — резко ответила я. — С какой стати ты завел этот разговор?

— А ты не догадываешься? — Он нахмурился, глядя на меня так, что я невольно поежилась.

— Теряюсь в догадках. Давай сыграем в шахматы. Разговоры по душам не в наших правилах.

— Почему? — вновь озадачил меня он.

— Мне казалось, ты не любитель таких разговоров, — пожала я плечами.

— С другими да, но не с тобой.

— Тогда я не любитель.

— По-твоему, я гожусь лишь на то, чтобы сыграть со мной партию в шахматы или поужинать, когда делать нечего?

Он сумел меня разозлить, так что я не удержалась и съязвила:

— Ты случайно не хочешь признаться мне в любви?

— Не хочу, — серьезно ответил он. — Ты же чокнутая, чего доброго начнешь чувствовать себя виноватой, как будто влюбиться в тебя величайшее несчастье. Может, Деду и нравится, что ты ложишься с ним в постель, потому что бог знает за что его жалеешь, а меня тошнит от одной мысли об этом.

— Дался тебе Дед. У тебя девок как грязи, и ты что, всех их безумно любишь?

— Ты прекрасно поняла, что я имел в виду, — отмахнулся он.

— Ага. Испортил мне вечер. Надеюсь, и себе тоже. Что это на тебя нашло?

— Очень хочется быть несчастной? Жизнь не задалась и все такое? — Теперь и он злился, что вовсе никуда не годилось.

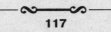

— Хоть бы и так. Это моя жизнь, — напомнила я. — Знаешь, сейчас ты очень похож на Деда. Тот обожает разговоры по душам. При этом без конца причитает: что ты делаешь со своей жизнью... Что я с ней делаю? Да ничего. Просто живу. И не понимаю, какого черта вам от меня надо.

— Не поверишь, как я счастлив, что ты выбрала меня козлом отпущения.

— О чем это ты? — удивилась я.

— Ты знаешь.

— А, ну как же... Я мщу тебе за свои обиды или что-то в этом роде. Очень трогательно. — Меня несло, я знала, что надо остановиться, но не хотела этого, напротив, мне хотелось высказаться и прекратить наконец наши дурацкие отношения. — Думаешь, я не вижу, как ты старательно изображаешь чуткого парня, все эти твои подарки, звонки, прогулки... Ты такой замечательный, а я дура, которая не замечает своего счастья? Знаешь, что я думаю о тебе на самом деле?

— Это интересно, — кивнул он, приглядываясь ко мне. Казалось, ему и в самом деле интересно. Это охладило мой пыл.

— Извини, — буркнула я.

— Обойдусь. Так что ты думаешь на самом деле?

Моя попытка прекратить разговор успехом не увенчалась, теперь я окончательно расстроилась.

— Мы тогда сделали глупость, занявшись любовью. Ну было и было, растереть и забыть. Но для тебя совершенно невыносима мысль, что женщина может относиться к этому так же спокойно, как и ты. Она просто обязана сходить с ума по такому парню.

— Да-а, — засмеялся Тагаев и добавил: — Здорово.

— Сам напросился, — огрызнулась я.

— Значит, я мужественно терплю все твои дурацкие

выходки только с одной целью: заставить тебя сожалеть о том, какого замечательного парня ты упустила? А когда ты все поймешь и оценишь, я тебя, разумеется, брошу, как это сделал твой Лукьянов, которого ты никак не можешь забыть? Это даст тебе возможность лишний раз убедиться: все мужики мерзавцы и прочее... А ведь ты в самом деле этого боишься, — усмехнулся он, — поэтому я и терплю. Надеюсь, когда-нибудь для разнообразия ты начнешь думать иначе. Надо полагать, зря надеюсь. Ты просто не хочешь никому верить. Тебе так удобней.

— Спасибо, что все растолковал, — хмыкнула я. — Обменялись комплиментами, теперь можно выпить кофе. Особенно приятно, что ты, несмотря на суровую жизненную школу, сохранил свою веру. С чем я тебя и поздравляю.

Он засмеялся, взял меня за руку и сказал с усмешкой:

— Обидел? Извини. Хотя, я думаю, что на самом деле тебе по фигу. Все, что касается меня, уж точно. Иногда очень хочется свернуть тебе шею. Но это ведь ничего не изменит.

— Ты... — начала я, но он перебил:

— Не вздумай возражать, я все равно не поверю.

— Да-а, — протянула я в полной растерянности. — Никому верить нельзя, особенно людям.

В шахматы мы все же сыграли. Обычно Тагаев, следуя за моей машиной на своей, провожал меня домой, выпивал чашку кофе и убирался восвояси. Разумеется, я вполне была способна добраться до своей квартиры и без сопровождения, но сие повторялось от встречи к встрече. Похоже, наши отношения становились ритуальными.

В этот раз Тагаев задержался у меня дольше обыкновенного, совершил экскурсию по квартире и предложил устроить на верхнем этаже бильярдную.

— Зачем? — удивилась я. Правда, я уже года два безуспешно пыталась найти применение пустующей площади. — Я плохо играю в бильярд.

— Я тебя научу, — заверил он и сделал ценное замечание: — У тебя кран в ванной течет.

С этим я согласилась, и Тимур немедленно приступил к ремонту, вызвав у меня слезы восторга. Чтобы такой парень да был способен починить кран, есть чему удивляться.

Возился он долго, потом принял душ, потом попросил чаю. Мне стало ясно: покидать мое жилье он не торопится.

— Можешь остаться у меня, — решила я облегчить ему жизнь, — раз уж здесь целых две гостевых спальни.

— Дед тоже там спит? — спросил он. Я ответила:

— Конечно. А ты что подумал?

Тимур подошел, ухватил меня за плечи и с минуту разглядывал мою физиономию, словно намеревался прочесть мои мысли. Прочитал чего или нет, не скажу, но мне особенно приятным это не показалось. Я ждала, что он скажет, но он ничего не сказал и вскоре удалился, оставив меня наедине с моими беспокойными и скверными мыслями.

В кухне сразу появился Сашка. С Тагаевым у них была дружба, и я немного ревновала, правда утешала себя тем, что Сашка нуждается в мужском обществе. Пес взирал на меня укоризненно, и это переполнило чашу моего терпения.

— Вы сговорились, что ли? — рявкнула я, но быстро

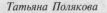
выдохлась и принялась жаловаться Сашке на жизнь. И в самом деле выходило, что все в ней нескладно, а если и появляется мужчина, то становится даже хуже, так что вовсе никакой радости от его присутствия. — Если так пойдет дальше, одна мне дорога — в монастырь. Хотя можно попытать счастья с девицами. — При одной мысли об этом мне стало так тошно, что даже Тагаев показался чистым золотом. Я посоветовала себе отправляться спать и вняла своему же совету.

Утром Сашка разбудил меня очень рано, в отместку за мое вчерашнее нытье. Мы отправились гулять, потом я приготовила завтрак, но все равно было еще слишком рано, чтобы звонить Вешнякову.

— Кто рано встает, тому бог подает, — буркнула я и все-таки позвонила.

Голос Вешнякова звучал бодро, но отнюдь не оптимистично, из чего я сделала вывод: встать он уже встал, но никакого удовольствия от этого не испытывает.

— Не могу поверить, что ты на ногах в такую рань, — съязвил он. — Чего вскочила ни свет ни заря? Или не ложилась?

— Ложилась. Всю-то ноченьку ты мне снился... Не знаешь, к чему такое?

— К покойнику, — убежденно ответил Артем.

— Девчонку нашли? — насторожилась я.

— Нашли, только не ту, которую искали.

— А потолковее нельзя? — возмутилась я.

— Можно. Приезжай к Никитскому мосту.

Никитский мост самый старый в городе и в настоящее время ремонтировался, проезд по нему был закрыт, так что для обнаружения трупа место вполне подходящее. Правда, до Горбатого моста, который меня в последнее время интересовал, оттуда довольно далеко — километра три-четыре.

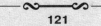

Оставив Сашку тосковать дома, я полетела к мосту. Свернув с проспекта, увидела несколько машин на маленькой площадке возле моста. Вокруг бродили люди в форме с постными лицами. Машину мне пришлось бросить в переулке, здесь ей просто не нашлось бы места.

Ниже площадки, возле спуска к реке стояло оцепление. Навстречу мне вышел давний знакомый Валера, как всегда с улыбкой на устах. Такое впечатление, что трупы только прибавляют ему оптимизма.

— Привет, — помахал он рукой. — Интересуешься покойной?

— Вешняков звонил, — пояснила я.

— Он внизу. Дай закурить, — попросил Валера.

— Бросила.

— Надо же, какая сила воли у людей, — подивился он, привалясь к капоту своей машины. Ее по большому счету стоило отправить в металлолом, но Валерку и это не печалило.

Закурить ему дал один из ментов, проходящих мимо, я устроилась на корточках в трех шагах от него и спросила:

— Кого убили?

— По виду проститутка. Лет тридцати. Документов при ней не оказалось, в сумочке только ключи и двести рублей. Так что на ограбление не похоже. Вот такие дела.

— Есть что-нибудь необычное? — спросила я, прикидывая, с какой стати меня сюда позвал Вешняков.

— Нет, — пожал плечами Валера. — Убийство как убийство. Проституция — работа опасная, всегда можно нарваться на психа. Этой не повезло.

— Когда ее убили?

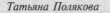

— Примерно сутки назад. Точнее буду знать после вскрытия.

Тут и Вешняков появился. Дышал он тяжело после подъема в гору, лицо откровенно свирепое, машинально протянул руку, и я ее пожала. Артем точно очнулся, вздохнул и пожаловался:

— Задолбала эта жизнь.

— А в чем суть претензий? — поинтересовалась я.

— У пацана зубы режутся, третью ночь не сплю. В отпуск не пускают, а у меня за прошлый год еще три недели остались. И что?

— Ничего, — пожала я плечами.

— Вот именно, — обиделся он. — Мало мне трупов, ты еще с этой девчонкой... Вчера начальство домой звонило, просили поиски ускорить, сделать их максимально результативными, — передразнил он неведомого начальника. — Что я им, девчонку из-под земли достану?

— Из-под земли лучше не надо, — флегматично заметил Валера. — Возни с ними... нам бы тех оприходовать, что на поверхности.

— Помолчи, ради Христа, — хватаясь за голову, попросил Артем. — Без тебя тошно. Водка, что ли, паленая... — добавил он с печалью.

— А еще на жизнь жалуется, — хмыкнул Валера. — Поаккуратней надо с водкой-то.

— Послушай друга, счастливый отец, — поддакнула я.

— Чего ржете, придурки? Говорю, всю ночь пацан спать не давал. Хватил стакан под утро, чтоб расслабиться.

— Ты б лучше мальцу налил.

— Своему нальешь, — огрызнулся Вешняков. Валера полез в машину и достал из-под сиденья флягу, молча сунул ее Вешнякову. — Водка? — с надеждой спросил тот.

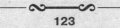

— Обижаешь. Коньяк.

— Нам все равно, — забубнил Артем. — Мы неприхотливые. — Сделал несколько глотков и слабо дернулся. В руках Валеры появился огурец, Вешняков откусил от него добрую половину, задышал ровнее, а потом и улыбнулся.

Тут снизу кто-то зычно позвал:

— Артем Сергеевич!

— Чего? — недовольно отозвался он.

— Взгляните, пожалуйста.

— Никакого покоя, — покачал Артем головой и кивнул мне: — Идем.

— Мне-то зачем? — удивилась я, потому что в отличие от Валеры при виде покойников особо не радовалась. Валера, кстати, поспешно сел в свою машину и, помахав нам рукой, отбыл. Как любой нормальный человек, он не жаждал, чтоб его заваливали работой.

— Идем, — повторил Вешняков. — Может, какие мысли появятся.

Мы спустились к реке, возле кустов, там, где замер милицейский «газик», стояли трое мужчин, один из которых что-то рассказывал, размахивая руками. В стороне, ближе к дороге, на корточках сидели еще двое, один курил, а другой делал записи в блокноте. Увидев нас, тот, что курил, выпрямился и махнул рукой.

— Сюда.

— Чего там? — ворчливо спросил Артем, приближаясь к ним.

— Следы машины, свежие. Вот здесь четкий отпечаток.

Мы подошли, Артем без особого интереса взглянул на свежий след шин на земле, а я огляделась.

— Труп где нашли? — спросила я парня, что-то записывающего в блокнот.

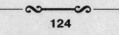

— Возле кустов, — кивнул он. — Похоже, от реки ее тащили волоком. Извините, я не представился. Олег Валерьевич Симаков.

— Ольга Сергеевна.

— Очень приятно. Сторож говорит, что ночью видел здесь две машины. Дело-то, в общем, обычное, сюда парочки часто наведываются, до центра двадцать минут, а здесь тишина, природа. Сторож удивился, что машина без света к реке спускалась, а тут сами видите, яма на яме. Вторая машина стояла на обочине. Утром он смену сдал и решил сюда заглянуть, а в кустах девица, куском толи прикрытая.

— Валера сказал, что ее убили сутки назад.

— Примерно так.

— А машину сторож когда заметил?

— Сегодня ночью, часов в двенадцать.

— Выходит, убили ее не здесь. Или она с прошлой ночи в кустах лежала?

— На траве след, — вмешался в разговор Артем. — Похоже, тут он машину оставил и вниз пошел. — Он зашагал к кустам, и я за ним. След действительно был виден ясно, трава примята. — Здесь нашли пуговицу от ее кофты, — продолжил Артем. — Труповозка приехала, наконец-то, — пробормотал он. Машина медленно спускалась от дороги к кустам. — Фары не включал, потому что боялся, что сторож увидит...

Стройзона, обнесенная забором из металлической сетки, начиналась метрах в семи от кустов, но будка сторожа и два вагончика были довольно далеко, возле самого моста.

— Собаки есть? — спросила я.

— Две, — ответил Артем. Мы подошли к кустам, одновременно с нами подъехала машина. Мужчины, что стояли возле трупа, недружно поздоровались со мной,

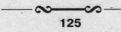

двоих я знала, так что объяснять мое появление здесь не пришлось.

Из машины вышли санитары с носилками. Артем продолжал оглядываться, и я тоже.

— Взгляни, — взяв меня за локоть, потянул он к кустам, — что у нее на ноге.

Я приблизилась к телу женщины. Она лежала на боку, лицом вниз, правая рука откинута в сторону, левой не видно, на шее болтался чулок в сеточку, точно такой же был на ноге, тугой узел стянул щиколотку.

— Привязывал он ее, что ли, — высказал предположение один из мужчин.

— Она была в воде? — спросила я, разглядывая одежду.

— Похоже на то.

— Юбка влажная. Утром прохладно, в кустах тень, и одежда не успела высохнуть.

— Хочешь сказать, он пробовал ее утопить? — тут же спросил Артем. Я пожала плечами.

— Около воды нашли авоську, — заговорил его товарищ. — Может, рыбаки бросили, а может... и груда камней рядом. Вот здесь...

Мы обошли кусты, авоська зацепилась за ветки ивы и плавно покачивалась на ветерке, который дул с реки, рядом виднелась горка камней, собранных тут же, ими был усеян весь берег.

— Привязал авоську с камнями к ноге — и в реку, — высказался один из мужчин. Я помнила, что звали его Игорь Петрович.

— Вряд ли, — отмахнулся Артем. — Здесь мелко, метрах в десяти от берега все еще по колено.

— Он мог этого не знать, — заметила я.

— Шизик какой-то, — нахмурился Артем.

— Может, тяжелая физическая работа ему в диковинку, — съязвила я, — вот и лезла в голову всякая чушь: чулки, авоськи.

— Проще карманы набить камнями, — кивнул Игорь Петрович.

— Человек мог здорово нервничать, а в таком состоянии... Вдруг он не каждый день женщин убивает, вот и впечатлился.

— Спасибо за помощь, — в свою очередь съязвил Вешняков.

— Зови, если что, — в тон ему ответила я.

Женщину как раз загружали на носилки. Не люблю я лица покойников, и это мне, конечно, не понравилось, но по другой причине.

— Стойте, — попросила я и подошла ближе. Всклоченные волосы сбились набок, рот открыт, язык вывалился, лицо землистое, словом, вид — хуже некуда, однако не до такой степени, чтобы я не смогла ее узнать. — Я ее видела, — сказала я, заметив, что мужчины выжидающе смотрят на меня. — Не только видела, но и разговаривала. Позавчера вечером, возле Горбатого моста, когда расспрашивала местных шлюх о Юле. Она села в машину к какому-то типу и уехала вместе с ним.

— На номер тачки внимания не обратила?

— Пока к тебе будем ехать, вспомню, — заверила его я.

Уже через два часа мы знали имя убитой женщины. Елизарова Ольга Степановна, двадцать шесть лет, безработная, проживает по улице Дягилева, дом семь, квартира семьдесят восемь, не замужем, детей нет, мать живет в фабричном поселке «Ударник». Номер машины, на которой уехала Елизарова, я вспомнила. Выяснилось, что «Вольво» принадлежал Савиной Светлане Сергеевне.

— Только лесбиянок мне и не хватало, — пожаловался Артем.

— В машине был мужчина, — утешила его я, — если, конечно, дамочке не пришло в голову переодеться парнем.

— Сгоняй к этой бабе, — попросил меня Вешняков, добавив в голос вселенской скорби. — У меня дел по горло, а ты от безделья маешься.

— Мне надо девчонку искать...

— Одно другому не мешает.

Я махнула рукой и поехала к Савиной, но застать ее дома мне не удалось, и я отправилась в офис телефонной компании, где она работала менеджером. Девушке было лет двадцать восемь, и выглядела она типичной бизнесвумен: целеустремленность, деловитость, улыбка на губах, точно приклеенная. Пришлось минут десять ждать, пока она закончит разговор по телефону. Взглянула она на меня с неодобрением, но спросила вежливо:

— Что вы хотите?

— У вас есть машина? — начала я с малого.

— Конечно. «Фольксваген»-«жук». А в чем, собственно, дело?

— Нас интересует «Вольво», который зарегистрирован на ваше имя.

— А-а, вот оно что... — нахмурилась девушка. — Да, «Вольво» зарегистрирован на меня.

— А кто на нем ездит?

— Мой дядя. Кондаревский Руслан Сергеевич.

Надо сказать, в тот миг, когда девушка произносила фамилию, я почувствовала смутное беспокойство. Кондаревский был одним из типов на фотографии, и то, что его имя вдруг всплыло при таких обстоятельствах, я расценила как перст божий. Если кто-то скажет, что сие не более чем совпадение, я возражать не стану, но сама в такие совпадения не верю.

— Видите ли, — между тем сочла нужным пояснить Светлана Сергеевна, — дядя подарил мне «Вольво» на мое двадцатипятилетие. Шикарный подарок, но мне он не понравился.

— Сам подарок или что-то другое? — задала я очередной вопрос.

— Собственно, он муж моей тетки. Понимаете?

— Пока не очень. Он что, имел на вас виды?

— Нет, конечно. Но я решила, что такого подарка не заслуживаю.

— И тогда он купил вам «Фольксваген»-«жук»?

Это ей пришлось не по душе, лицо ее приняло неприятное выражение. Некоторое время она что-то разглядывала на своем столе, потом спросила:

— Это он вам сказал?

— Нет. Я просто сделала предположение.

— Он дал мне денег. В долг. Я их уже давно вернула. Почему вас заинтересовал «Вольво»?

— Дорожно-транспортное происшествие, водитель скрылся, — без зазрения совести соврала я.

— О господи, — испугалась Светлана. — На Руслана Сергеевича это совершенно непохоже.

Я согласно кивнула и поспешила откланяться.

По дороге я позвонила Вешнякову. Появление на нашем горизонте Кондаревского на него никакого впечатления не произвело.

— Очень мне любопытно, каким таким макаром ты его пристегнешь к убийству Александрова, — съязвил он, а я в ответ проявила свои лучшие качества: вежливость и незлобивый нрав.

— Пока не знаю. Но скажи, стало интересно?

— Может, тебе, но не мне. Ты сейчас куда?

— Могу к тебе. Результаты вскрытия есть?

— Пока нет, но обещали через час.

— Значит, переговорю с кем-нибудь из подруг убиенной.

— Ребята этим занимаются, загляни по адресу... — Артем продиктовал адрес и добавил: — Там живет их бригадирша. В такое время отсыпаться должна после ночных трудов.

В обшарпанную дверь, выкрашенную половой краской, звонить пришлось долго. У другого человека терпение давно бы иссякло, и он бы ушел, но у меня терпения на троих. К тому же Артем прав, в это время «ночные бабочки» должны отсыпаться, а мне ли не знать, как тяжко подняться после бессонной ночи, особенно если выпить лишнего. В общем, я давила на кнопку звонка и прислушивалась до тех самых пор, пока из-за двери не послышался хриплый голос:

— Кто?

— Я, — не придумав ничего умнее, ответила я. Дверь, как ни странно, тут же распахнулась, и я увидела дюжего мужика в трусах и женском халате нараспашку.

— Чего тебе? — спросил он, приглядываясь ко мне с некоторым удивлением. Волосы у него торчали в разные стороны, рожа была небритая, к тому же зевал он так отчаянно, что того гляди челюсть вывихнет.

— Мне Любу, — вздохнула я, тут послышались шаркающие шаги и очам моим предстала Люба. Я ничуть не удивилась, узнав в ней великаншу, что прошлой ночью рассказала мне о появлении в парке Юли. Она, увидев меня, тоже не особенно удивилась.

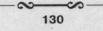

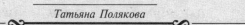

— Опять ты? — спросила она недовольно.

— Поговорить надо, — покаянно сказала я и, не дожидаясь, когда женщина захлопнет дверь, добавила: — Лучше со мной, чем с ментами.

— Чего ей надо? — вроде бы опомнившись от зимней спячки, спросил мужик.

— Иди в комнату, — цыкнула на него Люба. Он что-то буркнул под нос и удалился. — Проходи, — кивнула она мне и, закрыв дверь, повела меня на кухню.

Против ожидания, здесь было чисто и уютно, на подоконнике фиалки в горшках, на стене вышивка в богатой рамке: ангелочек с алым сердцем в руках. Люба тяжело опустилась на стул, хмуро глядя на меня, закурила и спросила без особого интереса:

— Нашли девчонку?

— Пока нет. Сегодня утром Елизарову нашли, Ольгу Степановну. Под мостом и с чулком на шее.

— Как это? — не поняла она, рот ее некрасиво приоткрылся, она торопливо затушила сигарету. — Убили, что ли?

— Убили, — кивнула я.

— Вот черт... а кто?

— Будем искать, — сказала я с печалью, поудобнее устраиваясь на стуле.

— Ага... найдете... А это точно? Правда убили?

— Разве так шутят? К сожалению, правда. Ты ее когда в последний раз видела?

— Ну... позавчера. Вечером, то есть ночью.

— То, что она сегодня не работала, тебя не удивило?

— Чего удивляться, она запойная. Ох ты, господи, не было печали...

— Я видела, как она села в «Вольво», — сказала я.

— Ну...

— После этого ты ее видела?

— Нет. Она возвращаться и не собиралась. Мужик из тех клиентов, что увозят надолго. Хотела сразу домой.

— Клиент тебе известен?

— Руслан Сергеевич? Конечно.

— Часто он у вас появляется?

— Раз в месяц, от силы два. Но клиент солидный. Ты что, думаешь... — нахмурилась она. — Брось, дядька тихий. У него жена на религии свихнулась, а он мужик еще не старый, ну и естество своего требует, вот и заезжает. Человек он хороший, девки его любят. И Ольга с ним уже ездила. Он вообще предпочитает проверенных, богатый, огласки боится... Ты на него даже не думай, это кто-то другой... Мало ли придурков... — Люба досадливо выругалась и повторила: — Не было печали...

— Значит, Ольга уехала с Русланом Сергеевичем и больше ты ее не видела?

— Я же сказала, она возвращаться не собиралась, сразу домой. Конечно, меня никто не послушает, но я вам сто процентов даю: он здесь ни при чем.

— А раньше подобные случаи бывали? — спросила я.

— Какие случаи? — не поняла Люба.

— Убийства, — вздохнула я.

— Нет. Бог миловал. Ну, бывает, нарвешься на придурка, изобьет. В прошлом году один псих так Верку Иванову отделал, думали, не выживет. Но наши с ним быстренько разобрались. Правда, года два назад... — Она нахмурилась и замолчала, точно что-то высматривая на стене напротив.

— Так что произошло два года назад? — подождав немного, спросила я.

— Две девки пропали. Сначала одна, а потом другая. Родственники подавали в розыск, без толку.

— Расскажи об этом подробнее, — попросила я.

— Да я уж и не помню. Никто из наших не видел, когда и с кем они ушли. Первую, Людку Дерюгину, хватились вообще через трое суток. А вторая с мужиком жила, он сразу беспокоиться начал. Менты всех расспрашивали, но девок так и не нашли. Может, конечно, уехали куда за лучшей жизнью, но я-то думаю, раков они кормят.

— Почему?

— Потому что за два года дали бы о себе знать. Да и где она, лучшая жизнь?

Вешнякова я застала в его кабинете, он жевал бутерброд и боролся с икотой, прихлебывая минералку.

— Наживу рак желудка, — тут же пожаловался он, икнул, чертыхнулся и подергал себя за ухо. — Ну, чего? — хмуро спросил он после этого.

Я бодро отрапортовала, Артем слушал и кивал.

— На вот, почитай, — придвинул он мне лист бумаги.

По результатам вскрытия смерть наступила около четырех часов утра. Женщина сопротивления не оказывала, скорее всего, убийца подошел со спины, схватил ее за горло и сломал шею. А вот чулок намотал позднее, когда она уже была мертва.

— Псих, — прокомментировал Артем.

— С Кондаревским беседовали? — спросила я.

— Конечно. Факт знакомства с девицей не отрицает. Со скорбью признал, что услугами дам у Горбатого моста иногда пользуется. Супруге просил не сообщать, она в религию подалась и его к целомудрию призывает, но целомудрие ему пока не дается. Вот и заглядывает дядя в парк. С убиенной ранее был знаком, она уже оказывала ему услуги. В этот раз они устроились в машине, отъехав к реке: времени у него не было, друзья ждали в картишки перекинуться, вот дядя и спешил.

— Ольга осталась в парке?

— Нет. Попросила подвезти домой, им оказалось по дороге, вот он ее и отвез. Высадил возле пожарки на улице Горького. Оттуда до ее дома три квартала. В два часа ночи он уже был у друзей, которые с 23.30 играли в карты до 5.30. Четыре свидетеля, четыре уважаемых гражданина.

— А отпечаток шины?

— Точно не его «Вольво», — покачал головой Артем. — Сторож услышал шум машины, вышел. Машина к воде спускалась, он подумал, что парочка уединения ищет, оттого интерес к машине потерял, но все-таки взял собаку и прогулялся до ограды. Машина вскоре уехала. Он толком не разглядел, что за тачка, но скорее всего «Жигули», «восьмерка».

— Чего ж этот сторож такой беспокойный? — хмыкнула я. — К машинам приглядывается, а утром, как смену сдал, сразу кусты проверил.

— Ответственный человек, — пожал плечами Артем. — Положено бдеть, вот и бдит.

— Что со второй машиной? — спросила я.

— Вторую тачку менты видели. Вовка Цыганов, я его знаю, сменщика домой вез, у того жена вот-вот родит, он и беспокоился. Живет в старых домах неподалеку. Ночью там темень и ни одной живой души, потому на тачку внимание обратили. Тормознули и даже багажник проверили. Все чисто. Ехали двое ребят, нормальные парни.

— Чего нормальным парням ночью возле реки понадобилось?

— Они на дороге стояли, нужда у них была малая, но вполне понятная. Цыганов, как услышал про труп, мне позвонил. Утверждает, что парни поехали в сторону проспекта.

— Но ведь никто не мешал им вернуться, — напомнила я.

— Конечно, но трупа в машине не было.

— Могли уже избавиться от него.

— Тогда довольно глупо стоять на обочине и дожидаться, когда тебя заметят. — С этим было трудно не согласиться.

— Давай прикинем, что у нас есть, — вздохнула я. — Ольгу убили около четырех утра, Кондаревский утверждает, что высадил ее из машины неподалеку от ее дома. На момент убийства у него алиби. Так?

— Так.

— Допустим, девушку убили, когда она шла домой. От гастронома до моста двадцать минут шагом, вопрос, что ей понадобилось в той стороне?

— Должно быть, встретила кого-то, — пожал плечами Артем.

— Знакомого?

— Почему обязательно знакомого? Идет девица ночью по улице, вот ушлый дядя и предложил ей прогуляться.

— Она больше не собиралась в ту ночь работать, — напомнила я.

— Подумаешь, не собиралась, — фыркнул Вешняков. — У таких девиц семь пятниц на неделе. Пока мы можем только гадать, что произошло в этом промежутке между прощанием с Кондаревским и ее кончиной.

— Хорошо, давай погадаем. Могла она с кем-то поехать к реке?

— Могла.

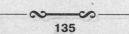

— Ее убили, а потом попытались избавиться от трупа.

— Так.

— Не так, — передразнила я. — Одежда на ней не успела высохнуть, хотя день накануне был солнечный. Значит, избавиться от трупа пытались не в ночь убийства, а вчера.

— Отсюда вывод, — кивнул Артем. — Девушку привезли к реке только следующей ночью, а убить могли где угодно. К примеру, в ее собственной квартире. Тогда все еще проще, она с Кондаревским простилась, пришла домой, и вдруг — гости. На ее квартире ребята сейчас работают. Пока ничего интересного, иначе бы позвонили.

— Почему бы труп не оставить в квартире? Но убийца решает от него избавиться, везет труп к реке, однако место он выбрал неудачное, там мелко. И он просто бросает труп на берегу, прикрыв его куском толи. Берись всерьез за нормальных парней, — сделала я вывод. — Что они делали в том районе ночью?

— Мимо ехали, имеют право. Не забудь, Цыганов машину осматривал, никаких трупов. К тому же их тачка к воде не спускалась. След протектора не соответствует данной машине.

— Значит, была еще одна машина.

— Вот именно. Та самая, на которую обратил внимание сторож. Так что эти парни скорее всего ни при чем. А если кто-то девчонку к реке доставил, так это как раз тот самый неизвестный на машине, ехавший без света. С парнями я поговорю, конечно, но не вижу повода не верить им.

— Что с Кондаревским? — спросила я.

Артем удивился:

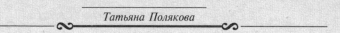

— А что с ним может быть?

— Алиби у него так себе.

— Нормальное алиби. По-твоему, он девчонку задушил, сутки держал ее у себя в гараже, а сегодня ночью задумал утопить в реке?

— Приемлемая версия, — пожала я плечами.

— Брось, мужик с деньгами. Сама говоришь, девки считают его своим. С какой стати ему руки пачкать?

— Богатый мужик, а раз в месяц отправляется к Горбатому мосту, — усмехнулась я. — Такого добра в нашем городе как грязи, хочешь массаж, салоны, хочешь... Чего это ты в лице переменился? — нахмурилась я.

— Завидно стало, — вздохнул Вешняков. — Сколько хорошего, и все мимо...

— Так вот, по какой неведомой причине дядю тянет в самую грязь? — не обращая на него внимания, закончила я.

— Ну... — пожал плечами Артем. — Может, ему так проще. Короче, надо тачку искать, ту, что сторож первой заметил.

— Ищи, — кивнула я, поднимаясь.

— Ты куда? — оживился Артем.

— Домой, естественно.

— Слушай, сделай доброе дело, потолкуй с народом на стройке, вдруг кто-то что-то видел, они там в две смены пашут, а ведь девку могли привезти днем, не обязательно ночью.

— Днем-то ее, без сомнения, утопить гораздо проще, — съязвила я.

— Сделаешь? — с надеждой спросил он.

— Ты лучше Юлю Якименко найди, — посоветовала я.

— Ищем, куда нам деваться, раз начальство велело.

«Жигули», в которые девчонки сели, еще две шлюхи видели, номер не запомнили, но одна обратила внимание, что правое крыло помято. Поговори еще раз с... как там ее...

— Катя, — подсказала я.

— Вот-вот, должна же она хоть что-то помнить.

— Ты об интуиции что-нибудь слышал?

— Слышал, но не видел. Ни разу. Ладно, что там с твоей интуицией? — вздохнул он.

— Это как-то связано, — не очень толково изрекла я и пояснила: — Убийство и исчезновение девочки. Кстати, примерно два года назад исчезли две проститутки.

— У меня никакой интуиции, только махонькая зарплата. Но твоей интуиции я верю, а ежели так, займись этим делом сама. Видишь, меня бумагами завалили.

— Фамилия одной из пропавших женщин Дерюгина.

Артем фамилию записал.

— Разузнаю все, что смогу. На стройку сгоняешь? — спросил он ласково.

— Сгоняю, — кивнула я.

Однако поехала домой. Сашка в штате Вешнякова не числится, так за что страдать псине? По дороге позвонила Савельевым. Мачеха Кати разговаривала сурово, заявила, что девочка больна и беспокоить ее нельзя. Когда я напомнила, что родители другой девочки тоже беспокоятся, дама сорвалась, крикнула: «Оставьте нас в покое» — и бросила трубку.

Пока я ломала голову, что проще: отправиться ужинать в кафе или попытаться что-то приготовить на скорую руку, объявился Дед, правда по телефону.

— Ты дома? — вроде бы удивился он, а когда я отве-

тила «да», посуровел голосом. — Мне сегодня Якименко звонил.

— Девочку ищут, — поспешно сказала я.

— А когда найдут? Твой Вешняков долго будет одним местом груши околачивать?

Большая обида за моего друга охватила мою нежную душу. Я хотела ответить что-нибудь незатейливое, типа «Попробуй сам найти», но как бы не сделать хуже. Брякнешь в праведном гневе лишнее — и останется мой Вешняков навсегда майором.

— Найти ее не так-то просто, — миролюбиво начала втолковывать я. — Девочка ушла из дома в субботу, родители обратились в милицию поздно, так что искать по свежим следам не получится. Подружка ничего не помнит, родители никому встречаться с ней не позволяют. Так что все очень непросто, но мы стараемся.

— Я собирался к тебе сегодня заехать, — подобрел Дед. В восторг от этого я не пришла, слишком часто он гостил у меня в последнее время, простотой в общении у нас и не пахнет, а напрягаться я не люблю, так что сочла за благо отговориться.

— У меня на вечер назначены две встречи. Извини, но ты сам загрузил меня работой.

— Хорошо, — вздохнул он. — Захочешь увидеть меня, позвони.

— К чему такая покладистость? — спросила я Сашку, повесив трубку. Пес зевнул, а я еще немного пожаловалась ему на Деда.

Утром, встав пораньше, что мне в общем-то не свойственно, я поехала к Никитскому мосту и смогла убедиться, что в девять часов утра работа здесь кипит вовсю. Пространство вокруг моста обнесли сеткой, ворота настежь распахнуты. Навстречу мне как раз выезжал самосвал, подняв пыль столбом. Ворота тут же закрыли.

Я приткнула машину на обочине и зашагала к воротам. С той стороны за мной с неодобрением наблюдал молодой человек в рабочем комбинезоне и бейсболке.

— Привет, — крикнула я, что было не лишним, шум здесь стоял оглушающий.

— Что вы хотите? — хмуро спросил он, забыв поздороваться. Я извлекла удостоверение и сунула ему под нос. Весьма неохотно он открыл калитку рядом с воротами. — Может, объясните, в чем дело? — спросил парень, запирая калитку.

— Вчера неподалеку нашли труп девушки.

— Ну и что?

— Ваши работники могли заметить что-то необычное.

— У нас рабочие работают, а не по сторонам смотрят, — заявил он. Приходилось признать: чем-то я ему не нравилась, так не нравилась, что он даже не пытался скрыть это. А между тем девушка я привлекательная, мужчины его возраста беседуют со мной, как правило, весьма охотно. Должно быть, он любит брюнеток.

— И все-таки я хотела бы с ними поговорить, — задушевно сообщила я.

— Без соответствующего разрешения... — начал он, но я перебила его:

— Вы сами здесь в какой должности?

— Начальник охраны.

— Вот как? — слегка удивилась я.

— Между прочим, это стратегический объект, — нахмурился он от моей бестолковости. — А вы знаете, какая обстановка в стране...

— Да-да... — поспешно кивнула я, потому что как

Татьяна Полякова

патриотка обстановкой в стране интересовалась, а вот политинформаций не жаловала.

Мы неспешным шагом добрались до первого вагончика, и я увидела двух грозного вида овчарок, сидящих на цепи, цепи свободно скользили по длинному тросу, так что собачки могли передвигаться на значительное расстояние.

— Серьезные у вас работнички, — кивнула я, но моя лесть не нашла отклика в сердце молодого человека, он был все так же хмур и даже не смотрел в мою сторону.

— Подождите здесь, — сказал парень, — мне надо позвонить. — И исчез в вагончике.

Ждать пришлось минут пять. Я уже начала скучать, а главное, едва не оглохла: собачки старались перещеголять друг друга, заливисто лая, и недобро смотрели на меня.

— Тихо, — гаркнул парень, появляясь из вагончика. Собаки смолкли, парень кивнул мне: — Идемте.

Мы направились к мосту. Я пыталась разговорить парня. Раз уж начальство дало разрешение на мое шныряние здесь, он просто обязан ко мне подобреть, девушка я красивая и улыбаюсь зазывно. Улыбки на него не действовали, и разговорчивее он не стал, даже имя свое и то сообщил неохотно.

Работа шла полным ходом, и я испытала нечто вроде угрызений совести, отрывая граждан от дел. Вадим, так звали начальника охраны, ни на шаг не отходил от меня и всем своим видом, а главное выражением лица, напоминал известный плакат «Болтун — находка для шпиона». Террористов здесь боялись всерьез. Рабочие, косясь на моего спутника, говорили скупо и при первой возможности старались смыться. Разумеется, никто ничего не видел, потому что были увлечены тру-

141

дом и бестолку головой вертеть у них времени нет. Я кивала в знак согласия и злилась на Вешнякова, теперь ясно, почему он меня сюда отправил. Беседовать с местным народом — только время терять, а Вешняков свое время ценил.

Мы поднялись на мост. Я уже часа полтора болталась от одной группы рабочих к другой, а толку все не было. Вадим следовал за мной без признаков усталости, но с недовольством на хмуром челе.

В очередной раз выслушивая чьи-то «не видел, не заметил», я обратила внимание на разыгравшуюся неподалеку сцену, один из рабочих весьма эмоционально колотил каской по поручням, что-то выкрикивая. Напротив стоял другой, в оранжевом комбинезоне и отвечал так же эмоционально. Из-за шума их слов я слышать не могла, но и без того было ясно: налицо производственный конфликт. Тот, что в качестве аргумента избрал каску, вдруг отшвырнул ее, развернулся и начал спускаться по металлической лестнице вниз. Я проследила за ним, стараясь, чтобы на мой интерес не обратил внимания Вадим. Разгневанный парень скрылся в вагончике. Я задала еще несколько вопросов, поглядывая в том направлении. Дверь вагончика вскоре открылась, теперь парень был в джинсах и ветровке и направился он к калитке.

— Что ж, на сегодня, думаю, хватит, — порадовала я Вадима. — Некоторое время вам от нас покоя не будет, но сами понимаете...

— Понимаю, — буркнул он с облегчением, избавившись от меня.

Возле калитки мы простились. Я бегом припустилась к машине, очень надеясь, что смогу догнать парня, он направился в сторону проспекта. Миновав заросли сирени, я увидела впереди мужчину, он шел очень быстро, размахивая руками, чувствовалось, что он здорово нервничает.

Я посигналила, обогнала его и притормозила. Вышла из машины, ожидая, когда он поравняется со мной. Он тоже притормозил и взирал на меня с недоумением.

При ближайшем рассмотрении оказалось, что мужчина не так уж и молод. Фигура больше бы подошла юноше, а вот лицо выдавало возраст, ему было лет сорок, морщины и седина в русых волосах.

— Здравствуйте, — сказала я.

— Здравствуйте, — ответил он неуверенно. Чтобы не заставлять человека мучиться, с какой такой стати девица на «Феррари» пристает к нему на улице, я протянула удостоверение. Однако его это насторожило еще больше. — В чем дело?

— Возле моста, где вы работаете, обнаружен труп женщины. Я бы хотела задать вам несколько вопросов.

— Мне? — испугался он.

— Вам. Я их всем рабочим на стройке задавала, а вы так поспешно удалились, что остались неохваченным. Мое начальство этого не любит. Ну так что, поговорим?

— О чем говорить-то? Я о трупе ничего не знаю. Мужики вроде болтали сегодня...

— Может, мы лучше поговорим в машине. Ваш начальник охраны очень глазастый...

— Начальник охраны, — передразнил мужчина. — Шпана дворовая. — Но поспешно сел в машину.

— У вас с начальством отношения не сложились? — проникновенно спросила я.

— Мне до этого типа дела нет, а вот о работе душа болит. Когда я вижу, что люди деньги народные по ветру пускают, молчать не могу.

Потратив минут пятнадцать, я уяснила суть конфликта, который особо интересным мне не показался, потому что не имел отношения к убийству. Но выслушала человека я терпеливо, поддакивая в необходимых местах.

— Охрана на объекте серьезная, — решив, что теперь могу перейти к насущному, заговорила я. — Что, в самом деле террористов боятся?

— Да бросьте вы, — отмахнулся Колыванов (именно так звали мужчину, Колыванов Борис Петрович). — Чужих глаз они боятся. Вы знаете, какие деньги здесь крутятся? То-то... А куда эти деньги идут? В карман нашего хозяина и кое-кого из городских шишек. — С этим я тоже была согласна. — С утра до вечера твердят: «Держите язык за зубами» — боятся, сволочи. Чуть что, сразу заявление на стол. Но я молчать не буду, не на того напали.

— А кто ваш хозяин? — спросила я.

— Ковтан. Он-то, кстати, мужик толковый. Но сами знаете, с волками жить, по-волчьи выть. Мы с ним двадцать лет назад вместе начинали, на «ты» и по имени были. Теперь, конечно, не так. Как люди меняются, лишь только разбогатеют... Вчера с ним разговаривал. Выслушал, я думал, мы поняли друг друга, а он мне: «Петрович, ты за свой участок отвечаешь, вот и отвечай, а куда не просят...» Я за дело душой болею и не люблю, когда тяп-ляп... Бетоном на три метра все залили, зачем, спрашивается? Затем, чтоб деньги списать. Укрепили стойки... чушь собачья, совершенно ни к чему...

— Давайте-ка об этом поподробнее, — неожиданно для себя попросила я.

— Ведь все не по уму, — злился дядька. — В одном

месте залили, в другом нет. И главное, неясно, кто распорядился.

— А что, мост от этого пострадает? — додумалась спросить я. Все эти опоры и прочее для меня темный лес.

— Не пострадает, — досадливо сказал Колыванов. — Только зачем?

— А сегодня из-за чего сцепились? — спросила я.

— Технику безопасности не соблюдают, вот из-за чего. Что хотят, то и творят. Управы на них нет. — Я опять-таки покивала, со всем соглашаясь, и предложила отвезти дядьку домой. — Не домой, а в обком профсоюзов на проспект Космонавтов, — задиристо заявил он.

Высадив Колыванова, я позвонила Артему и разжилась адресом сторожа, что дежурил у моста той ночью. Артем адрес дал, хотя особой пользы от разговора со сторожем не ждал, но и мой благой порыв не желал пресекать. Я поехала к сторожу, по дороге пытаясь понять, чем меня так увлекла эта стройка. Покопавшись в себе, пришла к выводу: в основном тем, что начальник охраны очень мне не понравился. А не понравился он тем, что здорово злился. Злился-то ладно, дело понятное, но он не просто злился, он нервничал, а этому должна быть причина. Что-то на стройке не так. Колыванов, конечно, прав: деньги Ковтан в карман положит и с кем надо поделится, но если он делится с отцами города, чего ж меня опасаться? Ой, не люблю я такие загадки.

Лукашенко Семен Иванович сам открыл мне дверь. Дюжий мужик лет пятидесяти, в сторожа с такой комплекцией рановато, с его здоровьем можно найти работу посерьезней. Через минуту выяснилось, что со здоровьем я не угадала, человек на инвалидности. Работал плотником, да вот беда: циркулярной пилой отрезало два пальца на левой руке, работу пришлось сменить.

Мы сидели на маленькой кухне, где сам хозяин помещался с трудом, а я приткнулась между холодильником и шкафом. Мне Семен Иванович, по понятной причине, не обрадовался, но и враждебных чувств не демонстрировал. Надо, значит надо. На вопросы он отвечал обстоятельно, не торопясь.

— Расскажите о машине, которую вы заметили ночью, — попросила его я.

— Ну... я уже говорил, собаки залаяли. Вышел. У нас вообще-то строго, поспать не дадут. Всю ночь на ногах, особенно после одного случая, когда хищение произошло. Начальник за меня вступился, не то бы из зарплаты до сих пор вычитали... Вышел я, смотрю, машина к реке спускается, фары у нее не горят, едет прямо вплотную к забору, вот собаки и в лай. Постоял, подождал. Все вроде тихо. Я в вагончик пошел, но в окно поглядывал. Машины по дороге проезжали, штук пять. Я еще удивился, по ночам-то у нас тихо. На одну машину особое внимание обратил, она у обочины стояла.

— Долго стояла?

— Вот этого не скажу. Может, минут пять, может, больше. Пока чайник ставил, то да се, ее уже и нет. Потом псы опять залаяли, я, конечно, вышел, вижу, машина от реки поднимается, фары выключены, на дорогу выскочила — и к проспекту. Я на всякий случай на номера внимание обратил, но их было не разглядеть. А машина вроде «Жигули», «девятка» или «восьмерка». Хотя и здесь не уверен, машин много ныне развелось, а в темноте все друг на дружку похожи.

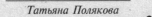

— Семен Иванович, а почему вы утром решили берег осмотреть? — осторожно спросила я.

— Так ведь беспокоился. Чего это машина по колдобинам без фар... Я после того случая, ну, хищения, постоянно настороже. — Он вздохнул, отводя глаза, о чем-то задумался, я терпеливо ждала. — На душе у меня тревожно было, — вдруг сказал он. — Сам не знаю почему. Ночь как ночь. Еще Вовка притащился, пьяный да с бутылкой...

— Что за Вовка?

— У нас работает, охранником, непутевый парень. Уж какой из него охранник, когда он сидел, и, похоже, за воровство. Ведь это он в прошлый раз меня подвел, хотя, конечно, я и сам виноват.

— Вовка когда пришел? — живо заинтересовалась я.

— Минут за сорок до того, как я ту машину заметил. Конечно, с бутылкой. Он как запьет, ему удержу нет.

— Он что же, пешком явился?

— На такси.

— Для того чтобы с вами выпить?

— Да ему все равно, со мной ли, с собакой... хоть со стаканом. Неугомонный. Будет по всему городу таскаться, пока не упадет. Беда с ним.

— Я на объекте сегодня была, охрана там показалась мне серьезной. А ночью вы один дежурите...

— Начальству виднее. Вадим днем на воротах стоит, ну и ночью, бывает, нас проверит. Чтоб не спали. Вредный тип. Вовку он, конечно, ругает, но тот его не больно-то боится, говорит, дружки.

— Приехал Вовка, и что? — напомнила я.

— Выпить предложил, конечно.

— А как он на территорию вошел?

— Так у него ключ от калитки. Собаки на него внимания не обращают, свой. Вот он подошел и в окошко забарабанил, напугал меня до смерти. Я дверь открыл, стал его ругать. Он мне: «Иваныч, давай выпьем». Иди, говорю, домой, на ногах не стоишь. А он уже в вагончик шасть и стакан ищет. Здорово меня разозлил. Вижу, уговаривать его бесполезно. Посидел с ним, дождался, когда он бутылку выпьет, так у него еще и вторая оказалась. Правду говорят, трезвому с пьяным делать нечего. Еле дождался, когда он уснет.

— Так он у вас ночевать остался?

— Так точно. Я его в шесть утра домой отправил, такси вызвал. Не хотел вашему сотруднику вчера рассказывать, чтобы Вовку не подводить. Но жена отругала, дознается, мол, начальство и меня виноватым сочтут. Вот уж теперь и рассказываю, как дело было.

— Значит, когда машину заметили, Вовка спал?

— Дремал. Он за вторую бутылку принялся, и спать не спит, и ничего уже не соображает.

— Вы с ним выпили?

— Ни грамма, — заявил Семен Иванович и даже руку к сердцу приложил. — Я после того случая на работе ни-ни.

— А что за случай, Семен Иванович? — улыбнулась я.

— Воровство, что же еще? Пять месяцев назад это было, так же вот Вовка пришел, ну мы с ним и выпили. Скрывать не стану, хорошо выпили. Начальство у нас раньше девяти не появляется, а охранники приходят в семь, я и понадеялся, что никто ничего... уйду по тихой. А водитель наш скандал устроил, машину его кто-то ночью брал. Завели машину, хотя у водителя ключи при себе были, проводки там какие-то соединили, я в этом сам-то не очень понимаю, ну и свистнули цемент. Цемент полбеды, хорошо хоть машину вернули, на то же место поставили и даже проводки убрали, точно ничего

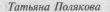

и не было, но водитель сразу заметил. А если б не вернули самосвал, представляете? Никакой моей зарплаты не хватит. Водитель в крик, но Вадим, начальник охраны, вступился, спасибо ему. Не хотел дружка подводить, Вовку-то, ну и меня от наказания спас.

— Если я вас правильно поняла, кто-то угнал машину с цементом, цемент позаимствовал, а машину вернул?

— Точно так.

— А как машина с территории выехала? Ворота на замок запираются, замок что, сорвали?

— Замок не тронули.

— Выходит, у угонщика ключ был?

— Зачем? Со стройки можно выехать со стороны реки. Конечно, дороги там нет, в смысле асфальта, но даже на легковушке проедешь, если дождей нет. У нас многие, кто на работу на своем транспорте приезжает, ставят машины с той стороны, все-таки под охраной.

— Подождите! — не поняла я. — Там что, забор отсутствует?

— Раньше был забор, но с полгода как пролет сняли, опору меняют, а забор мешал.

— Занятно, — покачала я головой. — Охрану держат, замок на калитке даже днем, а с другой стороны подъезжай и бери что хочешь?

— Днем на стройке народу полно, вы небось видели? А ночью сторож следить обязан, не в вагончике спать, а ходить по территории. Опять же собаки. Другое дело, что Валька, сменщик, спит как лошадь, да и Витек тоже хорош... Это потому что пока бог миловал, а вот выйдет неприятность...

Мы еще немного поговорили, и я засобиралась домой, вспомнив о несчастном Сашке, которого следовало накормить.

Выйдя с ним на прогулку, я усиленно размышляла об услышанном от Семена Ивановича, и вдруг меня потянуло на стройку, как пьяницу к бутылке. Объяснить такую внезапную тягу я не могла, но на стройку от этого захотелось даже больше. В результате наша прогулка вышла недолгой. Чтобы Сашка не ворчал, я взяла его с собой и через полчаса тормозила возле заветной калитки. Мне не обрадовались.

— Опять вы? — недовольно спросил Вадим.

— Как видите, — разулыбалась я.

— Что, не со всеми поговорили?

— Так ведь сейчас смена другая...

С ремонтом моста спешили, и работа шла в две смены.

— Проходите, — буркнул он, собаки опять залились громким лаем. — Хорошо живут наши менты, — заметил Вадим, кивнув на мою машину.

— Неплохо, — согласилась я. — А вы что, на жизнь жалуетесь? — Мой вопрос он проигнорировал.

Некоторое время я приставала к народу с вопросами. Опять без особого толка, но вопросы, точнее, ответы на них в настоящий момент не так уж меня интересовали. Задавала я их скорее для Вадима, точнее, для его душевного спокойствия. Зато опоры моста привлекли мое самое пристальное внимание. Заметив это, Вадим насторожился, хотя и до той поры расслабленным не выглядел. Чем больше я бродила между опор моста, тем сильнее крепла во мне уверенность, что в моих догадках что-то есть.

— Мне не очень понятно, что вас все-таки интересует? — не выдержал мой спутник.

— Да я и сама толком не знаю, — пожала я плечами.

— Это заметно, — съязвил он, а я широко улыбнулась, достала телефон и набрала номер Вешнякова.

— Артем, можешь сейчас к мосту подъехать?

— К какому? А-а... накопала что-нибудь?

— Вот так сразу и не скажешь. Хотелось бы на месте обсудить.

— Хорошо, приеду. Но если это какая-нибудь ерунда...

Артем приехал минут через сорок. За это время я умудрилась довести Вадима до белого каления, совершенно к этому не стремясь, просто бродила по стройке, насвистывая модный мотивчик.

— Неудивительно, что у нас шпаны полно развелось, — вновь принялся язвить он. — Вы всегда так работаете?

— Я сейчас не работаю, я хорошего человека жду. А вот и он, — обрадовалась я, заметив «Жигули» Вешнякова, которые он пристроил рядом с «Феррари». Артем направился к калитке, собачки залаяли, а Вадим бросился туда. Я предпочла ждать Артема возле опоры моста, прикидывая, как подоходчивее донести до него мою мысль, чтобы сразу не лишиться сознания вследствие рукоприкладства, которое неминуемо меня ожидает. На успех я почти не рассчитывала.

Артем продемонстрировал ушлому начальнику охраны документы и направился ко мне. Вадим следовал за ним как тень.

— Ну что? — спросил Вешняков.

— Давай пошепчемся... Вадим, простите, не помню отчества, у нас тут производственное совещание. Вам на нем присутствовать не обязательно.

— Но я...

— При выходе вы нас обыщете, если боитесь, что мы свистнем что-нибудь. Мне очень понравился башенный кран, но пока я не решила, где приткну его в своей квартире, да и в карман он не помещается, я примеривалась.

Он отошел метров на десять и оттуда наблюдал за нами. Такое рвение вызвало у меня невольное уважение. Горит человек на работе.

— Ты ему не нравишься, — заметил Артем.

— Он мне тоже.

— Чего успели не поделить?

— Наверно, он не любит блондинок.

— Брось. Просто ты способна довести до бешенства кого угодно.

— Спасибо за высокую оценку моих моральных и деловых качеств.

— Порадуй меня чем-нибудь, иначе я тебя придушу. У меня дел...

— По горло, — подсказала я.

— Вот именно.

— Поэтому я твоими делами и занимаюсь, вместо того чтобы счастливо прозябать на родном диване. Ты, главное, сразу не ори и не отправляй меня в психушку. Потолковала я с одним дядей, потом со сторожем. Цемент у них со стройки исчезает, да и сами они его не жалеют. Злостно пускают по ветру народное достояние.

— Кто ж на стройке не ворует? — удивился Артем.

— Дядя утверждает, вот здесь на метр цемента больше, чем надобно.

— Много не мало, это не криминал. Главное, чтоб мост не развалился после его досрочной сдачи. Обещали к весне...

— Артем, соберись. Труп в кустах, цемент и вот эта опора. Неужто никакая картинка не вырисовывается?

— Не картинка, а целое кино про чикагскую ма-
фию, Гудзон, цементик в тазике и все такое...

— Видишь — порадовалась я, — и тебя зацепило.

— Начнем с того, — посуровел Артем, — что труп и
цемент никак не связаны. Проститутка два дня назад
была жива, а цемент когда пропал?

— Но идея хороша. Давай проверим? — вкрадчиво
предложила я.

— Ты что, спятила? — нахмурился Артем. — Ты это
серьезно?

— Абсолютно. Спросишь, какие у меня основания,
и я тебе честно отвечу: никаких. Одни догадки.

— Отлично. И что дальше?

— Дальше их следует проверить, — развела я руками.

— Ага. Бери отбойный молоток и проверяй. Или
лучше мне?

— Давай поспорим на «Феррари», — скромно предложила я. — Если ничего интересного здесь не найдем,
он твой. По рукам?

— Вот что значит деньги-то дармовые... Ольга, скажи на милость, ты чего завелась?

На этот вопрос ответить было не просто.

— Обстановочка мне здесь не нравится.

— И с этим я должен идти к прокурору? — всплес-
нул руками Артем. — Да меня тут же в психушку отправят.

— Точно. Давай придумаем анонимный звонок. Некий дядя сообщает, что не все ладно в Датском коро-
левстве, то бишь вот в этой опоре.

— Почему в этой, а не в той, к примеру?

— Та в воде стоит. Ну так что с анонимным звонком? Сигнал-то они проверить обязаны.

— Тебе правда кто-то звонил? — насторожился Артем.

— Нет. А тебе? Хочешь я сама позвоню, для правдоподобия?

— Нет, ты точно спятила.

— Разделяю ваше возмущение, Артем Сергеевич, — покивала я.

— Анонимного звонка мало, чтоб разрешение получить.

— Я позвоню Деду. Если он распорядится, никто не рыпнется.

— А если мы ничего не найдем, то навеки станем посмешищем всего города.

— Зато ты начнешь на «Феррари» раскатывать, а всех-то делов: немного дураком побыть.

— Так ты тоже в дураках окажешься, да еще и машины лишишься.

— Новую куплю. Ну что, по рукам?

— Знаешь, иногда я думаю, как складно сложилась бы моя жизнь без твоего назойливого присутствия, — вздохнул Вешняков.

Деду я позвонила в тот же день. Я-то думала, мне придется долго ему растолковывать что к чему, однако мне повезло, Дед был так занят, что вопросами меня не мучил, спросил:

— Чего ты от меня хочешь?

— Чтобы Вешняков получил санкцию...

— Хорошо, — не дал он мне договорить. — Перезвони Рите, она все устроит.

Говорить с Риткой, когда ее распирает от любопытства, то еще занятие. Я нагло соврала про анонимный звонок и зловещую атмосферу.

— Я ничего не поняла, — честно созналась она. — Труп же не на стройке нашли?

— Слушай, тебе что, больше всех надо? — возмутилась я. — Меня очень интересует мост, так помоги человеку.

— Надеюсь, Дед знает, что делает. Только скандала нам и не хватало, а скандал обеспечен, если...

— Я тебя люблю, — перебила я ее и повесила трубку.

Дед не подвел, все решилось в рекордно короткие сроки. Когда Вешняков со товарищи явился на стройку, это стало для господина Ковтана абсолютной неожиданностью, что в общем-то удивительно. По моему глубокому убеждению, утаить что-либо в родном городе практически невозможно.

К обеду Артем позвонил и ядовито напомнил о «Феррари», дважды обозвал себя дураком и грозился прогнать меня с глаз долой, потому что я порчу ему жизнь. А на следующий день город содрогнулся от страшной находки. Но сначала был звонок Вешнякова. Около девяти вечера. К тому моменту я уже саму себя причислила к тем гражданам, которым стоит умерить фантазии, и даже совесть робко, но все же внятно заговорила во мне: втравила людей в историю, а сама осталась в сторонке. Теперь за мои глупые фантазии придется расплачиваться Вешнякову. И Деду. Я очень горевала по этому поводу, и только мысль о том, что есть в этом нечто положительное, к примеру Вешняков распростится со своей развалюхой, гордо именуемой машиной, и будет ездить на приличной тачке, примирила меня с собственной глупостью.

Угрызалась я всерьез и звонить Вешнякову боялась, а чтобы успокоить нервы, пошла гулять с Сашкой. На прогулке меня и застал звонок.

— Ольга, — по тому, как звучал голос Артема, я поняла, он не станет предлагать мне добровольно наложить на себя руки, чтоб не мучиться. Ни намека на

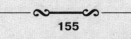

обычную дурашливость, в голосе — огромное напряжение и даже растерянность. Сердце у меня вдруг ухнуло вниз, а я замерла столбом. — Приезжай.

— Что там? — выдохнула я.

— Кошмар... приезжай быстрее, сама увидишь.

Я бросилась бегом домой, оставила Сашку смотреть телевизор и на предельной скорости полетела к Никитскому мосту. По столпотворению, что к тому моменту там царило, стало ясно: произошло что-то серьезное. Осенью темнеет рано, а в тот вечер было пасмурно, тучи висели низко и темень была хоть глаз выколи. Вместо Вадима возле ворот милицейское оцепление. Я торопливо достала удостоверение, но тут увидела Валеру, он бежал мне навстречу.

— Пропустите, — махнул он рукой милиционерам. — Идем быстрее, — поторопил он меня. — Артем просил тебя встретить. Тут уже все начальство, только тебя не хватает.

— Спасибо за заботу, — буркнула я.

— Вешнякова благодари. Он что-то насчет интуиции загнул, твоей, что ли?

— Ты лучше скажи, что нашли?

— Отгадай с трех раз? — радостно фыркнул Валера.

— Труп? — проявила я чудеса сообразительности.

— Если б. Хуже.

— Что может быть хуже трупа? — не поверила я.

— Хуже трупа может быть три трупа, — просветил меня Валера. — И это не предел. Пока только две опоры проверили, а их семь.

— Урожайно, — покачала я головой.

Я обратила внимание на внушительную толпу народа перед оцеплением. Люди нервно переговаривались, кто-то сдавленно крикнул. Я подалась вместе со всеми вперед и в свете прожекторов увидела кран и подвешен-

ное к стреле нечто, чему не сразу нашла название, а когда нашла, поспешно отвернулась.

— Вот и третьего вытащили, — удовлетворенно кивнул Валера. Я отошла в сторону. После яркого света предметы в темноте расплывались, я почти ничего не видела и не заметила Вешнякова.

— Привет, — вздохнул он, — не ездить мне на «Феррари».

— Да уж, — ответила я. Обычное красноречие мне на этот раз изменило. Если честно, я и сама не знала, что ожидала найти. Наверное, все-таки труп. Но уж не три, это точно.

— Скажи честно, — вздохнул Артем. — Тебе кто-то звонил? Как ты узнала?

— Ничего я не знала. Интуиция.

— Так я и поверю... Ох, что теперь будет... отпуска мне точно не видать... А все ты, — рыкнул он и отвернулся в сильнейшем расстройстве, а я сочла за благо смыться.

Утром по городу поползли слухи — один страшнее другого. Трупы уже исчислялись десятками. «Губернские ведомости» вышли со статьей с дурацким названием «Гудзонский синдром». Не мне одной тазики с цементом мерещились. Я тяжко вздохнула, потом прошла в ванную, постояла под душем, приводя мысли в порядок. Из зеркала на меня смотрела недовольная физиономия с тоскливым выражением глаз.

— А мне все по фигу, — громко сказала я и тут же опечалилась, изо всех сил сочувствуя Вешнякову. Втравила парня в историю, а теперь — в кусты... Впрочем, сейчас при всем желании ему ничем не поможешь. Начальство сбилось кучей, трудовой энтузиазм захлесты-

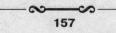

вает, следовательно, нормально работать не дадут. Надо выждать несколько дней, пока все стихнет.

И я смылась к друзьям на дачу, оставив мобильный дома. Три дня мы с Сашкой наслаждались природой, но любопытство — худший из грехов, и по вечерам я включала телевизор. В местных новостях по второму каналу господин Николаев заверил общественность, что лучшие силы брошены на раскрытие и прочее в том же духе. Выступали чины из милиции с какими-то невнятными заявлениями, что позволило журналистам фантазировать в свое удовольствие. Я уяснила одно: трупов по-прежнему три, далее темный лес, который остается темным в интересах следствия. Я порадовалась, что сижу на даче, а еще тому, что на вольных хлебах и все это меня по большому счету не касается.

Моя любовь к природе никогда не отличалась длительностью, да и совесть все же меня беспокоила. На четвертый день я вернулась домой. Автоответчик был забит сообщениями от самых разных людей, голосовая почта на мобильном тоже. Больше всех старался Вешняков, последние сообщения от него были короткими и состояли исключительно из нецензурных выражений.

Я поехала к Вешнякову, взяв с собой Сашку. Хороший человек при собаке поносить меня последними словами не должен, а Вешняков хороший человек, в это я свято верила, хоть сейчас он и злой.

Я вежливо постучала и заглянула в кабинет, услышав отрывистое «да». Вешняков с разнесчастным видом сидел за столом, заваленным бумагами.

— Явилась, — буркнул он. Я вошла и с сиротским видом устроилась на краешке стула, держа сумку с Сашкой на коленях. Тот робко тявкнул, приветствуя Вешнякова. Артем приподнялся и, перегнувшись через стол, погладил мою собаку, из чего я заключила, что не все человеческие чувства его покинули. — Убил бы твою хозяйку, — счел нужным пожаловаться Вешняков. — Да тебя сиротить не хочется.

— Ты уж поаккуратней, — закивала я. — Ближе, чем ты, у собачки никого нет, придется усыновлять. А, говоря между нами, он довольно вредный.

— Есть в кого, — съязвил Вешняков.

— Как дела не спрашиваю, телик смотрела.

— Куда слиняла? — хмыкнул он.

— На дачу.

— Правильно, я бы тоже слинял. А дела хреновые. Общественность в шоке, теперь вынь да положь убийц. А у нас что? У нас только твоя интуиция. Ох, сколько крови она мне попортила. Душу вынули анонимным телефонным звонком. Знал ведь, что нельзя тебя слушать. С законом шутки плохи: так и вышло, три слоя стружки с меня сняли. Знаешь, чем мы сейчас заняты: всем скопом ищем звонившего. Чего ты рожу кривишь? Я серьезно. Единственная зацепка. Логика проста: звонивший знал о преступлении, следовательно, и о преступниках ему должно быть что-то известно.

— Сочувствую, — кивнула я.

— Совести у тебя нет, — обиделся Артем. — Как свяжешься с тобой, так одни неприятности на мою голову. Скажи честно: это правда интуиция или все-таки что-то было?

— Было. Вещий сон.

— И никаких намеков от граждан во плоти?

— Я говорила с теми же людьми, что и ты. И ничего нового от них я не услышала. Новости есть?

— Воз и маленькая тележка. Только... — Артем замолчал, вздохнул, с тоской глядя на меня, и продолжил: — Если хочешь знать мое мнение — дело дохлое. Очередной «висяк». А раз по телику только и болтают о трупах, нам шею намылят, да что толку? Выговор в поимке убийц не особо помогает.

— А чего так пессимистично?

— Пессимистично потому, что реальных зацепок нет. Поначалу начальство руками размахивало и всех арестовать грозилось, от Ковтана до последнего рабочего. Но очухались и ограничились подпиской о невыезде.

— С начальником охраны разговаривал? Вадим, кажется?

— Конечно, — кивнул Артем. — Я в эти дни с кем только не разговаривал, и не по одному разу. Да, трупы. Да, зацементированы. Вопрос на засыпку: когда и кем? Вряд ли днем, значит ночью. Сторож может быть в сговоре, а может нет. Дрых как лошадь и ничего не слышал. Понятно, что убийца имеет к этой стройке отношение. Или кто-то из работников помогал убийце. Подозреваются все, а вот настоящего подозреваемого нет. А знаешь почему? Потому что мотивы убийства не ясны. Трупы есть, а мотивов нет.

— И тут мы переходим к самому интересному, — скривилась я. — Так кого оттуда извлекли на свет божий?

— Первый труп женский. На стуле хорошо сидишь? Так вот, это Якименко Юлия Федоровна, пятнадцати лет. Та самая, которую мы искали. Задушили девчонку, а потом в цемент. Не очень-то ты удивлена, — нахмурился Артем.

— Не очень, — созналась я. — Было у меня нехорошее чувство, что с девочкой беда. С ее подругой говорили?

— С Савельевой? По-прежнему твердит: вышли из клуба, сели в машину к двоим парням, далее провал: ничего не помнит.

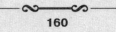

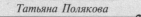

— Девок у Горбатого моста опросили?

— Кончай, а? — взмолился Артем. — Конечно, опросили. Никто, ничего... То есть «Жигули» с вмятиной на крыле видели. И все. Катю убийцы отпустили, а вот Юля оказалась в опоре моста. Может, сопротивлялась и убили ее случайно?

— Если девчонок чем-то опоили так, что у Кати отшибло память, как она могла сопротивляться? — возразила я. — Делай что хочешь, она и рукой не шевельнет. Потом выкинул из машины, и всех дел.

— Судя по всему, ничего похожего.

— То есть, кроме как водкой, ничем их не опоили?

— Вот именно.

— Странно, — помрачнела я. — Провал в памяти длился слишком долго, несколько часов.

— Чего удивляться, они же совсем дети. Юля погибла в субботу и в опоре моста оказалась примерно тогда же. Я думаю, было так: парни куда-то отправились с девчонками, потом между ними что-то произошло, девочку они задушили. От трупа надо было избавиться... — Я усмехнулась, Артем на это обратил внимание и замолчал. — Чего? — спросил он с недовольством.

— Того, — передразнила я. — Допустим, они что-то не поделили и задушили девчонку ненароком. Как в такой ситуации поступают обычные пьяные придурки? Бросят труп в лесу. Так?

— Ну, — кивнул Вешняков.

— А что делают эти? Отсюда вывод: ребятам очень не хотелось, чтобы труп когда-нибудь обнаружили. Закатать человека в бетон дело весьма трудоемкое. И опасное, если на стройке сторож, а стройка не в глухом лесу, а в большом городе. Неспроста ребята трудились. Должна быть причина. При этом они отпускают вторую девчонку, то есть свидетеля убийства.

— Она же ничего не помнит...

— Возможно. Но на их месте я бы рисковать не стала. Что-то здесь не так...

— Опять интуиция? — хмыкнул Артем. Я проигнорировала его ухмылку и спросила:

— В ночь с субботы на воскресенье на стройке кто дежурил?

— Сергеев Виктор Кузьмич. Говорит, ничего не слышал. Никаких машин не было, собаки не лаяли. Когда надавили, сознался, что почти всю ночь спал, изрядно выпив.

— Собаки не лают на людей, хорошо им знакомых, — заметила я.

— Спасибо, что сказала. Рабочих на стройке более сотни. Ясно, что убийцы или один из них имеет к стройке самое непосредственное отношение. Для них мысль спрятать труп именно там вполне естественна. Это проще, чем в лесу.

— Зато опаснее.

— Но надежнее.

— Еще два трупа тоже женщины?

— Если бы, — вновь затосковал Артем. — Были бы женщины, была бы версия. Катаются на машине маньяки, убивают женщин, а потом закатывают их в бетон. Ан нет. И тут непруха: убитые — мужчины двадцати с небольшим лет... У обоих многочисленные травмы. Такое впечатление, что их забили до смерти или они попали под каток.

— Дата смерти?

— Один пять месяцев назад, другой — три.

— Занятно, — подняла я брови.

— Еще как.

— Личности убитых установили?

— Пока нет. На тот момент пропало тринадцать че-

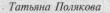

ловек, это только в городе, а в области тридцать семь. Ушли и не вернулись. А этим ничто не мешает быть из другого региона. Что общего между трупами? Только то, что все они в цементе оказались. Девушка задушена, у парней травмы, не совместимые с жизнью.

— Убийцу надо искать на стройке, — сказала я, точно Артем сам этого не знал.

— Конечно. Если бы Савельева могла рассказать, как выглядели те двое... А она одно твердит: ничего не помню.

— Что тоже странно, ведь в машину она садилась не в бессознательном состоянии. А что с другой машиной?

— Какой?

— Ну той, что сторож возле реки заметил.

— А-а... бомж нашелся, видел тачку. Прямо к воде спустилась. Парочка искала уединения. Он первую цифру номера запомнил и марку, как ни странно, назвал правильно. Машину нашли. Действительно, мужик подружку возил на природу, пока жена трудилась в супермаркете. Фары не включал, потому что лампочки перегорели, обе сразу, должно быть, бракованные попались. А место он знал хорошо. Говорит, что из машины они не выходили. То же самое бомж подтвердил, он неподалеку у костерка грелся, двери не хлопали. Отпечаток шины соответствует найденному, но это нам, как ты понимаешь, ничегошеньки не дает.

— Значит, труп Елизаровой оказался там еще до их появления.

— Точно. Ее попробовали утопить, а потом просто бросили. Убийство проститутки с теми тремя никак не связано...

— А если связано? — спросила я скорее из вредности. — Юлю в последний раз видели у Горбатого моста,

возможно, и проститутку увезли те же парни на «Жигулях».

— Не передергивай, — рассердился Артем. — Кондаревский Елизарову недалеко от ее дома высадил, и смерть свою она скорее всего там и нашла. Юлю обнаружили на стройке, а труп Елизаровой по соседству. И мы знаем, что от трупа пытались избавиться, утопив его в реке.

— Может, в этот раз просто не вышло с цементом?

— Знаешь что, иди отсюда, — не выдержал Артем. — Толку от тебя ни на грош, а голова у меня уже болит.

— Так что там с парочкой и теми парнями на машине, которую менты засекли у стройки?

Артем хмуро посмотрел на меня, но извлек папочку из-под груды бумаг и перебросил ее мне. Я не спеша ознакомилась с содержимым, вопросительно подняла глаза на Артема. Он досадливо покачал головой, предваряя мой вопрос.

— Тут написано, что один из парней работает на этой стройке охранником.

— Да, его дружок тоже охранник, в ночном клубе. И что? Они даже к реке не спускались. Один вышел из машины справить нужду. И все.

— Не гневайся, — попросила я и пошла к двери. Можно было все свалить на интуицию, потому что иначе объяснить Вешнякову я не могла, почему так уверена, что той ночью опора моста ожидала очередную жертву: Ольгу Елизарову. Но по какой-то причине не дождалась.

Сашка был тих, уважая мое желание немного поразмышлять.

— Пожалуй, Вешнякова лучше оставить в покое, —

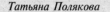

вынесла я вердикт. Сашка тявкнул, соглашаясь. Тут зазвонил телефон. Выяснилось, что это Дед.

— Не мог до тебя дозвониться, — сказал он с обидой.

— Я у друзей отдыхала, на даче. А мобильный дома забыла.

— У друзей? — вроде бы не поверил Дед, но уточнять не стал. — Вешнякова видела?

— Только что от него.

— Выходит, знаешь, что девочку нашли. Отец в шоке, мать в больнице с сердечным приступом. Убийц надо привлечь к ответственности.

— Это ты мне говоришь?

— Я могу поделиться с тобой своими проблемами? А проблемы есть, раз весь город который день в шоке.

— Не преувеличивай. Люди так устроены: пошумят, потом быстро все забудут. Через пару недель появятся другие игрушки.

— Временами ты совершенно невыносима. Что твой Вешняков думает по поводу этого дела?

— Предчувствует «висяк».

— Вот-вот...

Дальше я не слушала, но в нужных местах мычала в знак согласия. Мысли об убийстве и мне не давали покоя, но я понятия не имела, чем могла бы помочь.

Ближе к вечеру объявился Лялин.

— Поздравляю, — сказал он, весело ухмыляясь.

— С чем? — удивилась я.

— С интуицией, которая не подводит. Я Вешнякова видел, — пояснил он. — В городе только и разговоров, что об этих трупах. Как это тебя угораздило?

— Везет, — вздохнула я. И подробно изложила Ля-

лину свои сомнения. В отличие от Артема, он выслушал меня терпеливо и в идиотки записывать не спешил.

— Что ж, возможно, ты и права, — сказал он после недолгого размышления, а закончил и вовсе неожиданно: — Понадобится помощь, заходи.

У Лялина помощи обычно не допросишься, то есть это я, конечно, слегка привираю, но всякий раз он сначала вымотает душу своими нравоучениями, а уж потом поможет, стеная и охая, что опять поддался на уговоры. И вдруг такая доброта! Выходит, в городе и впрямь неспокойно. И раньше убийства были, но убивали по-простому, особо не лукавя, а здесь фильм ужасов, да и только.

После разговора с Лялиным я решила, что отсидеться в сторонке мне не удастся, раз уж даже Олег, наплевав на свою обычную лень, готов послужить городу. Особых идей у меня не было, и я надумала начать с самого простого: потолковать с людьми, походить, посмотреть, а там, глядишь, и выяснится, кто из нас прав, я или Артем.

Я вновь отправилась к Никитскому мосту, бросила машину неподалеку от стройки и поспешила к реке. Радостный Сашка несся рядом, решив, что мы на прогулке. Я прошла метров триста вдоль берега, когда заметила компанию бомжей. Они устроились возле зарослей и о чем-то увлеченно спорили. Увидев меня, они замолчали, а когда я направилась к ним, насторожились.

— Здравствуйте, — сказала я и улыбнулась, Сашка принялся тявкать на них. Пришлось на него шикнуть.

— Здравствуйте, — нехотя отозвались мужчины. Было их трое.

Тут я заметила нечто, поначалу принятое мною за груду тряпья, но груда эта вдруг зашевелилась, и я разглядела опухшую физиономию, не лицо, а сплошной

синяк. «Эк тебя, бедолагу», — подумала я. Тут обладатель интересного лица подал голос и стало ясно, что это женщина.

— Ты тут больно-то не ходи, — визгливо крикнула она. — Вона у тебя куртка хорошая, а здесь шпана на шпане и никакая собака не поможет.

Не произнеся ни слова, мужик, что сидел рядом, треснул ей кулаком по голове, и дама ухнула на спину, успев простонать:

— Блин...

— Вы бы поаккуратней, — заметила я, не сдержавшись. — Все-таки женщина.

— Лезет куда не просят, — стал оправдываться мужик. — А ты и вправду зря здесь бродишь. Слыхала небось, недавно труп неподалеку нашли. Тоже какая-то гуляла и догулялась.

— Я как раз об этом и хотела поговорить, — кивнула я, устраиваясь рядом с ними на корточках, Сашка от бомжей пятился, его раздражал их запах. Я достала удостоверение и немного помахала им в воздухе.

Драчун скривился, и остальные тоже не порадовались.

— Тут уж до тебя ходили, человек пять. Три дня покоя не было.

— Работа такая, — пожала я плечами и достала из кармана деньги. — Каждому по сотне, — сообщила я с улыбкой. — Ну, так как? И никакого протокола.

Драчун откашлялся и сказал:

— Да мы с радостью, только мы не видели ничего. Вова, сбегай за Гришей, — кивнул он приятелю. — Гриша вашим про машину рассказывал.

Приятель бросился в кусты и вскоре вернулся с Гришей. На вид тому было лет шестьдесят, оказалось тридцать. Был он тощ, кожа да кости, длинные волосы торчали в разные стороны, седая щетина не скрывала синяков и ссадин на физиономии, нос распух, а губы кровоточили. Классический тип бомжа. Прибавьте сюда телогрейку, брюки цвета хаки, зимние ботинки без шнурков и манеру через каждое слово поминать матушку. Общаться с таким одно удовольствие. Видимо, Вова успел рассказать ему о неожиданном везении, потому что Гриша начал еще по дороге:

— Видел я тачку, видел... вот как тебя. Да. Парень с девкой были. Я это... немножко подглядывал. Из машины они не выходили, ни-ни. Я б не проглядел. Полчаса, может, меньше они в машине пробыли и того... уехали. Я вашим про номера сказал.

— Это... — робко встрял драчун, — может, мы пока Вову пошлем, он-то все равно ничего не видел.

Я отдала Вове деньги и терпеливо подождала, пока драчун растолкует ему, что следует купить. Вова исчез, а Гриша забеспокоился:

— Как бы он не того...

— Ты что, Вову не знаешь? — обиделся за приятеля драчун. — Да Вова сроду чужого не брал. — Они немного подискутировали на эту тему, а я вновь обратилась к Грише:

— Больше ты здесь никого не видел?

— Нет.

— Точно?

— Точно нет. — И совершенно неожиданно добавил: — Я его слышал.

— Кого? — удивилась я.

— Мужика, наверное. Не баба же в темноте шастала. Я когда за парочкой наблюдал, слышу, спускается сверху кто-то. Едва в темноте на машину не налетел,

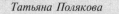

еще и чертыхнулся. И бегом наверх. Дверь машины наверху хлопнула, а потом менты подъехали, я слышал, как они разговаривали. Ну, машина уехала, а потом и парочка на своей машине тоже.

— Из машины ни мужчина, ни женщина точно не выходили?

— Точно. Что я, врать буду?

— То есть труп они не видели.

— Не видели, — ожила дама, кивнула и добавила: — Колян ее толем прикрыл, рази в темноте увидишь.

Драчун опять нанес сокрушительный удар, и дама оказалась в нокауте. Но слово, как известно, не воробей.

— Кто из вас Колян? — спросила я. Мужики молча разглядывали свои ноги. — Ты? — спросила я одного.

— Не-а, — замотал он головой.

— Ты?

— Да чего ее слушать-то? — вместо ответа на мой вопрос завопил драчун.

— Значит, ты. Я ведь сказала, без протокола.

— Ага. Умная: тебе хорошо говорить, а меня завтра по башке шваркнут, и того... до свидания.

— Кто тебя шваркнет?

— Кто, мужик этот...

— Не шваркнет. Он о тебе не узнает.

— Расскажи, — пробубнил приятель. — Ты ж все равно хотел сообщить.

— А кто меня отговаривал? — зарычал драчун.

Таким образом они общались до возвращения Вовы.

Выпив какой-то дряни из флакона, Колян принял героическую позу и заявил:

— Я и вправду хотел рассказать, да вот они с панталыку сбили: на нас повесят, на нас повесят... Ну, я и засомневался.

— Коля, — не выдержала я, — давай по делу.

— Это я ее нашел, — снова приложившись к пузырьку для храбрости, заговорил он. — Боря какой-то дури принес, хрен поймешь что такое, но по башке шибает будь здоров. Вроде и не пьян, а все как в тумане. Я от Бори в землянку пошел. Она вон там, дальше. И вот тогда мужика и увидел. Он чего-то из реки тащил. Я думал, сеть, что ли? А он, значит, стоит в воде по коленки и плачет.

— Плачет? — не поняла я.

— Ну... плачет, жалостливо так и чего-то из воды тянет. И к кустам. А я глянул и обомлел — баба. В кустах он ее бросил, а вот там, к дороге ближе, машина стояла. Только я не разглядел какая. Большущая, импортная — это точно.

— Фары горели?

— Нет. Оттого я ее и не разглядел толком. Я, конечно, ноги в руки и ходу. И про Витька вспомнил, что сторожем у моста работает. Хороший человек, зимой погреться пускал и не жадный, бывало, и нальет. Вот я к нему иду и думаю, вдруг не его смена, хотел вернуться, но все ж таки пошел. Я сменщиков-то его тоже знаю, опять же такое дело... И как назло, нарвался на Семку. Ох уж и поганый мужик. Пить бросил, что с такого взять? Конечно, вся злоба наружу. Ну, я плюнул и ушел. В кустах машины уже не было. А девка лежит. Лицо бледное, жуть. Рядом кусок толя валялся, я и прикрыл ее. А утром очнулся, думаю, привиделось, пошел смотреть. А там уже Семен. Говорит, машину здесь видел. Я нашим все рассказал, еще сомневался, так ли было, может привиделось. А они заголосили: «На нас скажут». Струхнул я, оттого и молчал.

— Мужик, что убитую из воды тащил, молодой был или старый?

— Да не разглядел я. Говорю, от этой дури все мозги в комок. Помню, плакал он. Это точно. И машина была большая.

— Джип?

— Нет, не джип. Но большая.

— Старайтесь пить умеренно, — пожелала я им на прощание и, подхватив Сашку, пошла к машине. Выходит, с догадками, что два парня, Зимин и Князев, один из которых работал на строительстве моста, оказались здесь не случайно, я ткнула пальцем в небо. Хотя для того, чтобы справить нужду, так далеко от машины уходить не обязательно. Сколько бы Вешняков ни намекал на мои бредовые фантазии, а появились здесь эти парни той ночью не просто так. Если бомж ничего не путает, убийца здорово сокрушался по своей жертве. Даже плакал в голос. Или для плача имелась другая причина? К примеру, мелководье, на котором труп не желал тонуть даже с привязанной к ноге авоськой с камнями. И тогда он бросает его в кустах. Тут сразу вопрос: раз убили Елизарову в четыре утра накануне, а в реке она оказалась почти через сутки, где все это время находился ее труп? То, что не в кустах возле реки, совершенно очевидно, иначе бомжи ее непременно обнаружили бы. Вешняков склонен верить Кондаревскому, и девицы у Горбатого моста от него пакостей тоже не ожидают. Но похоже, что мы, он и я, последние, кто видел Елизарову в живых, и для меня это повод, чтобы заняться этим дядей всерьез.

Встретились мы на следующий день, в пять часов.

— Позвольте, но я ведь уже все объяснил, — возмутился он, когда я позвонила ему по телефону.

— Руслан Сергеевич, вы не хуже меня знаете, когда речь идет об убийстве...

— Да, но я-то здесь при чем?

— Слушайте, — не выдержала я. — С такими нервами вам лучше дома с женой сидеть, а не по шлюхам бегать.

Воцарилась гнетущая тишина, из чего я заключила, что Руслан Сергеевич собирается с мыслями, однако ответил он совсем не то, что я ожидала:

— Постарайтесь с пониманием относиться к чужим слабостям, — вздохнул он и сам назначил мне встречу.

Он выбрал кафе «Самсон», довольно уютное, а главное, немноголюдное. До того момента Кондаревского я видела только на фотографии, но узнала сразу. Высокий, худой, он сидел выпрямив спину и сцепив руки замком. Я подошла и спросила:

— Руслан Сергеевич? Я Ольга.

Он удивленно взглянул на меня. Его взгляд переместился с моего лица на костюм, затем на сумку с Сашкой.

— Я думал, вы из милиции, — неуверенно произнес он.

— Менты не назначают свиданий в кафе, у них для этого есть другие места.

— Но позвольте, ведь вы... вы Рязанцева, верно?

— Верно. Я же представилась по телефону.

— Но... вы были помощником Кондратьева по связям с общественностью. Так, кажется? Каким образом вы...

Пудрить ему мозги своими удостоверениями я не стала, мужик с деньгами, а значит, и со связями, проверить что и как он вполне способен, и я ответила:

— Игорь Николаевич обеспокоен происходящим в городе, и мне поручено осуществлять контроль со сто-

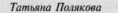

роны администрации. — Звучало это довольно бестолково, следовательно, в данном случае хорошо. Руслан Сергеевич похлопал глазами и что-то невнятно промычал. Я расценила это как стремление к сотрудничеству и благодарно улыбнулась.

— Хорошо, — кашлянув, ответил он. — Спрашивайте... Хотя не знаю, что еще могу добавить к уже сказанному.

— Когда вы познакомились с Елизаровой?

— Ольга Сергеевна, — вздохнул он и поморщился, лицо его приобрело мученическое выражение. — Надеюсь, вы понимаете... Согласен, мои... привычки не делают мне чести, но... я женатый человек...

— Я все помню, — заверила я. — Мне бы очень хотелось услышать ответ на мой вопрос.

— Какие могут быть знакомства с... этими женщинами?

— Ну, не знаю. Они о вас отзываются неплохо. Опять же, посещали вы их довольно часто...

— Клевета, — резко перебил Кондаревский, его пальцы нервно задвигались, он тут же сцепил их замком и стиснул так, что костяшки побелели. — Я... не чаще чем раз в два-три месяца.

— Допустим. С Ольгой вы тогда встретились впервые?

— С кем? Ах... Нет, как-то я уже прибегал к ее услугам.

— Вы долго пробыли вместе?

— Ну, я не могу ответить точно. Полчаса, может чуть больше.

— Сколько вы ей заплатили?

— Это имеет значение?

— Имеет. Так сколько?

— Двести долларов.

— У вас были какие-то особые пожелания?

— Послушайте... — возмутился он.

— Нет, это вы послушайте. Вы умудрились попасть в скверную ситуацию, и это мягко сказано, а теперь строите из себя саму невинность. В вашем возрасте пора научиться отвечать за свои поступки. — Он закусил губу. Такое впечатление, что он сейчас расплачется. Я поспешила добавить: — На самом деле я пытаюсь понять, почему она в ту ночь так рано покинула рабочее место.

— Ах, вы в этом смысле... Я сразу ей сказал, что, если останусь доволен, заплачу двести долларов. Возможно, поэтому она решила сократить... свою смену.

— Возможно.

— Я расплатился, и она попросила подвезти ее домой, предварительно спросив, куда я еду. Нам было более-менее по пути, и я согласился.

— Вы поехали в ночной клуб?

— Да, там меня ждали... Клуб на Сущевской, так что крюк незначительный.

— Почему вы не отвезли ее домой, раз уж сделали этот незначительный крюк?

— Она сама сказала: «Вот здесь высади», а потом, я все-таки спешил. Но если бы она попросила, довез бы до подъезда, я же понимаю: женщина, ночью, а район там... даже фонари не горят.

— А где вы с ней проводили время?

— В машине. — Он покраснел, может, от неловкости, а может, не умел врать, поди разберись.

— Там же, в парке?

— Нет. Мы спустились к реке. Я это место уже показывал. Слушайте, я не понимаю, почему вы задаете все эти вопросы? Когда мы расстались, женщина была

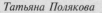
жива. — Он вновь покраснел, должно быть, злясь на то, что высказывается не очень складно. — А в тот момент, когда ее убили, я находился в компании друзей. В противном случае меня бы уже арестовали, разве не так?

— Наверное, — пожала я плечами.

— Простившись с ней, я сразу же поехал в клуб и пробыл там до утра. Меня все видели: друзья, охрана наконец. Я не убивал эту женщину, и я...

— Успокойтесь, — вздохнула я. — Я просто выполняю свою работу.

Он смотрел на меня с недоверием. Мужчина в возрасте, с интеллигентным лицом... Представить его убийцей действительно трудно. Однако так же трудно представить и разъезжающим у Горбатого моста, высматривающим в темноте девиц поаппетитней... Да и у племянницы был повод отказаться от дорогого подарка щедрого дядюшки.

— Что ж, спасибо, что уделили мне время, — сказала я, поднимаясь. Он этого никак не ожидал и слегка растерялся. — Возможно, нам еще придется встретиться.

— Да... конечно, если это необходимо.

Мы простились, и я направилась к машине. Свернула в ближайшую подворотню и уже оттуда наблюдала за выходом из кафе. Минут через пять появился Кондаревский, сел в «Вольво» и сорвался с места как угорелый. Я пристроилась за ним, особо не прячась, да и затруднительно это на моей машине.

Конечно, он меня вскоре заметил и заметался по городу. На Соборной площади я свернула и тихими улочками поехала параллельно проспекту. Возле торговых рядов я вновь заметила его машину. Потеряв меня из виду, он немного успокоился. Теперь я старалась соблюдать осторожность и изрядно отстала, рискуя упустить его, но мне везло: на очередном светофоре я вновь увидела его машину, выждала немного и пристроилась сзади на приличном расстоянии.

Он свернул на Сущевскую, вскоре я увидела вывеску «Райский уголок». Не знаю, бывать здесь мне не приходилось, но с виду ни за что не подумаешь. Отдельно стоящее здание в два этажа, дом старый, но отделан заново. Вывеска в глаза особо не бросалась, ночью она подсвечена огнями, а сейчас выглядит едва ли не убого. Справа забор ликероводочного завода, слева автомобильная стоянка, далее жилые дома. Место для ночного клуба не очень престижное. Неудивительно, что до той поры я о нем даже не знала. Впрочем, не всем в центре тесниться, здесь спальный район, один из самых крупных в городе, так что народа хватает.

Кондаревский бросил машину на стоянке (мне пришлось свернуть во двор многоэтажки и наблюдать оттуда) и заспешил к боковой двери чуть ли не бегом, что мужчине его возраста в общем-то несвойственно. Видимо, очень торопился. Он скрылся за массивной дверью, которую на его звонок открыл какой-то молодой человек. Сашка выбрался из сумки и взглянул на меня, точно спрашивая: «Долго мы здесь будем сидеть?»

— В следующий раз оставлю дома, — буркнула я.

Желание Кондаревского после встречи со мной повидаться с друзьями вполне естественно, кому ж еще жаловаться на настырную бабу? Однако я допускала, что не только потребность в дружеском участии привела его сюда. Из головы не шел тот факт, что в машине возле моста находились двое охранников, один работал на той самой стройке, а другой вот в этом клубе. Жизнь научила меня не доверять совпадениям, и сейчас я этого делать не собиралась, как бы Вешняков на меня ни гневался.

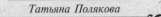
Ждать пришлось долго. Кондаревский пробыл в клубе более часа, зато вышел оттуда заметно успокоенный. К машине он направился не спеша и поехал тоже не торопясь. Через полчаса я с неким удивлением поняла, что отправился он к Вешнякову, по крайней мере, остановился возле заветного дома. По какой нужде его туда понесло, догадаться было нетрудно, и я, присвистнув, поспешно поехала домой.

В восемь позвонил Артем.

— Ты дома? Я к тебе в гости собрался. Что взять, пива или водки?

— Водки с пивом, — ответила я.

— Я так и подумал, спросил на всякий случай.

Через пятнадцать минут в дверь позвонили, Сашка бросился к ней, заливисто лая. Каким-то непостижимым образом он узнавал о приходе Артема еще до того, как я успевала открыть дверь.

— Здорово, — кивнул он, сбросил ботинки, сунул ноги в тапочки и пошел в кухню, прижимая к груди поллитровку и пластиковую бутылку с пивом.

— Что у тебя за праздник? — удивилась я, сунула в микроволновку рыбу и принялась шинковать салат.

— Соскучился, — хмыкнул Артем.

— Так я тебе и поверю, — отмахнулась я.

— Жена с пацанами к сестре уехала, я сразу к тебе, а ты еще рожу кривишь, «так я тебе и поверю», — передразнил он.

— Значит, все-таки праздник, — порадовалась я за Вешнякова. Рыба разогрелась, салат я заправила майонезом, мы выпили и закусили. Хоть Артем и намекал на большое счастье, но особо оно не чувствовалось, маялся парень, хмурил лоб, и водка была ему не в радость. — Не тяни, — сказала я, понаблюдав его печаль.

— Кондаревский прибегал, — сообщил Артем. — Не ко мне, к начальству. На тебя жаловался.

— Да? — Я взглянула на часы. — Что-то Дед не звонит. Неужто еще не донесли?

— Не может такого быть, — подивился Артем и был, конечно, прав. Обо всем, что касалось меня, Деду звонили незамедлительно, зная его особое ко мне расположение. А уж если новость скверная, жалобы там или статейка в газетке, спешили особо. Впрочем, мало что хорошего делала я в этой жизни (особенно по мнению ряда граждан), так что все новости на мой счет можно было смело назвать скверными.

— Чудеса, — подивились мы и оказались не правы. Только мы выпили по второй, как мобильный заработал.

— Дед? — спросил Вешняков, я кивнула и ответила.

— Ты где? — спросил мой старший товарищ.

— Дома.

— Мне только что сообщили...

— Я знаю. У меня Вешняков сидит.

— Пьянствуете, что ли? — возмутился Дед.

— Размышляем.

— Значит, пьянствуете.

— Ты чего звонишь? — вздохнула я. — По поводу жалобы Кондаревского я уже прониклась. Виновата, исправлюсь. Только как я найду убийцу, никуда не сунув свой нос? Лежа на диване?

— Ты ищешь убийцу дочери Якименко. Так при чем здесь какой-то Кондаревский?

— Долго объяснять.

— Ты его подозреваешь?

— Пока он важный свидетель.

— Может, хватит заниматься самодеятельностью?

Возвращайся на работу. И тогда все жалобщики заткнутся. Вешнякову привет.

Дед отключился, а Артем с обидой заметил:

— За привет большое спасибо, только почему как Вешняков, так сразу пьянка? Больно ранят душу эти намеки. А что он там по поводу работы говорил? — Я махнула рукой, не желая обсуждать данную тему, но Артем продолжил: — Между прочим, он прав. Частные детективы хороши в беллетристике, а у тебя и лицензии нет. Кто ты вообще, а? Девица с липовым удостоверением. Правильно люди жалуются... Можно, конечно, пойти работать к нам, но вовсе не факт, что ты будешь заниматься этим делом. Вернись к Деду хотя бы на время. Главное, ксива будет настоящая. Через два дня весь город, то есть кому это нужно, узнает, что ты при делах, и тогда можешь приставать хоть к прохожим на улице, никто не станет жаловаться. А если какой дурак найдется, никто в ответ на его жалобу даже не почешется.

— Я ушла из этого гадюшника не для того, чтобы возвращаться, — обиделась я.

— Хороший человек кое-что способен сделать и в гадюшнике. Не ухмыляйся так противно, ты хороший человек. А потом, это ведь не пожизненное заключение, сделала дело — и заявление на стол. Если хочешь знать мое мнение, безделье превращает человека в обезьяну.

— Надо полагать, у меня уже хвост растет, — хмыкнула я.

— Не хвост, а хвостик... Но красивую девушку и он не красит. Чего ты, в самом деле? Будет у меня родной человек на вершинах администрации, может, подполковника дадут в конце концов. А главное, руки у тебя будут развязаны.

— Или наоборот, стянут так, что не пикнешь, — напомнила я.

— Кто старое помянет... — отмахнулся Артем и налил по третьей.

В дверь позвонили, мы переглянулись.

— Дед? — выдвинул он предположение, я пожала плечами и пошла открывать, Сашка остался с Вешняковым. Он вообще-то ленив и реагирует далеко не на всякий звонок. На пороге стоял Тагаев.

— Что-нибудь случилось? — удивилась я, а он нахмурился.

— Просто так заехать я не могу?

— Проходи.

— Где тапочки? — спросил Тимур, сбрасывая ботинки. Всех своих гостей я приучила разуваться у порога, даже Деда.

— В них Вешняков, — сообщила я.

— Надо купить тебе пар десять, чтоб на всех хватало.

— Столько народу у меня никогда не бывает.

Тимур привлек меня к себе и поцеловал в макушку.

— Вешняков, конечно, в спальной? — спросил он шутливо.

— Зачем в спальной тапочки? Он на кухне.

— Чем занимаетесь? — проявил он интерес, направляясь в кухню следом за мной.

— Водку пьем.

— Дело хорошее. Привет, — сказал он Артему, и они пожали друг другу руки, что неизменно умиляло меня. Находясь по разные стороны баррикады, эти двое испытывали симпатию друг к другу. Да и насчет баррикад тоже незадача, уж очень все в этой жизни перепуталось. К примеру, я точно знала, что Тимур щедро делится с Дедом, хотя друг другу рук они и не пожимали.

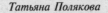

— Ну, я... — начал Артем, приподнимаясь, я пнула его под столом ногой, и он закончил: — Не вижу повода не выпить. — Он налил Тагаеву, и мы выпили. Вешняков вторично попытался смыться, но после очередного пинка расслабился и дал понять, что никуда не спешит. А у Тимура всегда такой вид, точно впереди у него пять жизней. Одним словом, мы неспешно беседовали, и конца-края я этому не видела. Разумеется, речь зашла о страшной находке.

— Какой-то псих, — высказал свое мнение о предполагаемом убийце Тимур.

— Почему же псих? — пожала я плечами. В психов я сама не очень-то верила, зная по опыту, что убийцы, как правило, люди вполне разумные и движут ими вещи обыденные — собственная выгода или боязнь, что нечто тайное станет явным.

— Потому что глупость несусветная, — отвечая на мой вопрос, вздохнул Тагаев. — Цемент этот... да и все прочее... Серьезные люди так себя не ведут. Сплошная клоунада. У дяди большая любовь к американским фильмам.

Неожиданно это меня заинтересовало.

— Значит, ты считаешь, он псих? — повторила я. Тимур взглянул на меня, точно удивляясь, потом перевел взгляд на Артема.

— Зачем прятать трупы? Там же девчонка и два пацана, а не... — Он вновь взглянул на Артема и закончил: — Вот у него спроси, будет серьезный человек весь этот цирк устраивать?

Артем к вопросу отнесся ответственно, подумал, хмурясь и смешно шевеля ушами. Надо полагать, он так напрягал свою многострадальную голову, и заявил:

— Да-а... Серьезному человеку ни к чему эти игры с цементом...

— Хороши игры, — фыркнула я, но вынуждена была признать, что Тимур скорее всего прав. — Значит, псих. Психам положено трудиться в одиночку. Что вы на это скажете?

— Если псих с деньгами, ему ничего не стоит заставить кого-то поступать так, как он считает нужным. Вот и все, — улыбнулся Тимур, точно сделал мне подарок.

— Значит, надо искать дядю с деньгами, у которого странная нелюбовь как к молоденьким девушкам, так и к юношам... — «Есть у меня один на примете», — мысленно продолжила я, имея в виду Кондаревского, он человек богатый. Правда, о его нелюбви как к юношам, так и девушкам мне ничегошеньки неизвестно. Хотя, судя по словам племянницы, интерес к девушкам явно присутствует. Дядька он мутный, к тому же чего-то он всерьез опасается, не обвинения же в убийстве проститутки, раз у него алиби... Тогда чего? Очень мне это хотелось знать. Да вот как связать трупы под мостом с проблемами его нервной системы?

— Что у тебя за манера такая? — начал ныть Артем. — Нормальную попойку превращаешь в производственное совещание.

Тут я сообразила, что компания совершенно не подходящая для того, чтобы разрабатывать версии, раз Тагаев у нас... как бы это выразиться... В общем, я разлила по пятой и предложила:

— За сенокос. — Тост был встречен с радостью, и разговоры убийств более не касались.

Через час Артем, воспользовавшись некоторой потерей бдительности с моей стороны, просочился в прихожую, обулся и бодро возвестил:

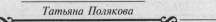
— Ну, я пошел... — После чего растворился на городских просторах, а я стала мыть посуду.

— Артем сказал, Дед тебя на работу звал, — помолчав немного, изрек Тагаев. Артему бы помалкивать в тряпочку. И когда только успел?

— Звал, — буркнула я, считая, что врать ниже моего достоинства, особенно по пустякам.

— И что? — продолжил допытываться Тимур.

— Ничего.

— То есть ты отказалась? — В его голосе слышалось сомнение, и это неожиданно разозлило меня.

— Я думаю, — скромно отозвалась я.

— Рад, что ваши отношения наладились, — прозвучало это спокойно, но мне все равно показалось, что издевательски. Я закончила с посудой, повернулась и тут увидела, что Тагаев выжидательно смотрит на меня, точно ждет откровения.

— Я тоже рада, — кивнула я, приветствуя всеобщее взаимопонимание.

— Значит, ты вернешься? — Только я собралась ответить нечто такое, что отбило бы у человека охоту к глупым вопросам, как Тимур соизволил развить свою мысль. — Извини, но этого не стоит делать.

— Чего не стоит? — слегка растерялась я.

— Возвращаться. Ты его не любишь. Ты даже не нуждаешься в нем. Ты просто устала от одиночества.

— У меня уже есть знакомый психолог, — порадовала его я. — Задолбал до смерти. Так что два психолога — явный перебор.

— Я знаю, как ты относишься к разговорам по душам, — криво усмехнулся Тагаев. — К тому же я, с твоей точки зрения, совершенно для этого не подхожу. Так?

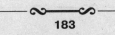

— Ты сказал это с такой печалью... Может, нам действительно поговорить по душам? — разозлилась я.

— Хорошая идея. Кто начнет? Ты?

— Первое и основное: меня не надо спасать. Уяснил?

— Ага, — кивнул он. — Это я уже слышал. Только с чего ты взяла, что я тебя спасаю? У меня свой интерес.

— Какой, если не секрет?

— Я думал, ты знаешь, — пожал он плечами.

— Всеобъемлющий ответ. После этого самое разумное — еще выпить и разойтись по домам.

— Я считал, что необязательно обсуждать вещи, которые и без того понятны, — немного помолчав, заговорил он очень серьезно. — Мне казалось, на самом деле ты все прекрасно понимаешь и тебе просто надо время, чтобы... — Он взглянул на меня так, точно видел впервые. — Очень может быть, что я свалял дурака.

— Эй, — усмехнулась я. — Твоя самокритичность меня пугает.

— Ты не хочешь обсуждать это?

— Что? — нахмурилась я, не очень понимая, куда он клонит.

— Наши отношения, — пожал он плечами. Услышать такое от парня вроде Тагаева — это, я вам скажу, испытание.

— А есть что обсуждать? — съязвила я, но тут же устыдилась. — Последнее время мы только этим и заняты. Мне кажется, что мы слегка поднадоели друг другу.

— Может, ты просто боишься? — вздохнул он.

— Я сейчас с ума сойду, — невежливо перебила я. — Ты решил, что должен меня спасать, а я в спасителях не нуждаюсь. Налицо непреодолимые противоречия, самое мудрое в таком случае оставить друг друга в покое.

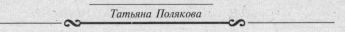

Но ты упрямый сукин сын, а я дура. В результате мы упорно продолжаем действовать друг другу на нервы.

Он поднялся и шагнул ко мне.

— В спасителе ты не нуждаешься, а в любимом человеке?

— Ты себя имеешь в виду? — все же усомнилась я, и тут он потряс меня до глубины души острой критикой в свой адрес.

— Я дурак. В самом деле дурак... Я решил быть мудрым и терпеливым, чтобы ты успокоилась, все поняла и оценила. А надо было взять тебя за руку... — Он в самом деле взял меня за руку, второй ухватил за шею и принялся целовать. Надо полагать, по сценарию в этом месте мне надлежало разрыдаться от счастья, приникнуть к его груди и уж более от нее не отлипать, создавая трудности самой себе и ему.

Я попыталась высвободиться, но не тут-то было. Тагаев твердо решил, что, раз баба дура и сама не знает чего хочет, надо брать инициативу в свои руки. Где-то это правильная позиция, а главное, действенная. Девушка я молодая, одинокая, и увлечься не грех, особенно если по соседству расположился такой тип, как Тагаев. Хочется ему меня спасать, пусть спасает: от одиночества, от драконов или просто от скуки, какая разница, раз уж мужики так устроены? Мы слились в объятиях, но где-то на границе моего сознания блуждала мысль, что такое поведение мне выйдет боком, раз уж к этому моменту мне было доподлинно известно: Тагаев вроде меня — простоту не жалует и любит все усложнять. Но, был грех, увлеклась. При этом я оправдывалась тем, что секс полезен для здоровья и если его кот наплакал, то со здоровьем нелады, а здоровье надо беречь, то есть укреплять. Что я и делаю в настоящий момент.

Часам к четырем, блаженно потягиваясь, я склонна была согласиться с тем, что жизнь прекрасна. Таковой она мне виделась часов до девяти утра. В девять позвонил Дед, я не так давно уснула и потому была нелюбезна с ним.

— Жду тебя к десяти, — сказал он, а я ответила:

— С ума сошел... — И сунула голову под одеяло, и все бы в моей жизни было хорошо, но звонок разбудил Тагаева.

— Дед? — спросил он.

— Ага.

Он поцеловал меня в плечо и без перехода поинтересовался:

— Ты переедешь ко мне или предпочитаешь, чтобы это сделал я?

Мне очень хотелось спать, мозги были вялыми, а извилины выпрямлялись в знак протеста, оттого сказанное поначалу лишь озадачило меня. Я спросила:

— Зачем?

— Зачем люди живут вместе? — терпеливо поинтересовался Тимур.

— Разные могут быть причины. — Я села, откинулась на подушку, уже подозревая, что уснуть мне больше не удастся. — К примеру, деньги. У меня они есть — и у тебя их навалом. Следовательно, эта причина не подходит. Вторая, распространенная причина: все так живут, то есть людям положено жить парами. Но мы индивидуалисты и потому не уподобляемся большинству. Есть еще чудаки, которые желают иметь детей.

— Ты хочешь услышать, что я тебя люблю? — заботливо осведомился Тагаев.

— Нет, не хочу, — замотала я головой. Он поднялся и натянул штаны, наверное решив, что такие важные вопросы с голым задом не обсуждаются.

— Почему?

— Ты настырный парень и иногда бываешь очень убедителен. Человек способен на ужасные глупости просто из упрямства.

— Сигареты в доме есть? — спросил Тагаев.

— Ты не куришь, — напомнила я.

— Я спросил, есть ли в доме сигареты, а не интересовался твоими комментариями по этому поводу.

— Сигарет в доме нет. Я слабое существо и боюсь искушений.

Тагаев скривился, прошелся по комнате и, подойдя к кровати, навис надо мной.

— Ну, обманул тебя какой-то подонок. И что? Теперь мужики всего мира должны расплачиваться за это?

— О чем ты? — забеспокоилась я, кляня на чем свет свои недавние мысли о здоровье. О здоровом образе жизни, то бишь о здоровом сексе, и речи нет, сплошная психология.

— О твоем Лукьянове, — сказал Тимур. Я тяжко вздохнула.

— Да бог с ним. Старое не поминай всуе...

— Ты чего-то ждешь?

Вот так вопрос.

— От жизни? Конечно. Долгих лет и счастливой старости.

— Надеешься, что он вернется? — Это было слишком. Я опять вздохнула и сказала с печалью:

— Тимур, иди к черту. — Он запустил в меня своей рубашкой, а я вздохнула в третий раз: — До чего вы, мужики, выпендрежники. Если женщина с утра ежесекундно не требует жениться на ней, вы чувствуете себя обманутыми. Давай выпьем кофе и побежим по своим делам... У меня эти убийства, как заноза в заднице...

— Значит, все-таки надеешься? — хмыкнул он, застегивая рубашку, стоя перед зеркалом. — Твой Лукьянов о тебе вспомнит, позовет, и ты, конечно, побежишь. А если не вспомнит?

— Дался тебе этот Лукьянов, — начала канючить я. — Что за глупость, в самом деле?

— Кто он, твой Лукьянов? Киллер. Просто мразь, которая убивает за деньги. А от меня ты нос воротишь. Черт возьми...

Я нахлобучила подушку на голову и жалобно попросила:

— Заткнись, а? Сил нет больше слушать эту глупость. Ты лучше всех, и никакой Лукьянов с тобой не сравнится. Хочешь, переезжай ко мне хоть сегодня. Уверена, дня через два дури в тебе поубавится и ты съедешь сам, причем без всяких разговоров.

— А если нет? — приблизившись, спросил он, глаза его смотрели холодно, челюсти он сжал так, что его и без того тяжелый подбородок стал напоминать булыжник.

— Хорошо, — вздохнула я. — Я поняла. Ты меня любишь. Преданно и беззаветно.

Выражение его глаз изменилось, на мгновение мне показалось, что в них мелькнула боль, но они тут же посветлели от ненависти. Меня вдруг поразила странная повторяемость событий, только тогда вот так смотрела я и мою грудь распирало от боли и ярости.

— Я люблю тебя, — спокойно сказал Тагаев, хотя далось ему это спокойствие нелегко. — Я за тебя жизнь отдам.

А я засмеялась, настолько все показалось мне нелепым, и его слова, в точности как мои тогда, и этот полыхающий в глазах огонь, оттого я совершенно не удивилась тому, что произошло дальше. Тимур сжал паль-

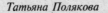
цы в кулак и заехал мне в челюсть. Если бы он отвесил мне пощечину, оно бы понятно, но он ударил по-мужски, как бьют врага. Головушка моя соприкоснулась со спинкой кровати, и никакая подушка меня не спасла. В ушах раздался звон, и в глазах потемнело, хорошо хоть башка не треснула как арбуз, кулачище-то у него впечатляющий.

— Надеюсь, ты не в обиде, — улыбнулся он, от этой улыбки мне стало даже хуже, чем от удара.

— Извини, — пискнула я, предварительно проверив, все ли зубы целы. — Мой смех относился не к твоим словам, а... долго объяснять... — Хрен тут что объяснишь, сплошные дежа-вю... Мне вдруг стало жаль Лукьянова, нелегко ему тогда пришлось. Объясняются в любви и чего-то от тебя требуют, на словах-то вроде нет, но ведь чего-то требуют, уже одним тем, что объясняются. А тебе ни сказать, ни дать нечего.

— Придет день, и рядом с тобой никого не останется. Разве только Сашка, но ему, бедному, просто деваться некуда. — Тимур вышел и хлопнул дверью.

— Ох, горе горькое, — вздохнула я, поднимаясь. Выждала время и уж тогда спустилась вниз.

Сашка сидел в холле и выглядел грустным.

— Быстро гулять, — прикрикнула я. — У меня дел по горло.

Уныло семеня за Сашкой по дорожке парка, я предалась самобичеванию. В основном досталось моей слабой плоти, которая на смогла удержаться от искушения. Что за манера спать с кем попало? Мало мне проблем? Одно хорошо: Тагаев ушел, громко хлопнув дверью, следовательно, в моей жизни он больше не возникнет, он парень гордый, а нет человека — нет проблем. Со своим чувством вины я уж как-нибудь справлюсь.

Но, несмотря на эти оптимистические мысли, на душе было пакостно. Очень хотелось что-то сделать, глупое и ненужное. Например, позвонить Тимуру. Останавливало меня одно: позвонить-то я могу, да вот что скажу парню? Но так как от желания совершить нечто идиотское меня прямо-таки распирало, я поехала в контору Деда и честь по чести написала заявление о своем восстановлении в прежней должности, благо место это до сих пор пустовало. Дед видеть меня не пожелал, правда заявил по телефону: «Я рад, что ты вняла доводам разума». Знал бы он, как ошибался в отношении моей бедной головы, разумом там даже и не пахло.

Зато Ритка мне невероятно обрадовалась и, пока я выводила на бумаге: «Прошу принять меня...» и всё такое прочее, сопела над плечом, а потом аккуратно положила заявление в папочку.

— Что там с убийствами? — тут же спросила она. — Вчера в троллейбусе ехала, народ такое болтает... Жуть!

— Езди на такси, — посоветовала я.

— Значит, ничего не раскопала? — Я хмыкнула и покачала головой.

— Я тебе что, отец Браун?

— Ты лучше, — заверила она и так улыбнулась, что у меня разом пропала охота говорить ей гадости.

Вечером мы все-таки встретились с Дедом на нейтральной территории, точнее, в зале ресторана «Барракуда». Дед сам предложил отметить радостное событие, то есть мое возвращение. Я по неизвестной причине злилась и тратила много сил, чтобы скрыть это. Однако решила не усложнять себе жизнь и потому сразу прояснить ситуацию.

— Игорь, я буду числиться в штате до тех пор, пока занимаюсь этим делом, и заниматься буду только им.

— Хорошо, — легко согласился он, вряд ли поверив мне.

После ужина он вознамерился отправиться ко мне, но я отговорилась необходимостью заехать в пару мест и с облегчением простилась с ним. Он поцеловал меня вполне по-отечески, но в его взгляде я уловила беспокойство. Жизнь стала не лучше и не хуже, а как-то запутаннее, и я опять-таки злилась, теперь уже на себя.

Утром я встала с намерением изменить жизнь в лучшую сторону. Громко запела:«Супер, супер, супер гуд, все нормально, супер гуд...», Сашка мои вокальные данные не оценил, забился под кресло и глухо рычал оттуда. Я кинулась к велотренажеру, отмотала десять километров, постояла под душем, выпила большую чашку кофе и пошла гулять с собакой, и все это с чувством удовлетворения и даже с гордостью за свою силу воли.

— Теперь каждый день начинаем с зарядки, — сообщила я Сашке. Пес зарычал, да и я скривилась, представив себе, что и через неделю и через две я с утра ору «супер гуд» и радуюсь новому дню. Новый день я ненавижу, особенно новое утро, тем более когда на душе скребут кошки после очередного дурацкого вечера.

Мой оптимизм начал испаряться. Почувствовав это, я рьяно взялась за дело, то есть за расследование. Работа, как известно, лучшее лекарство от душевных переживаний. Все свое время я решила посвятить Кондаревскому, человеку, у которого было стопроцентное алиби, но который, несмотря на это, упорно мне не нравился, и я продолжала считать его подозреваемым номер один.

Весь день я потратила на бесконечные вопросы,

обойдя все дома в радиусе полукилометра от того дома, где жил Кондаревский. Но увы! — хоть бы что ценное, ни словечка, ни намека. Никто ничего. Другая бы на моем месте махнула рукой и отнеслась к его алиби серьезно, но и я с ослиным упрямством шла дальше и вновь задавала вопросы.

Кроме квартиры, у Кондаревского имелся еще коттедж возле реки. Адресом коттеджа меня снабдил Вешняков. По словам Руслана Сергеевича, коттеджем давно не пользовались, жена проводила время в посте и молитвах, а ему и квартира чересчур велика. Коттедж они решили продать и даже дали объявление. Я не поленилась и проверила, так и есть, еще пять месяцев назад. Либо Кондаревский особо не торопился расставаться с недвижимостью, либо заломил несусветную цену, но дом так и не продали. Потому-то я и поехала на Речную потолковать с местным людом. Затея эта очень скоро показалась мне проблематичной. Коттедж был огромный, в три этажа за двухметровым кирпичным забором. Рядом точно такие же. Тут хоть локальную ядерную войну затевай, никто не почешется, а скорее даже не заметит. Тяжко вздыхая, я все же начала обход. С хозяевами встретиться мне не удалось — народ занятой и дома им не сидится, пришлось довольствоваться прислугой. Те держались настороженно, слова цедили строго дозированно и ничегошеньки полезного сообщить не могли. Большинство даже не знало, кому принадлежит тридцать седьмой дом. Однако я в тот день решила поставить рекорд выносливости и с тупым упрямством бродила от крыльца к крыльцу.

Ближе к вечеру я все-таки выдохлась. Я со злостью взглянула на тридцать седьмой дом, и тут мне пришла в голову мысль заглянуть внутрь, чему способствовал тот факт, что видеокамер у дверей я не обнаружила. Конечно, с точки зрения законности это никуда не годилось, раз заглядывать туда я вознамерилась в отсутствие хозяев. Тем более что теперь я вновь на государевой службе, то есть Дедовой и закон мне надлежало уважать особо, а не подставлять хозяина по пустякам. Но либо была очень зла, либо за это время отвыкла мыслить государственно... Одним словом, я, обойдя дом по кругу, увидела калитку и, воспользовавшись отмычкой, которую свистнула у Артема в кабинете, обнаружив среди других многочисленных невостребованных вещдоков, ловко открыла дверь, после чего проникла на территорию. За домом был разбит сад, два десятка чахлых деревьев, далее виднелись цветники, но, похоже, за ними не особо смотрели. Газон тоже не мешало бы подстричь, а сорняки на клумбах вели себя просто нахально. Фонтан перед домом был выключен и выглядел как-то уныло.

Я прошла к центральному входу и на всякий случай позвонила. Тишина. Со спокойной душой я вернулась к веранде и вновь воспользовалась отмычкой. Замок был простенький и много времени у меня не занял. Теперь в рекордные сроки требовалось определить, есть ли в доме сигнализация или нет? Оказалось, Кондаревский на ней экономил. Довольно странно. Впрочем, может, и не очень, раз он решил продать дом.

Я вошла, огляделась, после чего не спеша прогулялась по этажам. Жалюзи опущены, мебель отсутствует, телефон в холле стоит на полу. Пусто, гулко. Второй и третий этажи в этом смысле ничем не отличались от первого. Но меня больше интересовал подвал: богатые психи с уклоном в маньячество непременно должны тяготеть к подвалам.

Подвал выглядел образцово. Бассейн, прачечная и еще две комнаты, чье назначение осталось для меня загадкой. Слой пыли и два паука у дверных проемов. Надеясь на потайные двери и прочую чушь, я все тщательно осмотрела и даже простучала стены в некоторых местах. Можно было смело мотать отсюда: ничего я здесь не найду, кроме неприятностей.

Я заглянула еще в одну комнату, совершенно пустую. Здесь я присела и долго таращилась на пол. Слоем пыли пол похвастать не мог, то есть она была, но в меньших количествах, чем всюду, и пауки отсутствовали. Такое впечатление, что недавно кто-то потрудился здесь убраться. Вешняков, приди мне в голову рассказать ему об этом, посоветовал бы пить валерьянку, лучше всего ведрами, или направить свои фантазии в другое русло, но чем больше я приглядывалась, тем больше убеждалась в этой мысли. Я обследовала каждый сантиметр пола, но ничегошеньки не нашла, потому что ничего там не было, и лишь ослиное упрямство держало меня здесь как на привязи.

Сообразив, что сидеть здесь я могу очень долго, да только толку от этого ни на грош, я в некоторой печали побрела к двери, благополучно покинула дом, прошла через сад, приоткрыла калитку и осторожно выглянула наружу. Переулок был пуст, что позволило мне не спеша запереть калитку и отправиться восвояси. Моя машина находилась в соседнем переулке, таком же пустынном. Не переулок даже, а узкий проезд между двумя глухими заборами. Тишина такая, что уши закладывает. Однако вскоре тишину нарушил отчаянный Сашкин лай.

— Чего ты раскричался? — ворчливо спросила я, устраиваясь за рулем, справедливо полагая при этом, что у Сашки есть повод злиться на меня, его терпение сегодня подверглось серьезному испытанию.

Сашка не только не угомонился, он принялся лаять еще отчаяннее. Конечно, я должна была насторожить-

ся, но вместо этого поцеловала его, пожаловалась на жизнь, мол, суешь свой нос куда не просят, а толку от этого все равно нет, и завела мотор. Сашка взвизгнул, а я попросила:

— Заткнись, пожалуйста.

На счастье, я сообразила, что дело нечисто, раньше, чем набрала приличную скорость. Выезжая из переулка, я притормозила, точнее попыталась, и вот тут выяснилось, что с тормозами у нас проблемы.

— Ух ты черт! — буркнула я, косясь на Сашку. Пес заскулил и закрыл глаза, а я призвала себя не впадать в панику.

Дорога впереди была пустынной, и я смогла покинуть переулок, ни в кого не влетев. Я вспомнила навыки вождения, преподанные мне Лялиным, и начала гасить скорость, используя двигатель. Впереди по курсу возникли кусты, роскошные и недавно подстриженные, вот в них я в конце концов благополучно и уперлась, положила дрожащие руки на руль и немного посидела с закрытыми глазами. Без мыслей. Сашка робко тявкнул. Я сказала:

— Бедный мой пес... — И вот тогда ко мне явилась мысль весьма неприятная. Меня только что пытались убить.

Я вышла из машины и огляделась. У противоположного тротуара приткнулся «Фольксваген», но его кабина пуста. Движение здесь не особо оживленное. Кое-кто из проезжающих проявлял интерес к «Феррари» в кустах, но интерес этот был вполне объясним. И все же я чувствовала: за мной наблюдают, должно быть, горько сетуя, что я жива-здорова.

В такой ситуации стоять и глазеть по сторонам не очень разумно, хотя выстрелов я не опасалась. Если затеяли возню с тормозами, вряд ли решатся стрелять.

Для чего-то им понадобилось, чтобы моя кончина выглядела как несчастный случай. Но неудача могла заставить их передумать, и они, наплевав на прежние замыслы, начнут палить.

Я думала «они» и терялась в догадках: кому и где я перешла дорогу, да так, что от меня решили избавиться? Самое обидное: на ум не шло, когда же это я успела?

Я досадливо чертыхнулась, и тут из-за кустов появился упитанный дядя и гневно спросил:

— Это что тут такое? — Перевел дух, ткнул пальцем в кусты и продолжил: — Вы знаете, сколько это стоит?

В недобрый час возник он в моей жизни, мои руки еще противно дрожали, да и общее состояние было на троечку. В результате я немного поупражнялась в русском языке. Дядька нахмурился и сказал:

— Хулиганка, я сейчас милицию вызову. — И поспешно исчез.

Положительным в этом было то, что он напомнил о милиции. Я позвонила Вешнякову. Тот прибыл в рекордно короткие сроки и, увидев меня сидящей на капоте машины, с облегчением вздохнул.

— Тачке морду поцарапала, а так ничего, — заметил он со вздохом, приглядываясь ко мне.

Часа через три мы сидели в баре, где к нам присоединился Лялин.

— Ну, рассказывай, — хмуро бросил Олег. Я скривилась и пожала плечами. Рассказывать стал Артем. — Да, умение не пропьешь, — выслушав его, заметил Лялин, имея в виду мои водительские таланты, но его шутку не оценили, и он добавил: — В рубашке родилась. Теперь давай подумаем, кого и где ты умудрилась зацепить.

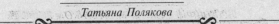

Думали мы долго, сначала с пивом, а потом и с водкой, но и она не внесла ясности.

— Одно хорошо, — порадовал нас Артем, — убийца скорее всего дилетант. А дилетанта мы найдем, — и добавил под нашими насмешливыми взглядами: — Если повезет.

Такая самокритичность внушала уважение. Мы еще выпили и разъехались по домам, причем Лялин сопроводил меня до дверей квартиры, а на прощание заявил:

— Придется моим ребятам за тобой присмотреть.

— Не надо.

— Надо. Тебя пасли и, убедившись, что ты проявляешь любопытство к чужой собственности, не торопясь покопались в машине. Кто-то приглядывает за тобой, а мы приглядимся к нему.

Лялин чмокнул меня в нос и ушел, а я, устроившись с Сашкой перед телевизором, задумалась. Кто мог решить, что я для него опасна? Конечно, первым на ум приходил Кондаревский, но Артем эту идею отмел сразу, и Лялин, подумав, согласился с ним. Уже не четыре свидетеля, а восемь утверждали, что в ночь убийства проститутки Кондаревский был в ночном клубе. Лялин склонялся к мысли, что я умудрилась увидеть или услышать нечто, представлявшееся опасным для тех, кто спрятал трупы в опоре моста. Жаль, что сама я об этом понятия не имею.

Я отправилась спать, а с утра вновь поехала на Речную. Внутренний голос упорно шептал мне, что, вопреки мнению моих друзей, Кондаревским стоит заняться. Город в шоке от найденных в опорах трупах, оттого все силы милиции брошены на поиски убийц, а про смерть проститутки все уже забыли, значит, этим мне и стоит заняться.

«Феррари» отогнали в автосервис, и на Речную я

прибыла на такси и без Сашки. Господь был явно расположен ко мне в то утро, потому что буквально через несколько минут мое упрямство было вознаграждено. Я позвонила в дом под номером тридцать девять, где мне, как и вчера, не открыли из-за отсутствия хозяев, а потом перешла к тридцать восьмому, где меня и ждал сюрприз. Я давила на кнопку звонка, когда сзади ко мне подошла пышнотелая дама неопределенного возраста с фиолетовыми волосами и сурово спросила:

— Вам чего?

Дама была принята мною за домработницу. Я расплылась в широчайшей улыбке и полезла за удостоверением, но тут она хлопнула в ладоши, поставив вместительную сумку на землю, и радостно возвестила:

— Ольга Сергеевна, я вас не признала.

Я глупо улыбалась, пытаясь сообразить: эта дама меня где-то видела или мы с ней лично знакомы.

— Я Софья Ивановна, мама Люды Гришиной.

Теперь я, конечно, вспомнила ее. Люда Гришина работала на местном радио. По долгу службы мы с ней некогда встречались довольно часто, а потом и подружились. Несколько раз я была у нее на даче, где и познакомилась с ее мамой, которая в настоящий момент стояла передо мной.

— Вы что же, здесь живете? — спросила я, очень в этом сомневаясь, особо обеспеченной Людка вроде не была.

— Да я тут в прислугах, — весело ответила Софья Ивановна. — В домработницах. Заходите, чаю попьем, хозяев нет.

От ее предложения я не отказалась, и через несколько минут мы пили чай на веранде. Вокруг благоухали цветы в огромных горшках, здесь по-прежнему царило лето, и я завистливо вздохнула:

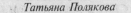

— Красота... — Что и послужило началом нашей беседы на интересующую меня тему.

— Это точно. Садовник у них золотой, Петр Петрович, все лето тут копался, еще две девчонки приходят, дизайнеры. Хозяйка цветы любит.

— А где сейчас хозяева, на работе?

— В отпуск уехали, к дочери в Америку. Она там в университете учится, а я здесь с четырьмя котами. Их кормить надо и выпускать гулять. Вот каждый день и прихожу на полдня.

— Давно вы у них работаете?

— Да уж года полтора. Я раньше у Кондаревских работала, вон дом напротив. Очень мне тамошняя хозяйка нравилась, Людмила Сергеевна, хороший человек, порядочный, сроду ни о ком дурного слова не скажет. Только болеет очень. С мужем вдвоем живут, а домина сами видите какой, ну и решили продавать. А квартира у них далековато, не очень удобно мне туда ездить. Да и, сказать правду, с супругом ее мы не больно-то ладили. А сама Людмила Сергеевна в последнее время все по больницам да санаториям... Тут еще теперешние хозяева уговаривать стали перейти к ним, я и согласилась.

Вот примерно в тот момент я и почувствовала, что мне повезет. Правда, я еще не знала как, оттого и не лезла с вопросами, боясь спугнуть удачу.

— А знаете, Софья Ивановна, я ведь здесь как раз для того, чтобы поговорить о Кондаревском, — улыбнулась я.

— Со мной?

— Не только. Я вчера по всем домам прошлась.

— Вот оно что... Мне Руфа звонила, она в двадцать пятом доме убирает, рассказывала, что милиция Кондаревским интересовалась. Так вы теперь в милиции?

— Я на своем прежнем месте, а милиции помогаю в меру сил.

Будучи женщиной мудрой, уточнять что-либо она не стала.

— Что вам сказать про Кондаревского?.. Еще чаю? Так вот, человек он... скользкий какой-то. Вроде и неплохой, а есть в нем что-то... к тому же бабник. И тянет его все на молоденьких. Ко мне однажды на работу племянница зашла, так не поверите, он с ней заигрывал, в ресторан звал, а девчонке семнадцать лет, и за стеной жена больная. Конечно, мужчину понять можно, Людмила Сергеевна болеет, и живут они хоть вместе, но все равно врозь, точно чужие, но ведь есть же приличия какие-нибудь... Нашел бы себе женщину да ездил к ней, когда неймется, а он ни одной юбки не пропустит. Не знаю, что с ним Людмила Сергеевна столько лет мучается. Жалеет, наверное. Он-то, конечно, с ней ни в жизнь не разведется. Лентяй, уж лет семь нигде не работает. Людмила Сергеевна доверила ему своими делами заниматься, ей от отца достались... не знаю, как правильно сказать... в общем, помещений у них много, они их сдают и с того деньги получают. Большие. Людмила Сергеевна сама делами не интересуется, все он. Еще и пыжится: мой бизнес, то да се... Невелика забота деньги с людей получать. Ну а если его Людмила Сергеевна прогонит, он, бедолага, по миру пойдет. Что еще делать такому-то лодырю? Только не погонит, она добрая...

— После переезда Руслан Сергеевич здесь бывал? Я имею в виду этот дом? — спросила я.

— Наведывался проверить, что да как... Покупателям дом показывал, правда немного их было, уж очень дорого продают, это так хозяин мой сказал. А если для него дорого, тогда я и не знаю...

— Когда вы Кондаревского видели в последний раз?

— В последний раз... в среду, тринадцатого... Точно, то есть уже четырнадцатого. Это ночью было.

— Ночью? — удивилась я. — Где же вы с ним встретились?

— Да вот здесь и встретилась... То есть не встречались мы, я его просто видела.

— Разве вы на ночь здесь остаетесь?

— Вообще-то нет. Но накануне у меня соседи паркет налачили, все двери нараспашку, вонища страшная. А я пенсию ждала, никуда не уйдешь, голова так разболелась, я думала лопнет. Хотела к дочке ночевать ехать, а потом думаю, чего их беспокоить? Вот и ночевала здесь. Дом на охрану поставила, а все равно жуть берет. Все кажется, кто-то ходит, вот я в окошко всю ночь и проглядела, сто раз покаялась, что осталась. Лучше б к Люде, в тесноте да не в обиде.

— И вы видели, как приехал Кондаревский?

— Да. Часа в два. Я еще очень удивилась, охота, думаю, человеку по ночам шастать, да и что ему делать в пустом-то доме?

— А это точно был он? Может, кто-то другой приезжал на его машине?

— Он был, он. Я его видела. Чего-то у него с воротами сделалось, обычно они сами открываются, а здесь заело их, что ли... Кондаревский из машины вышел и вроде как ругается, но этого я, конечно, не слышала. Ворота открыл и в машину, а я смотрю, у него со штанин течет.

— Что значит течет? — растерялась я.

— Вроде как он под проливной дождь попал. Штаны к ногам прилипли, и следы мокрые. Но дождя-то не было. И где его так угораздило?

— Подождите, Софья Ивановна, это очень важно, — заволновалась я. — Вы видели здесь Кондаревского в ночь с тринадцатого на четырнадцатое, и на нем был мокрый костюм?

— Брюки точно были мокрые, будто он по лужам бегал. Но дождя-то тогда ведь не было...

— А с датой вы не напутали?

— Нет, конечно. Я пенсию тринадцатого получаю. Не верите, так на почте спросите... А ведь он и накануне приезжал, — вдруг сказала она, ткнув в меня пальцем. — Точно. Вера Игнатьевна может подтвердить. — Только я хотела уточнить, как она меня буквально огорошила: — Часов пять утра было.

— Но... — начала я. Софья Ивановна рукой махнула.

— Сейчас все объясню. Кот у меня пропал. Валерик. Такой, я вам скажу, прохиндей, за ним глаз да глаз нужен. Я их в сад выпустила, погулять, все четверо вроде на глазах были, и вдруг этот озорник куда-то исчез. Я троих в дом и давай Валерика искать. Нет нигде. Голос сорвала его звавши, никакого толку. Уехала домой, думаю, сам явится, а душа-то болит. Хозяева уж очень свою живность любят, и если с котом этим беда случится... Делать нечего, вечером сюда пошла. Кота нет. Тут уж я, конечно, расстроилась и даже испугалась, по улице пробежалась из конца в конец. Идет Вера Игнатьевна, она в тридцать третьем доме живет и тоже на котах помешана, у нее своих двое, персидские, красоты невероятной. Человек она хороший, мы всегда с ней поговорим, когда встречаемся. Ну, я ей про Валерика рассказала, стали вместе искать. Все без толку. Очень я расстроилась, домой вернулась, но только о коте и думаю. Всю ночь не спала. Под утро звонит Вера Игнатьевна, у нее астма, бывает, так задыхается, что лежать нет никакой возможности. Она в сад выходит и подолгу сидит, ей там легче. И в ту ночь вышла и Валерика моего увидела. Он у них в саду в клумбе сидел. Хотела его поймать, а он, негодник, на дерево забрался, сидит и орет там. Она мне и позвонила, зная, как я переживаю. Что, мол, жив кот, с дерева слезет и она его до утра где-нибудь запрет, чтоб опять не удрал. Я-то обрадовалась, а потом решила до утра не ждать, чтоб опять не сбежал куда. Ну и пошла к ней, мне тут идти-то десять минут, и фонари горят, да и возраст у меня такой, что вряд ли кто мной прельстится. Подошла к калитке, чтоб семейство ее не будить, звонить не стала, Веру Игнатьевну позвала, а она меня ждала, тут же открыла. Валерик как меня услышал, сразу прибежал, на руки его взяла, а он весь дрожит. Настрадался, бедный. Он ведь кастрированный, на улицу его не выпускали, только в саду гуляет. Понесла я его домой, и Вера Игнатьевна пошла со мной, не спится, да и у меня сна ни в одном глазу. Сели с ней на веранде, ночь слушаем. Даже свет не включали. Тогда Кондаревский и подъехал. Вера Игнатьевна еще удивилась, ни свет ни заря, говорит. А уж утром, когда я пенсию ждала, позвонила Людмиле Сергеевне, жене Кондаревского, о здоровье справиться. Оказалось, она дома. Вот я и думаю, муженек ее сюда с какой-нибудь никудышной приезжал. Везти куда-то надо, а дома жена. Когда ее нет, он не больно-то стесняется, но уж при жене и его наглости не хватит. Так мы с Верой Игнатьевной и решили. Точно, привозил кого-то.

— Вы его видели?

— Кондаревского? Нет. Только машину. Ворота открыл и машину в гараж загнал.

— Долго он пробыл в доме?

— Мы минут через пятнадцать после этого разошлись, но Вера Игнатьевна говорит, за ним машина приезжала, где-то через полчаса.

— Машина? — нахмурилась я.

— Да. Так Вера Игнатьевна говорит. Она слышала, как машина проехала и остановилась возле его дома. Да и не к кому больше. В тридцать пятом доме никто не живет, хозяин погиб, а жена у матери, в тридцать шестом, и мои в отпуске, а тридцать четвертый продается.

— Зачем же ему машина понадобилась?

— Не знаю. Может, своя поломалась? Или девице своей такси вызвал, а уж сам здесь... К жене не приедешь в пять утра, объясняться надо.

Тут Софья Ивановна не права, объяснить не трудно, к примеру, играл в карты в ночном клубе. Это покойный супруг Софьи Ивановны не рискнул бы явиться в такую пору, а Кондаревскому в самый раз. По словам все того же Кондаревского, он в это время играл в карты в компании друзей, причем играл довольно долго, примерно с половины второго ночи и до половины шестого утра. Теперь его слова вызывают сомнения. Впрочем, я ему и раньше не верила.

Проститутка погибла около четырех, а примерно через час он уже был здесь. По неведомой причине оставил машину в гараже, а вот на следующую ночь появляется опять здесь насквозь промокшим и вновь на машине. Значит, в промежутке между двумя посещениями было еще и третье. Хотя он мог действительно явиться с девицей из того же ночного клуба и потом отправить ее на такси. А скрыл этот факт по той причине, что свидетельства друзей, людей добропорядочных, предпочел показаниям девицы сомнительного поведения. Однако две девицы за ночь, это все же слишком. Я склонна думать, что приехал он с Елизаровой, живой или уже мертвой. Если Софья Ивановна не путает со временем, то мертвой. Он оставляет ее в доме, а следующей ночью пытается избавиться от тела, оттого и брюки у него мокрые. Бомж рассказывал, что тот самый неведомый дядя плакал, когда тело из воды тащил. Может, конечно, от жалости к загубленной жизни, но я склонна думать, что от досады, хотя и от жалости тоже, но от жалости к себе, потому что на мелководье труп тонуть никак не хотел.

— Софья Ивановна, вам обо всем этом придется рассказать следователю. И Вере Игнатьевне тоже. Но только следователю, остальным об этом пока лучше не знать.

— Что ж... и расскажу. Что видела, то и скажу... Оля, а чего хоть случилось?

— Вы, наверное, слышали, недалеко от Никитского моста нашли труп проститутки. Последним, кто ее видел живой, был Кондаревский. Он утверждает, что до половины шестого утра был с друзьями, но если вы видели его машину... Это серьезно усложняет его положение.

— Вот бесстыдник-то, — вздохнула Софья Ивановна. — Его-то не жалко, а вот Людмиле Сергеевне каково, и так здоровья нет. Оля, я, конечно, в таких делах мало что смыслю, но... неужто он мог ту девушку... Непохоже на него совсем. Пакостный — это да и весь скользкий какой-то. Бабник. Жадный. За бутылку водки восемьсот рублей отдаст, глазом не моргнет, а мне каждый час высчитывает и все норовит заплатить поменьше. Дрянной человек. Но убить... Не с ума же он сошел?

— Вот это мы и выясним, — вздохнула я и отправилась к Вешнякову.

Артем несся по коридору со скоростью легковушки

и с затуманенным взором. Он пытался пробежать мимо, но я ухватила его за локоть.

— Ты? — нахмурился он. — Случилось что-нибудь?

— Конечно, — самодовольно ответила я, но он среагировал совсем не так, как я ожидала.

— Тогда пошли в кабинет.

— От кого ты летел, точно угорелый?

— От начальства, вестимо. Совершенно озверело и никаких оправданий не слушает. Тебе хорошо, сама по себе...

— Уже нет.

Артем притормозил, настороженно взглянул на меня и спросил:

— Неужто?..

— Точно, — вздохнула я.

— Ну и что? Поздравить или как?

— Лучше не торопись.

— Ага. И теперь мы под твоим пристальным оком, то есть под чутким руководством...

— Помечтай, — хмыкнула я.

— А подполковника?

— Подполковника получишь. Задолбал уже, придется расстараться.

Он беспечно засмеялся и обнял меня за плечи, пользуясь тем, что мы вошли в его кабинет, то есть скрылись с глаз общественности.

— Ну, рассказывай, — буркнул Артем, устраиваясь на диване с потрескавшейся обивкой, я пристроилась рядом. — Накопала что-то, по глазам вижу, — не унимался он.

— Кое-что наклевывается, — кивнула я и подробнейшим образом поведала ему о своих изысканиях.

— Значит, алиби дохлое, — вздохнул Артем. Особой радости в его голосе не чувствовалось. — Но ведь его дружки подтвердили... С ума они сошли, что ли, ведь это подсудное дело...

— Должно быть, он их очень попросил, — пожала я плечами.

— Не смеши, — отмахнулся Артем. — Они же не дети. «Коля, скажи маме, что я с тобой на рыбалку ходил», — пискляво произнес он скороговоркой. — Тут люди серьезные и одной просьбы приятеля, с которым в карты играешь, явно маловато.

— Значит, связывают их не только карты, — усмехнулась я.

— А что?

— Откуда мне знать? Вот ты и выясни.

— Ага... обязательно. А что с трупами? — совершенно серьезно спросил он. Я моргнула от неожиданности и даже не нашлась, что ответить, но длилось это не долго.

— А что с ними? — съязвила я.

— Значит, у тебя тоже пусто, — вздохнул он с таким отчаянием, что пробудил во мне давно забытые чувства: жалость и сострадание. — Говорю, начальство озверело. А у нас голяк. Абсолютный. Ищем Сашу с Валерой на «Жигулях».

— Ты лучше Вадима поспрашивай, того, что начальником охраны у моста служит.

— А я что делал, по-твоему? У меня самого от расспросов башка пухнет, и хоть бы на миллиметр продвинулись. Говорят, ты умная. Давай идею.

— Врут.

— Все равно давай, надо как-то с мертвой точки сдвинуться.

— Елизарова не случайно вблизи моста оказалась, там, где отирались два подозрительных типа: один со стройки, а другой из ночного клуба. Кстати, из того

самого, где якобы играл в карты Кондаревский. Алиби-
то липовое...

— Хочешь сказать, парни поехали к мосту, чтобы
избавиться от трупа?

— Хочу.

— Вилами на воде.

— А ты от меня чего ждал? Протоколов с призна-
ниями?

— Да не в этом дело... — поморщился Артем. — Мужики все богатые, я имею в виду его приятелей. Это ж
сколько он им должен отвалить? Нормальный человек
и за большие деньги на такое не подпишется, а здесь
своих денег куры не клюют.

— Значит, было что-то помимо денег.

— Все-таки трудно в это поверить. Они же понима-
ли, что мы будем проверять...

— По моим сведениям, Кондаревский сидит в клубе
чуть ли не каждую ночь. С уверенностью никто из пер-
сонала через неделю не ответит, был он там тринадцатого или нет. А друзья охотно подтвердили в силу разных соображений: был. Если нажмешь на них, уверенности в них поубавится. Возможно, даже выяснится,
что они что-то напутали. Такое случается сплошь и
рядом. Кстати, Кондаревского с дружками зачем-то
фотографировал Александров.

— Вот только Александрова мне и не хватает, — невежливо перебил Артем. — Не до него сейчас, понимаешь?

— А если это как-то связано? — не унималась я.

— Как связано? Пузырьком с но-шпой? Не смеши,
ради Христа. Знаешь, сколько людей в стране ежедневно принимают эту самую но-шпу?

— Некие граждане, — напомнила я, — подтверждают алиби Кондаревского, и они же запечатлены на плен-

ке, которую искали у Александрова. Его предполагаемый убийца принимал но-шпу и один из парней, которые увезли Юлю...

— Все я помню, — вздохнул Артем. — Но хоть убей не могу понять, с какой стати ты связываешь смерть проститутки с теми тремя трупами. Если б одни бабы, куда ни шло, но...

— Вот когда как следует прижмешь Кондаревского, то очень может быть сможешь узнать, почему бабы не одни, а в компании, — разозлилась я.

Следующий день не принес ничего нового, хотя я усердно обивала чужие пороги. К вечеру объявился Дед и на манер Вешнякова спросил:

— Что там с убийствами?

«Как будто ему ежедневно не докладывали».

— Работаем, — лаконично ответила я.

— Работнички, — фыркнул Дед. Я ожидала услышать нечто нелицеприятное в свой адрес, раз уж я вновь на боевом посту, но Дед неожиданно замолчал, вздохнул, посмотрел на меня с печалью и произнес: — Нельзя, чтобы дело осталось нераскрытым. Представь, какое мнение об области и нашей работе в целом... Почему до сих пор никого не арестовали?

— Прикажешь людей на улице хватать? — все-таки съязвила я. — Каждого третьего?

Дед поморщился:

— Ты же поняла, что я имею в виду. Неужели ни одного подозреваемого?

— Кое-что вырисовывается. Но до ареста пока далековато.

Против обыкновения, Дед ничего выспрашивать не

стал и вскоре, к моему величайшему облегчению, отбыл.

Наутро я позвонила Вешнякову. Он был очень занят и говорить со мной не пожелал. Ближе к обеду позвонил сам.

— Чем порадуешь? — бодро осведомилась я.

— Дулей с маслом.

— Неужто пустышку тянем?

— Кондаревский утверждает, что в ночь убийства был в клубе, машину оставил на стоянке напротив. Стоянка не охраняемая, хотя швейцар приглядывает за машинами, если сигнализация включается. А так как стоянка не охраняемая, то и документации никакой. Не проверишь. Руслан Сергеевич очень сомневается, что его машину могли видеть возле коттеджа, потому что он там не был с двадцать пятого августа, когда в последний раз привозил туда покупателей. Когда я начал настаивать, сказал, что если не привиделось, то, значит, кто-то его тачку со стоянки угнал, а потом вернул назад. Нервничает, но на своем стоит твердо.

— А дружки?

— Дружки враз разбежались. Кто в командировке, кто в отпуске, а один даже в больнице.

— Это который?

— Ковтан, естественно. Сердце у него больное.

— Может, и вправду больное, — вздохнула я.

— Вот и я о том же, — пригорюнился Артем. — Дубников, владелец ночного клуба, говорит, что ночью Кондаревский точно был в клубе, но отлучался он куда или нет, утверждать не берется, потому что сам играл часов до двух. Тогда Кондаревского там еще не было. А потом Дубников за стол уже не садился, но к игрокам заглядывал много раз, Кондаревский был за столом.

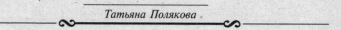

— Первая ласточка, — буркнула я.

— Ты думаешь?

— Дожимай сукиного сына. Кстати, как там бабули, показания дали?

— Честь по чести. Одна тебе привет передает.

— Ну, так бери его под стражу.

— Легко сказать. Бабки видели в ночь убийства не его, а машину. Кроме их показаний, у нас вообще ничего. Не мне тебе объяснять...

То, что для ареста Кондаревского понадобится нечто посерьезнее показаний Софьи Ивановны и ее приятельницы, было мне доподлинно известно. Человек он богатый, со связями, а значит, Артему придется вести себя крайне осторожно, не допуская ошибок. Артем попробовал разыскать машину, которая подъезжала к дому Кондаревского в ночь убийства. Если и была машина, то точно не такси. Да и на месте Кондаревского неосмотрительно вызывать машину, когда прячешь в доме труп. В том, что он его прятал, я была почти уверена. Вешняков хмурился, но уже не возражал.

На третий день выяснилось, что арестовывать Кондаревского не придется по весьма банальной причине: проделать это с покойником весьма затруднительно. В половине третьего мне позвонил Артем и огорошил новостью.

— Кондаревский погиб.

— Что значит погиб? — возмутилась я.

— То и значит. Сбила машина возле собственного дома. Переходил человек через дорогу и попал под колеса.

— Водитель с места происшествия, конечно, скрылся?

— Скрылся.

— И свидетелей нет.

— Сколько угодно. Только толку от них ни на грош. Марку машины и то называют по-разному. Свидетели — дети, там школа недалеко, вот они и топали домой после первой смены.

— Скажи, это похоже на убийство? — не утерпела я.

— Не знаю. Могли подстроить, а могло и просто не повезти. Сколько народу под колесами гибнет. Загляни в сводки...

— Мне и без сводок тошно. Давай-ка встретимся, я Лялину позвоню.

Лялин приехал раньше всех и ждал нас в кафе. Артем выглядел совершенно несчастным, и даже пиво не смогло примирить его с жизнью.

— Не дадут весной подполковника, — заныл он, — к тебе уйду. — К тебе, то есть к Лялину, само собой. Тот лишь презрительно усмехнулся, мол, зареклась свинья не хрюкать. Артем разозлился на такое недоверие и сердито добавил: — Вот ей-богу уйду, наплюю на все и уйду. И жена довольна будет. Ну, что надумала? — без перехода спросил он. Однако первым заговорил Лялин.

— Кондаревского убили. В несчастный случай я не верю. — Я согласно кивнула, и Артем вслед за мной кивнул тоже.

— Не так давно, — продолжил Олег, — пытались разделаться с Ольгой. Мы искали причину. Теперь, после смерти Кондаревского, она очевидна: как раз он и есть причина, точнее, неуемный интерес к нему Ольги. Хотя заинтересоваться им должны были менты, но по лености глубоко копать они не стали. Алиби есть — и гуляй, дядя.

Артем поморщился, но промолчал.

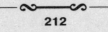

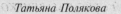
— Некто решил, что Ольга опасна, и попытался от нее избавиться. Но не удалось, бывает.

— Зато Ольге повезло, — не удержался Артем.

— Точно. Ольга ставит под сомнение алиби Кондаревского, и тут же появляется труп. Вопрос: кому это нужно?

— Дяденька, а полегче вопросика нет? — съязвил Артем.

— Полегче — специально для тупых, но ты-то у нас умный.

— Наверное, не очень, — продолжил злиться Вешняков.

— Допустим, Кондаревский убил проститутку, допустим, его испугал интерес Ольги и он даже нанял человека, чтобы разделаться с ней. Но кому понадобилось убивать его? — развел руками Олег.

— Спасая свою честь, он таким образом свел счеты с жизнью, — хмыкнула я.

— Если человек виновен в убийстве проститутки, — не обращая на мою реплику внимания, продолжил Олег, — с какой стати кому-то лишать его жизни? Его дела, ему и отвечать. Еще вопрос сядет ли он, деньги есть, а с ними найдет такого адвоката, что тот его святым сделает. Еще раз посягать на жизнь нашей Ольги не стали, кто-то предпочел избавиться от дяди. Почему?

— Потому что, когда они пытались разобраться с ней, она была просто Ольгой Рязанцевой, — развеселился Артем, — а теперь она в штате Деда, то есть связываться с ней себе дороже.

— Точно. Вот и пожертвовали Кондаревским. Значит, кому-то непереносима мысль, что тот может оказаться под арестом.

— Где ему умело развяжут язык, — добавила я.

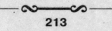

— И он сразу скажет то, чего говорить не должен, — закончил Артем. — Вопрос на засыпку. Что скажет?

— Что-то очень интересное. Что-то такое, из-за чего его стоит убить, по мнению некоторых.

— Политикой он не занимался, — с заметным облегчением сказал Артем. — Дел никаких не вел, жил на то, что приносила аренда. Доходы — ого-го. Детей нет, близких родственников, падких до наследства, тоже, жена — почти монахиня. Встречный вопрос: за что убивать сироту?

— Один из тех, кто любил перекинуться с ним в картишки, Ковтан. Я не говорю, что он лично трупы в опору моста уложил, но вполне мог... — кашлянув, сказала я.

— Фантазиями не увлекаемся, но очень тщательно проверим всех его друзей. Что-то должно быть.

— Проверим, — вздохнул Артем. — Ребята, мне с этими трупами решать надо. Совершенно задолбали и вообще...

— Трупы? — усмехнулся Олег.

— Да иди ты, — обиделся Артем.

— Со своей стороны сделаю все возможное, — заявил Лялин, поднимаясь.

— С чего такая милость? — насторожилась я.

— А мне не нравится, когда пытаются убить моих друзей, — серьезно ответил он.

В том, что Лялин раскопает всю подноготную близкого окружения Кондаревского, я ничуть не сомневалась. Вешняков искал парней на «Жигулях», увезших девчонок от Горбатого моста, Олег рылся в чужом белье, а я вроде бы осталась не у дел, потому что мои размышления делом никак не назовешь. Закинув руки за голову, я таращилась в стену, пока не пришла к выводу, что если мы найдем убийцу или убийц Кондаревского,

то сумеем распутать весь клубок. Вешняков злился, потому что связи между убийством проститутки и трупами в опоре моста не видел, начальство его в гроб вгоняло и он не ел, не спал, а только голову ломал, но, как и я, без особого толка. Такое впечатление, что Саша с Валерой появились на «Жигулях» в городе один раз и тут же исчезли. Никто ничего о них не знал. Это само по себе было довольно подозрительно.

Так как особого выбора у меня не было, я остановилась на приятелях Кондаревского, подтвердивших его алиби. Господа Дубников, владелец ночного клуба, юрист Рылов, Ковтан, тот самый, что отвечал за ремонт Никитского моста, и Синявин, бывший врач, а ныне бизнесмен. Все четверо красовались на фотографиях, которые я утаила от ментов. И Артем еще ворчит, что я ерундой занимаюсь. Ничего подобного, таких совпадений не бывает: погибает парень, у него фотоаппарат с пленкой, на которой добропорядочные граждане нашего города, потом те же самые граждане подтверждают алиби Кондаревского, скорее всего липовое, и вскоре сам Кондаревский отдает богу душу. Эти вещи, безусловно, как-то связаны между собой. Поразмышляв еще немного, я поехала к Вешнякову.

Он мне совсем не обрадовался и даже буркнул что-то насчет занятости, но я не стала его слушать, устроилась на стуле и в очередной раз, изложив свои доводы, сказала:

— Надо найти парнишку, что был с Александровым той ночью, когда я их подвозила.

— Зачем? — нахмурился Артем.

— Затем, что ему должно быть что-то известно об этих фотографиях.

— С какой стати?

— Они же друзья и оба были явно чем-то напуганы...

— Слушай, только не говори, что ты хочешь найти убийцу этого Александрова. Мы даже не уверены, что его убили. А у меня три трупа и каждый день начальство теребит.

— Дружка Александрова надо найти, — не слушая его, повторила я.

— Вот ты и займись, — разозлился он. — У меня своих дел по горло.

Спорить я не стала, вспомнила, что я теперь человек государев и могу воспользоваться кое-какими преимуществами, которые это положение дает. Не мудрствуя лукаво, я позвонила Деду. Тот вопросов задавать не стал, только буркнул «хорошо», и зеленый свет был мне обеспечен. От Вешнякова я поехала к Глаголеву, который не так давно занимался убийством Александрова. Точнее — несчастным случаем, раз убийством он это не считал. По дороге я то и дело таращилась в окно, пытаясь обнаружить ребят Лялина, которые, по его словам, приглядывали за мной, никого не обнаружила и по этой причине зауважала их еще больше.

Лялин, кстати, к моему упорному желанию «смешать три разных дела в одну кучу», по выражению Артема, отнесся с интересом и даже пару раз кивнул, когда я излагала все это, так что теплилась во мне некоторая уверенность, что интуиция куда-нибудь да выведет меня.

Кирилла Алексеевича я застала в его кабинете. Он выглядел утомленным, слегка взвинченным и первым делом сообщил мне, что собирается в отпуск. Я порадовалась за него, он кивнул на стул, предложив:

— Присаживайтесь. — И даже не спросил, с какой стати я к нему явилась. Из этого я сделала заключение:

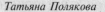

мой звонок Деду уже принес плоды, то есть, пока я сюда добиралась, Дед позвонил кому следует, а тот, соответственно, донес до сознания Глаголева мысль о том, что мне надо оказывать всяческое содействие. Впрочем, донести до сознания одно дело, а вот возникнет ли у Кирилла Алексеевича такое желание, еще вопрос. К тому же у него вполне может иметься свой интерес вставлять мне палки в колеса. Одно хорошо, не надо тратить время на объяснения.

— Значит, вы опять на боевом коне, так сказать, — не удержался он.

Я кивнула:

— Опять.

— Что ж, дело хорошее. Итак, чем могу помочь?

— Помните, гибель паренька...

— На Рабочей? — Он усмехнулся. — А вы настырная. Неужто вам больше нечем себя занять?

— Мне нужны сведения о его родственниках, друзьях, интересах. Словом, мне хотелось бы знать о нем все.

— Зачем вам это? Я задаю вопрос не праздный, вы же понимаете, люди будут тратить время и силы, а дел у нас, можете мне поверить...

— Вы мне тоже поверьте: и у меня отнюдь не праздное любопытство.

Он внимательно посмотрел и кивнул:

— Хорошо. Постараюсь в ближайшие два дня...

— Лучше завтра, — перебила я невежливо.

— Хорошо, завтра, — сделав паузу, согласился он.

Не успела я выйти на улицу, как зазвонил мобильный. Женский голос звучал так, что узнать его было при всем желании невозможно.

— Ольга Сергеевна, — взахлеб взывал кто-то. — Ради бога, приезжайте... — Мы бы, наверное, беседовали еще довольно долго, выясняя, куда и за каким чертом я должна приехать, но тут она сказала: — Катя хотела убить себя.

— Ирина, это вы? — спросила я, сообразив, что разговариваю с мачехой Кати Савельевой.

— Да-да, приезжайте.

Я поехала, хотя если девочка и впрямь собиралась лишить себя жизни, то обращаться надо к врачу, но никак не ко мне. Впрочем, женщина в таком состоянии, что позвонить могла первому, кто пришел в голову.

Я подъехала к подъезду и увидела Светлану Коршунову. Она появилась из-за ближайших кустов, бросила недокуренную сигарету и направилась ко мне. Трудно предположить, что поджидала она меня, но именно об этом я и подумала.

— Здравствуйте, — сказала она, быстро оглянулась и вздохнула: — Значит, ее предки вам позвонили?

— Похоже, о том, что произошло, вы уже знаете? — задала я встречный вопрос.

— Угу. Звонила ей с утра, там как раз врачиха была. Катька себе вены перерезала, на руках и на ногах. Никогда бы не подумала, что смелости хватит, считала, брешет...

— Она что же, рассказывала вам о своих намерениях? — нахмурилась я.

— Мне неприятности ни к чему, — торопливо заговорила девушка. — Папаша сегодня грозился к бабке в деревню отправить и вообще...

— Садитесь в машину, — предложила я, она покорно села.

— Можно закурить?

— Курите.

Закурив и немного помолчав, уставившись в окно, Света наконец произнесла:

— Парни эти... Ну, что увезли их тогда, Катьку, конечно, трахнули. Не один раз и по-всякому. Сволочи, одним словом. И пригрозили, что, если она кому скажет хоть слово, убьют. Я ей тоже молчать советовала, Юлька-то ведь исчезла... С этими парнями шутки плохи. Менты бы их все равно не нашли, а башку они запросто могли оторвать. Да и предки, то да се... лишние базары ни к чему. Что вы так смотрите? Думаете, я не права?

— Значит, ее припугнули и Катя молчала. А чего это она надумала вены резать?

— Сифилис у нее, — выпалила Света и отвернулась. — Я ее к врачу водила, у меня знакомый есть. Мачеха ее все к гинекологу уговаривала пойти, хитро так выспрашивала, что случилось и прочее, но Катька ни в какую. А тут забеспокоилась, что-то не так. Я ей и предложила, чтоб все по тихой. Поехали, и тут такой подарок. Кто-то из этих подонков сифилитиком оказался. Она, конечно, в истерику. Я-то думала, поорет и успокоится, ничего хорошего, конечно, в этой заразе нет, но ведь сифилис лечат, правда? Можно вылечиться, а этих гадов из головы выбросить. А она вены резать принялась... вот дура. Меня к ней вряд ли пустят, вы ей передайте, что... ну, чтобы дурака не валяла и вообще... меня в это дело впутывать нечего. Меня с ними не было, а что я молчать ей советовала, так это потому, что за ее жизнь боялась. Ведь Юльку убили и ее запросто могли.

— Передам, — кивнула я, — а сейчас извини, мне пора.

Света покинула машину, я подумала и достала диктофон из «бардачка». Очень может быть, что пригодится.

Я направилась к подъезду, а Света вернулась в свое укрытие, значит, все же переживает за подругу, а не только за то, что папаша, прогневавшись, отправит ее в ссылку.

Ирина ждала меня возле двери. Не знаю, в каком состоянии была девочка, а вот мачехе врач просто необходим.

— Мужа увезли в больницу, — заикаясь, сообщила она. — Утром, когда все это случилось. Сердечный приступ. Катю он в больницу отправлять запретил, она не хотела, плакала. Ее здесь оставили, муж просил посидеть с ней. Я в туалет отлучилась, а она бинты с рук сорвала. Господи, что мне делать? Если ее отправят в психушку, он мне никогда не простит. А мне с ней не справиться.

— Вы успокойтесь, — как можно мягче попросила я. — И расскажите все по порядку.

— По порядку... Ага... Катя вроде бы успокоилась. Конечно, нас милиция замучила, особенно когда Юлю нашли, но муж настоял, чтобы нервную систему ребенка щадили. Вы знаете, мне показалось, она успокоилась. Конечно, Юлю жалела, но сама вызвалась в школу идти, отцу сказала, что больше у нас с ней проблем не будет. Я поверила... Такой ужас с Юлей, они же подруги... Катя не глупая, понимает, что во многом Юля сама виновата, то есть я не хочу сказать... ох, господи... одним словом, мы были уверены, что это для нее хороший урок и она действительно... Вчера вечером она была сама не своя. Какая-то задумчивая, нас вроде бы и не слышит. Отец пробовал с ней заговорить, а она: го-

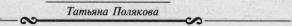
лова болит. А утром... утром она пошла в ванную и вскрыла себе вены.

— Крови много потеряла? — спросила я.

— Слава богу, нет. Она испугалась, закричала, сама дверь открыла. Мы проснулись... у мужа сердечный приступ, я... я едва с ума не сошла. — Она положила руку на живот и вздохнула. — Стараюсь держать себя в руках, но не получается. Боюсь за маленького...

— Что она испугалась, это хорошо. Но попытку, вы говорите, все же повторила?

— У нее была истерика. Катя сорвала бинты, кричала, что все равно жить не будет. Вот я вам и позвонила. Просто не знала кому. А вы... вы в курсе наших проблем... Может быть, скажете, что нам делать?

— Я бы хотела поговорить с Катей, — вздохнула я.

— Вряд ли это возможно...

— Я все-таки попробую. — И, не дожидаясь возражений, направилась в комнату Кати.

Мне показалось, что она спит, глаза закрыты, дышит тихо и ровно, я пристроилась в кресле, стараясь не шуметь и не потревожить ее, но тут Катя открыла глаза.

— Это вы? — спросила она испуганно.

— Как видишь, — не стала я спорить.

— Вы зачем пришли?

— Поговорить.

— О чем?

— И о тебе тоже. Ты можешь продолжать жалеть себя, портить жизнь отцу и гнить заживо. А можешь сделать по-настоящему доброе дело. Помочь найти тех парней. Для этого надо не побояться и рассказать правду.

— Вы откуда узнали? — забеспокоилась она. — Вы ведь не просто так сказали? Мачеха как-то узнала? И отец знает?

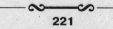

— Нет. Но рассказать им надо. Чтобы они тебе помогли. От того, что ты молчишь, ничего не изменится, в хорошую сторону уж точно.

— Это... это правда лечится?

— Я не врач. Но думаю, что безнадежные ситуации бывают редко, а твоя совсем не безнадежна. Так что давай думать о будущем. И чем меньше в нем будет всяких подонков, тем лучше для всех. Понимаешь, о чем я?

— Понимаю.

— И по-прежнему начнешь утверждать, что ничего не помнишь?

— Они же убьют меня, — сказала она тихо. Логики в ее словах ни на грош, потому что бояться странно, коли уж она сама намеревалась покончить с собой. Но передо мной был несчастный ребенок, и о логике я забыла.

— Никто тебя не убьет. Юля погибла потому, что помочь ей было некому, так уж сложилось. А за твоей спиной милиция, семья, я, в конце концов. Рассказывай. Все, что можешь вспомнить. — Я незаметно включила диктофон, впрочем, вряд ли Катя что-то видела вокруг.

— Я... — жалобно начала она. — Вы только отцу не говорите. У него сердце больное. — Мне опять хотелось возразить, что об этом надо было думать раньше, но я смолчала, и девочка, покусав губы, продолжила: — Мы с Юлей пошли к Горбатому мосту... только не спрашивайте зачем. Пошли, и все. Там всегда народ, весело. Хотели пройтись по парку. А что? Это ведь не запрещено, верно? А на входе к нам тетка привязалась, здоровенная такая. И стала нас гнать, Юля ей ответила, грубо, конечно, а та ее ударила. С такой теткой разве справишься... Мы ушли, но здорово разозлились. Почему это мы не можем гулять там, где нам хочется? — Чувст-

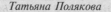

вовалось, что она тянет время, боясь перейти к главному. Я решила быть терпеливой и согласно кивала. — Ну, вот, мы пошли, и вдруг эти, на «Жигулях». Предложили прокатиться, мы согласились. Что в этом плохого? Потом предложили выпить. Я вам правду рассказывала, я как выпила, так сразу и вырубилась. А когда очнулась, оказалось, что я в каком-то подвале.

Она невидящим взглядом уставилась в стену напротив и опять замолчала. Ее начало трясти, пальцы сжимались в кулак, потом она зябко поежилась, перевела взгляд на меня.

— В подвале? — переспросила я, боясь, что у нее начнется истерика.

Она кивнула:

— Там окон не было.

— Подожди. Там не было окон, и ты решила, что находишься в подвале?

— А где же еще?

— Комната без окон еще не значит подвал. Постарайся вспомнить, как это место выглядело?

— Ну... просто комната, дверь железная. Окрашенные стены, кажется синие, в углу какие-то коробки. Я лежала на диване, старый такой диван, грязный. Мне стало плохо, меня вырвало, было очень стыдно, а еще страшно, потому что я ничего не понимала. Я подошла к двери и стала стучать. Очень долго никто не открывал, потом дверь открылась и вошел Саша, который мне водку наливал. Он очень разозлился, когда увидел, что меня вырвало, обозвал свиньей. Я стала проситься домой. Он меня толкнул и сказал: «Заглохни», я заплакала и спросила, где Юля. Он ушел. Вернулся с ведром и тряпкой, велел мне все убрать. Я не хотела, но он меня заставил, руку мне больно вывернул. Я стала убирать, и меня опять вырвало, а он начал меня бить, даже ногой пнул. Я закричала, а он пригрозил, что язык мне вырвет, и ушел. Я сидела и плакала и ничего не могла понять. Страшно очень было. Потом они вдвоем пришли, с Валерой. Вошли и смотрят, а Саша говорит: «Видишь, эта дрянь все здесь облевала. Толку от нее не будет». Он сказал, что я вонючка. Так и сказал. А Валера засмеялся. «Да, — говорит, — товарец никудышный. Она ни на что не годится». И стали смеяться. А потом... потом этот Валера подошел и стянул с меня кофту, ухватил за грудь и стал тискать, и говорит: «Чего добру пропадать?» А Саша в ответ: «До нее дотронуться противно». Тот засмеялся: «Ну, не скажи». И он... он... — Она закрыла лицо руками. Она не плакала, а судорожно тряслась. — Они делали со мной ужасные вещи. Я даже не знала, что люди бывают такими... что так можно... Я кричала, а они смеялись. Сначала этот Валера издевался надо мной, а Саша курил и смотрел, потом он тоже... Я не хочу об этом вспоминать.

— Я понимаю, — сказала я как можно мягче.

— Ничего вы не понимаете, — отчаянно крикнула она. — Вы не знаете, что они со мной делали. И все время смеялись, обзывали свиньей и вонючкой, а я... я плакала, боялась, что убьют... — Она дышала тяжело, с хрипом, я протянула ей воды, она жадно выпила и вернула мне стакан.

— Как ты оттуда выбралась? — спросила я.

— Они пришли... Я подумала, что, если они опять начнут, я вырвусь и разобью себе голову о стену. Я бы смогла, честно. Я тогда хотела умереть. И сегодня хотела, но испугалась. Но они... они были какие-то напуганные или нервничали очень. Саша подошел и сказал: «Слушай, пигалица, если ты кому-нибудь про нас пикнешь, мы тебя собакам скормим. По частям. И смотреть заставим, как собаки будут грызть твои титьки».

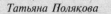

Они бы так и сделали, я знаю. «Сдохнешь в страшных мучениях и никакой папа тебя не спасет». А потом натянули мне на голову мешок и повели куда-то. Там лестница была, я споткнулась и упала, поэтому и подумала, что мы в подвале. Потом меня в машину посадили, и мы поехали. Я не верила, что они отпустят меня. Мешок сняли и вытолкали меня из машины, на площади. Сами уехали.

— Ты на номер машины внимания не обратила?

— Нет. Я... я не верила, что меня отпустили, и вообще... ничего не соображала. Стояла и не знала, что делать. Тут этот дядька на такси чуть не сбил меня. Сначала наорал, потом домой отвез.

— О Юле они ничего не говорили?

— Нет. Я думала, может, она сбежала, ну, из машины, пока нас в этот подвал везли. Позвонила ей... Когда она в школу не пришла, я... Я поняла: они ее убили. Я не знала, что делать. Светке все рассказала, Коршуновой. Она велела молчать, потому что парни эти — бандиты и обязательно убьют, раз обещали. Юле все равно не поможешь. Она сказала, что в милицию соваться бестолку. Мы с парнями сами поехали, пьяные были, скажут, что сами и виноваты. Только заставят все это рассказывать, весь город узнает. Что мне теперь делать, что? — всхлипнула она.

— Жить, — вздохнула я. — У тебя есть папа и тетя Ира, которые тебя любят. Если ты не захочешь жить, им будет очень плохо. Я знаю, как глупо это звучит, но на самом деле все забывается, так уж устроена жизнь. Пройдет время, и ты успокоишься. Тут просто надо потерпеть. Ты жива, и это главное. Честное слово. — Я злилась на себя, потому что не знала, что и как ей сказать, никакие слова тут не помогут. Легко уговаривать потерпеть. Как, если перед глазами эти подонки и жизнь уже исковеркана, по-настоящему не успев начаться. Но жить-то надо. И сказать что-то надо, вот я и сказала.

— Мне придется все это в милиции повторять? — жалобно спросила она. — Дядькам?

— Надеюсь, что нет. Может быть позже, когда ты немного успокоишься. Тебе надо рассказать тете Ире о своей болезни. Без родителей ты не справишься. Они тебя любят и обязательно помогут.

— Я не могу... Лучше вы, ладно?

— Хорошо.

Я поднялась и направилась к двери. Ирина ждала меня в холле, взгляд у нее был затравленный, рука на животе, точно она искала защиты в той новой жизни, что была в ней. Я мысленно чертыхнулась, думая о том, что придется сказать ей.

— Ну что? — спросила она с мукой.

— Девочке понадобится психолог. И врач. Одну ее оставлять нельзя. Наймите сиделку. Она должна быть под присмотром.

— Да... конечно. Но что она вам рассказала?

Проще было дать ей прослушать запись, но, учитывая ее положение, это далеко не лучший выход.

— Ее изнасиловали. К тому же заразили сифилисом. — Женщина качнулась, я испугалась, что она рухнет в обморок, но она лишь издала слабый стон.

— Боже мой...

— Вам необходимо будет написать заявление, если вы решите...

— Если мы решим? — перебила она. — Что значит, если мы решим? Вы предлагаете оставить это злодейство безнаказанным?

— Я предлагаю пожалеть ребенка. А безнаказанным злодейство не останется. Они не только насильники, но скорее всего и убийцы. В любом случае решать вам.

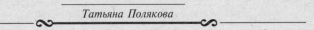

Я торопливо простилась. Стоило мне покинуть подъезд, как появилась Света.

— Поговорили? — спросила она тихо. — Она вам все рассказала? — Я молча кивнула, она по-детски потерла нос. — Как вы думаете, меня к ней пустят?

— Думаю, она нуждается в друзьях.

— Эта Ирина вроде ничего, хоть Катька ее и не жалует. Пойду попробую. — Она махнула мне рукой и пошла к двери. Я же поехала к Вешнякову.

Сказать, что на душе у меня было скверно, значит, здорово приукрасить действительность. Видно, что-то такое отразилось на моей физиономии, потому что Артем, против обыкновения, обошелся без шуточек и сразу спросил:

— Скверные новости?

Я включила диктофон и вышла из кабинета, слушать все это второй раз у меня не было сил. Я стояла у окна и грызла мундштук, Артем приоткрыл дверь и буркнул:

— Заходи.

Я вошла, села, и мы немного помолчали.

— Да-а, — наконец протянул он, — подходящая история для воспитания подрастающего поколения. Или для газеты «Криминал». Чего ты злишься? Я пытаюсь разрядить обстановку.

— Плохо получается.

— Знаю. Ладно, оставим эмоции и подумаем. Предположим, все это правда. Девчонке не привиделось в кошмаре...

— Сифилис точно не привиделся.

— Черт... на меня-то чего ты злишься? Я бы этих ублюдков... с души воротит. Хочешь водки, у меня есть.

— Не хочу. Излагай дальше.

— Была ли Юля в этом подвале, то есть где-то по соседству или нет, вопрос открытый. Предположим, что была. Парни отлучались, и очень возможно, что в это время занимались ею. Так вот, почему одна девочка погибла, а другую они отпустили?

— Увлеклись своими дикими играми и немного не рассчитали. Девочку задушили... Возможно, такой цели у них не было и это получилось как-то... случайно. — Слово я нашла дурацкое и поморщилась.

— Значит, два придурка решили поразвлечься, подобрали девчонок, одну задушили, другую запугали... Чепуха, — сказал Артем.

— Что? — нахмурилась я.

— Все.

— По-твоему, она фантазирует?

— Нет, конечно. Не забывай, в опоре моста три трупа. Девушка и два парня, забитые до смерти. Маньяки у нас какие-то разносторонние получаются.

— Почему бы и нет? Садистам все равно, над кем измываться, над мужчиной, над женщиной. Подожди, Саша заявил, что ее использовать нельзя, злился, что ей стало плохо. Что он имел в виду?

— Хрен его знает. Привозят девчонок, комната без окон, дверь заперта, деваться им некуда, отчего бы не поразвлекаться с обеими? Но их зачем-то разделили. Возможно, в целях собственной безопасности с одной справиться легче, чем с двумя. — Артем откинулся на спинку стула.

— Но, принимая во внимание эту фразу... Они привезли девчонок, намереваясь их как-то использовать, но Кате стало плохо. Парень обозвал ее свиньей и очень разозлился. Использовать ее, с его точки зрения, в таком виде было нельзя...

— И чтоб не пропадать добру, они не побрезговали и использовали ее сами.

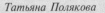

— Отсюда вывод: парни там были не одни и девчонок привезли для чего-то или для кого-то. — Артем кивнул, соглашаясь. — И этот кто-то не любил оставлять за собой трупы, предпочитая укладывать их в опоры моста.

— Как намеревались использовать девочек, можно лишь гадать, — заметил Вешняков. — Зацепки по-прежнему ни одной, кроме подвала, где в углу лежат какие-то ящики.

Мы замолчали, невесело размышляя.

— Артем, — прервала я молчание, — они не собирались их убивать. Иначе бы Катю не отпустили. Юля сопротивлялась, или произошло еще что-то и им пришлось это сделать.

— А трупы парней?

— Да погоди ты с парнями. Девчонку не собирались убивать, и это дает нам шанс.

— Какой? — не понял он.

— Вполне возможно, подобное они проделывали не раз. И другие их жертвы живы. Они сильно запуганы, поэтому молчат, но они живы.

— И как мы их найдем?

— Я говорила, что есть шанс, но не обещала ответить на твои вопросы, — развела я руками. — Парни появились у Горбатого моста. Они могли принять девчонок за проституток, по крайней мере сначала. Надо поговорить с девицами, работающими там...

Артем скривился:

— С каждой разговаривали, и не один раз.

— Возможно, они вспомнят клиента, любителя специфических удовольствий.

— Бесполезняк все это... Разве вот только сифилис... Может, парень где-то лечился? Сегодня же проверим.

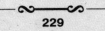

— Вряд ли он обращался к врачу официально. Скорее уж к тому, кто своих пациентов не регистрирует и лечит за большие бабки.

— С этими еще проще. Тряхнем, и все выложат, как миленькие.

— Очень может быть, что о своей болезни парень не знал. Трудно предположить, что он решил сделать другу такой подарок, развлекались-то они вместе. Разумеется, если не болеют на пару.

— Проверить стоит. А еще просмотреть все дела об изнасиловании, вдруг мелькнет что-то похожее.

— Ты обратил внимание на слова Кати? Когда парни вернулись, они были чем-то напуганы и сказали: «Никакой папа не поможет»?

— Хочешь сказать, Юля пригрозила им и сказала, кто ее отец? И тогда они перетрусили и убили ее? А что... похоже на правду. Потому и труп спрятали. Одно дело убийство, другое — человек пропал без вести. Катю они не опасались.

— Надо искать парней... Они как-то связаны с ремонтом моста, либо они там работали...

— Ясно, что связаны. Всех, кто там работает, уже в гроб вогнали допросами, и — ничего. А связи каждого не отследишь, там не один десяток людей. И Саша с Валерой в реальности могут быть Пашей с Дормидонтом. Вот если бы девчонка помогла составить фоторобот или хотя бы словесный портрет. Но сколько с ней ни бились, все без толку, она рыдает и работать не может. Теперь понятно почему. У нас по-прежнему ни одной зацепки, кроме этого сифилиса, черт бы его побрал.

— Ты поднял дела пропавших проституток? — спросила я.

— Нет никаких дел. Ушли и не вернулись. Вот, взгляни. — Он протянул мне две тонкие папки, я быстро просмотрела их и тяжко вздохнула:

— Невезуха.

— Это точно, — отозвался Вешняков.

От Вешнякова я отправилась к Деду, надо было отчитаться, раз уж я теперь в штате. Похвалиться было нечем, так хоть уважение проявлю. Дед, слушая меня, болезненно морщился. Помолчал, потом сурово изрек:

— Надо работать эффективнее.

— Есть идея, — кивнула я. — Допросить всех, кто занят на ремонте моста, с пристрастием. Можно рвать ногти или жечь каленым железом. Если не сам убийца сознается, то хотя бы тот, у кого здоровья не хватит терпеть.

— Прекрати болтать чепуху. Неужели ничего нельзя сделать?

— Почему нельзя? Можно. Все, что можно, мы делаем.

— Иди, — махнул рукой Дед. — Когда у тебя скверное настроение, ты становишься невыносимой.

Я поехала домой, сообразив, что ничего полезного сделать уже все равно не смогу. Я ужинала, когда позвонили в дверь. Открыв ее, я увидела молодого человека, сидевшего на корточках и разглядывающего видеокассету, которую он держал в руке. Он поднял голову и сказал:

— Привет. — Я узнала в нем одного из парней Лялина. Не дожидаясь, когда я начну задавать вопросы, он пояснил: — Только что здесь был паренек, разносчик пиццы. — Он протянул мне кассету. — Не возражаешь, если я войду?

— Заходи.

Я закрыла за ним дверь и направилась в гостиную.

— Подвоха я особо не жду, — сказал он мне в спину. — Скорее всего это действительно просто кассета.

«Скорее всего», — мысленно передразнила я, вставила кассету в видеомагнитофон и нажала кнопку. На экране возникло лицо Кондаревского, рот он приоткрыл, глаза закатил, дышал тяжело и двигался ритмично. Сообразить не трудно, человек занят важным делом, удовлетворяет чувство сексуального голода. Я нахмурилась, пытаясь понять, кому вздумалось со мной шутки шутить, тут камера чуть сдвинулась в сторону, и я увидела девушку, сначала лишь часть спины и затылок, она стояла на коленях, его руки были на ее шее, девушка вскрикнула и подняла голову, точно пыталась высвободиться из его рук. Я увидела лицо, не лицо, бледную маску с бессмысленным взглядом, рот ее был открыт, точно девушка беззвучно кричала. Это была Юля Якименко. А дальше все как в дрянном триллере. Кондаревский издал какой-то булькающий звук, рванул девушку на себя, глаза ее широко распахнулись, и в них на мгновение появилось осмысленное выражение. Потом девушка захрипела, попыталась перехватить его руки, упала лицом вниз, он навалился сверху, подпрыгнул, урча, точно кот, схвативший воробья, секунду спустя разжал руки и выпрямился. Девушка лежала неподвижно, кончик ее языка высунулся, глаза были открыты. Теперь в них была пустота.

— Ни хрена себе кино, — услышала я за спиной и резко обернулась, забыв о присутствии парня Лялина. — Или это не кино? Он ведь ее убил? Черт возьми, он ее убил.

— Да, и кто-то записал это на пленку.

— Звони ментам, а я позвоню Олегу, надо перехватить пацана, что развозил пиццу.

Найти парнишку проблем не составило, ребята Лялина свое дело знали. Тот, что наблюдал за моим домом (звали его Сергей), разумеется, обратил внимание на «Жигули» с надписью «Пицца на дом». Я в самом деле могла заказать пиццу, но он решил проверить, позвонил товарищу, сообщил номер машины, а сам направился к моему крыльцу. К тому моменту стало ясно: пиццей здесь и не пахнет, если уж разносчик не потрудился получить с меня деньги. Конечно, кто-то мог сделать мне сюрприз и заранее оплатил счет, но Сергей отвечал как раз за то, чтобы никаких сюрпризов не возникло.

Едва Лялин и Вешняков появились в моей квартире, как туда почти сразу же доставили разносчика. Это был парнишка лет двадцати, он здорово перепугался, но, увидев меня, чуть приободрился, может, узнал, а может, просто рассчитывал на женскую доброту.

— Я ничего не знаю, — с порога заявил он.

— Вот об этом и расскажи, — съязвил Лялин. Его ребята ушли, и мы остались вчетвером: парнишка, Лялин, Артем и я.

— Где кассету взял? — спросил Вешняков, сунув под нос парню свое удостоверение.

— Мужик дал. На Васильевском спуске. Там контора, как ее... фирма «Денс», я туда каждый день пиццу вожу, и тут он подходит...

— Кто он?

— Мужик.

— Как выглядел?

— Ну... лет тридцать, наверное. В очках, бейсболке... обычно выглядел... да что я, его разглядывал?

— Ладно, дальше рассказывай, — буркнул Вешняков.

— Ну, подошел и говорит: «Парень, надо кассету доставить одному чуваку, сюрприз». Адрес называет. Я хотел его послать, а он мне двести рублей. А чего? Для меня эти деньги не лишние. Я ее потряс, не тикает, кассета как кассета. Если человек попросил, почему не помочь? Что я такого сделал? Мне по дороге было...

— Успокойся, — поморщился Вешняков. Должно быть, у него опять болела башка, но язвить на тему, что с водкой надо быть осторожней, в этот раз мне не хотелось. — Сейчас прокатишься к нам, — сказал Артем. — Попробуем составить фоторобот.

— У меня еще шесть коробок, — заволновался паренек, но Артем был суров.

— Лучше помолчи, — попросил он душевно, и парень вскоре отправился выполнять свой гражданский долг, а мы остались втроем. Вешняков зло косился на кассету и тяжко вздыхал.

— Какие будут мнения? — дурашливо спросил Лялин, но тут же застыдился, вздохнул и заговорил серьезно: — Первое: им известно, что мои ребята приглядывают за Ольгой. Иначе разносчик пиццы не понадобился бы, вполне могли и сами подкинуть кассету. Второе и главное: мои ребята ни разу никого не засекли.

— Ты намекаешь, что мы имеем дело с профессионалами? — нахмурился Вешняков, Олег пожал плечами.

— Можно допустить мысль о том, что за Ольгой никто и не следил. Тебе что больше нравится?

— Меня сейчас кассета интересует, — вмешалась я. — Двое типов похищают девушек, с намерением «использовать» их, как один из них выразился...

— Парни привезли их специально для того, чтобы Кондаревский ломал им шеи? — сам себе не веря, спросил Артем.

— Возможно, он просто увлекся, — пожал плечами Лялин. — Сначала девочка, потом проститутка, которая тоже задушена.

— Теперь тебя не надо убеждать, что оба убийства связаны, — хмуро бросила я Вешнякову. — Милый добропорядочный дядя, который ловил кайф, когда мог придушить кого-то.

— Преступная группировка, во главе которой был Кондаревский? — начал размышлять вслух Артем. — Когда Кондаревского не стало, его сообщники решили нам помочь. Вот вам убийца, закрывайте дело и живите спокойно.

— Тут они, как всегда, перемудрили, — усмехнулся Лялин.

— Почему это? — насторожилась я, потому что вообще-то была согласна с Артемом.

— Допустим, их было трое, Кондаревский и два его подручных... как их там?

— Саша и Валера.

— Вот-вот. Понятно, что парни слыхом не слыхивали о морали и законодательство их особо не волнует. Кондаревский платит им большие деньги, а они помогают ему потакать своим страстишкам. Проститутку от Горбатого моста он увез сам, то есть скорее всего действовал в одиночку. В итоге убил ее и попытался избавиться от трупа. Сам пытался. Спрашивается, почему? Чего проще вызвать этих двух ублюдков и освободить себя от опасных хлопот.

— Ты хочешь сказать... Ты хочешь сказать, парни ему не подчинялись, то есть он не мог им приказывать? — нахмурился Артем.

— Или он по какой-то причине не хотел, чтоб они знали о случившемся. Сейчас нам пытаются внушить мысль, что убийства — дело рук Кондаревского. Кстати, очень похоже на правду. Человек он богатый и может многое себе позволить, парни работают за большие деньги, и все довольны. Кондаревский попадает в поле зрения милиции, и парни бьют тревогу. Особо крепким дядя не выглядел и под нажимом мог расколоться. Саша и Валера от него избавляются. Положим, девок они сами не убивали, но и за соучастие срок им мотать ни к чему. Все вроде гладко, если бы не кассета.

— Думаешь, Кондаревского кто-то снимал с целью шантажа? — спросил Артем. — Те же парни и могли снимать. Почему бы и нет? Кондаревский богат, и с таким компроматом на него они будут жить припеваючи. Тут уж не скажешь, у самих рыльце в пушку. Их грешки рядом с его почти что пустяки. К тому же Кондаревский и сам мог все заснять на пленку, чтобы потом любоваться и заново ловить кайф. Есть такие уроды.

— Тут ты прав, — кивнул Олег. — Только если парни мечтали о спокойной жизни, на кой черт присылать Ольге кассету? Смылись из города, отсиделись пару лет, вернулись назад, когда страсти улягутся, и спокойненько зажили себе на радость. А они кассету передают. Между прочим, рискуют. Почему до сих пор из города не убрались?

— Почему?

— Да потому, что хозяин решение принимает. Настоящий хозяин. А хозяину важно, чтобы мы подумали: круг замкнулся. Вот вам Кондаревский и вот вам Юля. Убийца благополучно скончался, и ловить нам некого, не считая соучастников, все тех же Сашу и Валеру. Их, я уверен, в городе давно нет. Так что если и имеет место преступная группировка, то народу там поболе будет.

— По-твоему, Кондаревский жертва? — хмыкнул Артем.

— Жертвой его назвать язык не поворачивается, но за всем этим стоит кто-то покруче. У него есть люди, и он наживает свои деньги, потакая чужим слабостям. Ищи среди сутенеров, только сутенеров не простых, —

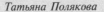

закончил Лялин и поспешно отвел от меня взгляд, а мне вдруг стало неуютно, сердце заныло, точно в нем сидела заноза.

— С этой кассетой можно всерьез взяться за Ковтана, — кивнул Артем. — Труп девочки обнаружен по месту его работы, Кондаревский его друг, раз вместе в карты играли, и Ковтан даже подтвердил его алиби, заведомо ложное. Вот пусть и объяснится.

— О трупе он мог и не знать, — заметил Олег. — Хотя поспрашивать не худо. Допустим, Ковтан просто пришел им в голову, когда возникла необходимость избавиться от трупа. Порядки на стройке им известны, вот и закатали трупы в цемент, его не спросясь. Кстати, липовое алиби лишь подтверждает мои слова о том, что за всем этим стоит человек очень серьезный. Кто-то же вынудил людей солгать.

— Мог и сам Кондаревский попросить, они же друзья, — заметила я, скорее из упрямства.

— Речь шла об убийстве. В этом случае люди лгут либо по принуждению, либо из выгоды. И не забывайте, у нас еще два трупа. Правда, есть надежда, что нам пришлют кассету, где Кондаревский хладнокровно забивает их до смерти, но я бы особо рассчитывать на это не стал. Кстати, как тебе у Деда работается? — усмехнулся Лялин. — Есть с чем поздравить?

— Не с чем, — нахмурилась я.

— Что так?

— У нас с Дедом договоренность — закончим с этим делом, и я уйду.

— Вона как...

— Отвали, а? — попросила я и продолжила мягче: — Говоришь, за все время твои парни никого не заметили? Может, и не было никаких профессионалов и за мной в самом деле никто не следил? Я полезла к Кондаревскому, и они попытались от меня избавиться. Но потом решили, что от него самого избавиться легче. Когда Кондаревский погиб, граждане успокоились. Нечто придает им уверенности, что без Кондаревского выйти на них невозможно. Олег, сними наблюдение за мной. У тебя контора частная, да не твоя... А ты в самом деле займись Ковтаном, — подумав, сказала я Артему.

— А ты помни, что у тебя за спиной никого нет, — буркнул Олег. — Это я на тот случай, если тебе очень захочется сунуть голову в пекло.

— Да я бы с удовольствием, — отмахнулась я. — Знать бы куда.

— Сейчас же осмотрим подвал в доме Кондаревского, — подал голос Артем.

— В подвале я была, ничегошеньки там нет интересного... если только он потайную комнату не устроил, до которой не так легко добраться.

— Значит, проверим все помещения, что принадлежат ему.

— Подожди, — внезапно озарило меня. — Что, если Кондаревский за помощью к Саше и Валере все же обращался, когда ему труп проститутки не удалось утопить? Они пришли на помощь, но им помешала влюбленная парочка.

— И Саша с Валерой — это на самом деле Зимин и Князев, два друга-охранника, которых засекла милиция? — закончил Артем.

— Почему бы и нет? — пожал плечами Лялин.

Оставшись одна, я долго бродила по гостиной, не обращая внимания на заинтересованные Сашкины взгляды. Конечно, Лялин, как всегда, прав. Кондаревский явно не та фигура, которая может стоять за всем этим. Тогда кто?

— Ох ты, господи, — вздохнула я и некстати вспомнила, как Тагаев утверждал, что серьезный человек возню с цементом устраивать не будет. Одно мнение с другим не вяжется.

На следующее утро я поехала к Деду, чтобы сообщить, что убийца Юли Якименко вроде бы найден, но наказан быть не может по той причине, что он сам труп. Дед, узнав о моем визите, велел ждать, пока он освободится.

— Может, я попозже загляну? — шепнула я Ритке, но она лишь покачала головой. — Что ж, сказано ждать, значит будем ждать.

Я устроилась в приемной под хмурыми взглядами трех пар глаз. Меня пригласили следующей, и взгляды мгновенно изменились, теперь в них читался интерес.

— Привет, — сказала я и покосилась на свои ноги, с опозданием сообразив, что я опять в джинсах. Пора себе записки писать, что Дед не терпит баб в джинсах, особливо на работе. А я теперь на работе. — Извини, что в таком виде...

— Хорошо хоть без Сашки, — милостиво отозвался он. — Ну что, есть новости? Надеюсь, все-таки есть, раз ты отрываешь меня от дел.

— Я могла бы отрапортовать по телефону, — пожала я плечами, — просто соскучилась. Мы давно не виделись.

Он взглянул на меня с недоверием, точно подозревал насмешку. Конечно, не зря подозревал. Стоило мне написать заявление, как Дед заметно посуровел ко мне. С его точки зрения это необходимо, раз уж теперь он мой работодатель. Я, напустив в глаза ласковой дури, спокойно выдержала его взгляд. Он поднялся, подошел и погладил меня по голове, сразив тем самым наповал. С Дедом никогда не знаешь, что он выкинет в следующий момент. Я сидела и ошарашенно хлопала глазами.

— Я тоже скучаю, — сказал он. — Просто боюсь показаться назойливым... не хочу тебя ни к чему принуждать.

Вот теперь сиди и гадай, что это: внезапная откровенность или очередная хитрость. Может, в самом деле так, а может, старый змей на жалость давит, готовя мне очередную пакость. Лучше б я свой язык придержала, не пришлось бы тогда мозги напрягать.

— Поужинаем вместе? — предложил он.

— Сегодня?

— У тебя другие планы?

— Планов никаких, дел по горло. Юлю Якименко убил Кондаревский. По крайней мере, такой вывод можно сделать, просмотрев кассету, которую мне вчера подбросили.

— Но Кондаревский погиб.

— Точно.

— А кассету кто прислал?

— Визитки он не оставил.

Дед вернулся на свое место, сел и спросил уже строже:

— А что ты думаешь по этому поводу?

— Имеет место преступная группировка, которая специализируется на секс-услугах.

— Да у нас этих секс-услуг на каждом шагу. Сейчас мы говорим об убийстве девочки...

— Услуга услуге рознь, — пожала я плечами.

— Черт... — выругался Дед. — Только этого еще не хватало.

Его недовольство могло относиться к тому факту, что дочь заместителя председателя Законодательного собрания замешана в подобной истории, но могла быть и еще причина. Рынок секс-услуг в нашем городе контролировал Дед. Точнее будет сказать, он имел с этого доход, а вот контролировал мой друг Тимур Тагаев, которого Дед именовал «удачливой шпаной» и при этом презрительно кривился. Открещиваться друг от друга они могли сколько угодно, но мне доподлинно известно, что трудились оба, как говорится, рука об руку. Теперь Дед прикидывает возможные последствия, и они ему не нравятся. Мне, кстати, тоже.

Он помолчал, затем вздохнул и, глядя на меня, заявил:

— Ну что ж. По крайней мере у нас есть убийца. Преступная группировка... этих типов надо найти, тех, что увезли девочек. Неужели это так трудно? Сейчас весь город на вас работает, а где результаты?

Я поднялась и сказала:

— Пойду искать.

— Как насчет ужина? — спросил Дед, когда я уже была у двери.

— Какой там ужин, — хмыкнула я и поспешила смыться. Я сделала Ритке ручкой и покинула приемную, пользуясь тем, что из-за посторонних она не рискнет приставать ко мне с вопросами.

Не успела я дойти до машины, как позвонил Вешняков, голос его звучал так страдальчески, что самой себе впору петлю накинуть от тоски и отчаяния за его загубленную жизнь.

— Приезжай, — сказал он и назвал адрес.

— А что там такого интересного? — задушевно спросила я.

— Мне не до шуточек. — И дал отбой. Конечно, я поехала. Точнее, помчалась на всех парах.

Улица Калинина находилась рядом с Речной, где некогда жил Кондаревский. Еще лет пять назад здесь были деревянные дома с резными наличниками, крылечками и сиренью под окнами, теперь, как и на улице рядом, по обе стороны дороги высились особняки, отделенные друг от друга мощными стенами из кирпича. Кованые решетки, калитки с домофонами и камеры видеонаблюдения. Возле дома, что имел на фасаде цифру «семь», виднелась вереница машин. Около калитки стоял милиционер и с интересом обозревал чужое богатство.

— Вешняков здесь? — спросила я.

— Ага. На первом этаже, как войдете — направо. Он вас ждет.

Дверь в дом была открыта, я услышала голоса, говорили одновременно сразу несколько человек. Навстречу вывернул неизменный Валера.

— Рад тебя видеть, — улыбнулся он.

— Совести хватает говорить такое, — отмахнулась я.

— Кто ж виноват, что мы всегда встречаемся возле трупов, — еще шире осклабился он. — Место встречи изменить нельзя. Я вроде вестника несчастья, как черный ворон у Эдгара По.

— Ты Эдгара По читаешь? — не поверила я.

— В детстве читал. Теперь ничего не читаю, только пишу. Вот сейчас отправлюсь к себе и сразу начну.

— Кого хлопнули? — вздохнула я, вовремя вспомнив, что у Валерки язык без костей и соревноваться с ним в словоблудии — себя не любить.

— Не хлопнули, — наставительно изрек он. — Человек решил покинуть нас по собственной инициативе.

— И никто не помог? — не поверила я. — А как зовут этого человека?

— Ковтан, — ответил Артем, появляясь в холле. — У тебя были сомнения?

— В его близкой кончине? Валерка говорит, он сам на себя руки наложил.

— Похоже на то. Выпил цианистый калий, сыпанув его в коньяк. Вот так.

— Где он его взял?

— Коньяк? — удивился Валера.

— Цианистый калий. Это что, так просто?

— Да мне по фигу, где он его взял, — отмахнулся Артем. — Главное, этот гад лежит на диване и до него теперь не достучишься. Зимин и Князев никакого отношения к Саше с Валерой не имеют, во всяком случае это разные люди. Парень, что передал кассету, теоретически может быть Сашей, по крайней мере фоторобот похож на него. Все. Уперлись. Хрен мы теперь кого найдем.

— Чего ты орешь? — вздохнула я, прекрасно понимая его состояние.

— Ладно, пошли.

Я-то думала, мы отправимся восвояси, но он повел меня в гостиную. Труп, должно быть, уже увезли, потому что в гостиной его не было, зато на низком столике со стеклянной столешницей стояла бутылка коньяка, наполовину пустая, на полу опрокинутая рюмка, на пестром ковре ее не сразу можно было разглядеть.

При нашем появлении голоса стихли, все посмотрели на меня с интересом. В комнате находилось пятеро мужчин, троих я хорошо знала, они мне кивнули, и я ответила тем же, двое нахмурились, точно мое появление их озадачило. Может, так оно и есть.

— Ольга Сергеевна Рязанцева, — представил меня Артем, обойдясь без комментариев. Наверное, потому, что был уверен: меня в городе каждая собака знает. Боюсь, он был недалек от истины.

— Павленко Ярослав Иванович, друг покойного господина Ковтана, — представился высокий мужчина. Лицо второго показалось мне знакомым. И не зря показалось, потому что Павленко продолжил: — Это господин Рылов Артур Филиппович.

— Очень приятно, — буркнула я и потянула Вешнякова за рукав. — Этим-то что здесь надо? — шепнула я. Он досадливо отмахнулся, а мне пришлось замолчать.

— Значит, Ковтан звонил вам вчера? — задал вопрос мужчина с густой седой шевелюрой по фамилии Соболев. Ему-то, кстати, находиться здесь без надобности, раз уж речь идет о самоубийстве, но он приехал лично. Это говорило о том, какую важность придавали данному делу местные власти. Впрочем, чему удивляться: смерть Ковтана, самоубийство это или нет, все равно выглядит подозрительно.

— Да. Он звонил мне вчера, — охотно ответил Павленко. — Вечером, где-то около восьми. Но я был очень занят, и мы договорились, что он перезвонит сегодня. Утром я ему позвонил сам где-то около десяти. Вел он себя странно. Чувствовал себя неважно, но вчера покинул больницу. Сказал, что жену с дочерью отправил в Испанию, потом заговорил о том, что его положение безвыходное. Я поначалу не понял, о чем он, потом сообразил, что это имеет отношение к недавним неприятностям.

— Вы имеете в виду трупы в опоре моста? — оживился Артем.

— Да... Я удивился, почему его это так беспокоит. То есть я хочу сказать, конечно, это все крайне неприятно, но, если человек не знает за собой вины, отчаиваться не стоит. Надо набраться терпения, пока во всем разберутся... У него ко всему прочему возникли финансовые трудности, он нес большие потери. По крайней мере он так сказал... Я пытался его успокоить как мог, он отвечал невразумительно... Мне даже показалось, что он пьян. Мы простились, но я чувствовал странное беспокойство, поэтому перезвонил ему. Он был не в себе. Заговорил о боге... никогда не замечал в нем особой религиозности. Потом вдруг попросил меня приехать. Как раз ко мне зашел Артур Филиппович, они с Ковтаном тоже знакомы. Я обещал заехать позже. Но когда мы поговорили с Артуром Филипповичем, то решили все-таки заглянуть к Ковтану. Мало ли что. У человека больное сердце, и со всеми этими неприятностями... Не возражаете, если я выпью воды? — вдруг спросил Павленко. Разумеется, никто не возражал. — Я попросил господина Рылова поехать со мной.

— Собственно, — впервые подал голос Рылов, дюжий дядька с красным лицом и шрамом на подбородке, — мы поехали на стадион «Динамо», точнее, в казино «Олимпийское», которое там находится. У нас с ними возникли кое-какие трения из-за помещений, ну и заскочили сюда, потому что Ярослав Иванович беспокоился...

— Да-да, так оно и было, — подхватил Павленко. — Мы позвонили, открыл нам сам хозяин. Семью, как я уже сказал, он отправил в Испанию, а домработницу отпустил на несколько дней. Мы вошли в гостиную, он сел на диване, вот здесь... — Павленко показал рукой на диван рядом с камином. — Бутылка была открыта, в рюмке коньяк. Он все смотрел на рюмку, на протяжении всего нашего разговора. Это было... неприятно. Не знаю, но меня это почему-то беспокоило. Он предложил выпить нам, но мы отказались. Я посоветовал ему взять себя в руки. Он молчал, и мы почувствовали себя неловко, выходило, что мы зря приехали. Но я боялся оставлять его в таком состоянии, попытался вызвать его на разговор, но он отвечал односложно и неохотно. Создавалось впечатление, что ему не терпелось от нас избавиться. Нам ничего не оставалось, как покинуть его. Провожать он нас не стал, сказал просто: «Дверь за собой захлопните». Мы вышли на крыльцо, и тут я вспомнил, что забыл на столе мобильный. Мне звонили, когда мы были у него... Разумеется, дверь мы уже захлопнули и в дом войти не могли. Дверь он не открыл, на звонки не отвечал, и вообще... у меня было предчувствие беды. Я вызвал милицию. Дальше вы знаете.

— Значит, он принял яд сразу же после вашего ухода?

— Видимо, да. Я-то боялся другого, сердечного приступа, ведь в последнее время он так нервничал. Но яд... это не укладывается в голове. Я не могу вообразить причину, по которой он захотел расстаться с жизнью.

— И вам неизвестно, где он мог взять яд?

— Конечно, нет. Все это так... нелепо, — с трудом нашел он слово.

Я потопталась еще немного в сторонке и поспешила удалиться. Артем выскользнул следом. Закурил, протянул пачку мне, забыв, что мне есть чем гордиться. Я покачала головой и, достав из кармана мундштук, принялась его грызть, разозлилась и сменила мундштук на зубочистку.

— Дядю принудили покинуть бренный мир, — вздохнул он. — Если попросту не отравили.

— Адвокат подсыпает яд в рюмку? — закатила я глаза.

— Иногда так припечет, что и подсыпешь... Что-то вчера произошло...

— Вчера нам доставили кассету.

— Точно. Дяди знали, что мы возьмемся за Ковтана...

— Я бы на его месте в Испанию сбежала, вместе с семьей. Чего уж сразу травиться-то...

— То ты, а у него могли быть другие резоны. Позвонили, предупредили: жди ареста. Вот у мужика нервы и не выдержали. В любом случае, мы в исходной точке. Черт, голова кругом...

— Артем, надо найти парня, что был с Александровым, — вздохнула я. — Те фотографии чего-то стоят. Это шанс.

Он кивнул и вновь загрустил.

Оставив Артема с его проблемами, я отправилась к Глаголеву, очень надеясь, что мне не придется уходить от него с пустыми руками.

Глаголев встретил меня улыбкой, поднялся навстречу и пожал мне руку.

— Рад вас видеть. — Прозвучало это так, что я поверила, хотя у него не было повода радоваться мне. Он достал из ящика стола папку и протянул мне. Папка толщиной и весом похвастать не могла, всего-то несколько страничек машинописного текста. Предваряя мои слова, Глаголев развел руками: — Все, что смогли.

Я взяла папку, а Глаголев уже успел приподняться, намереваясь выпроводить меня, но тут же замер, выжидательно глядя на меня.

— Можно нам немного посплетничать? — растянув рот в улыбке, спросила я.

— Посплетничать? — Он вроде бы не понял.

— Ага.

— На какой предмет?

— На предмет вашего непосредственного начальства.

Теперь он насторожился, отвечать не спешил, смотрел на меня, ожидая, что я скажу еще. Но и я не спешила, тоже смотрела на него и улыбалась. Пауза затягивалась. Глаголев не выдержал первым.

— Вы Шутова имеете в виду?

— Точно, — кивнула я.

— Чего о нем сплетничать? Человек как человек.

— Хобби у него есть? Может, шарфы вяжет, огурцы выращивает или в карты играет...

— О хобби мне ничего неизвестно. Ольга Сергеевна, а откуда у вас вдруг интерес к Шутову?

— Особого интереса у меня нет, если честно. Вот если бы кто ответил мне на вопрос: с какой стати он тогда о пленке забеспокоился? Надоумил кто или знал наверняка, что пленка интересная?

Улыбка сползла с лица Глаголева. Он пробовал вернуть ее на место, но получилось у него это как-то неважно.

— А пленка интересная? — спросил он, не отрывая от меня взгляда.

— Откуда же мне знать? — удивилась я. — Я же ее выбросила.

— Я в этом сильно сомневаюсь, — ответил он и теперь действительно улыбнулся. Я поднялась и, кивнув на прощание, покинула кабинет.

— До свидания, — сказал мне вдогонку Глаголев. Я очень надеялась, что о нашем разговоре Шутов узнает очень скоро. Если они с Глаголевым в одной связке, тот побежит докладывать уже сейчас. А если Глаголев честный мент, тоже доложит, потому что не понять, что я от него хочу, он не мог. В любом случае, узнав о нашем разговоре, Шутов должен забеспокоиться, а за ним начнут беспокоиться и его хозяева. А мы посмотрим, что из этого выйдет.

Еще раз заглянув в папку, я поехала по адресу, который значился в ней первым.

Надо сказать, Глаголев расстарался: в друзьях погибшего Александрова числились одиннадцать человек. Если верить кратким справкам, ничего интересного: с Александровым они либо учились в институте, либо жили в одном дворе. Я навестила всех и могла конста-

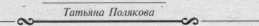

тировать, что парня с бородкой среди них нет, причем никто из этих одиннадцати о его существовании и не догадывался. Ничего примечательного о жизни Романа Александрова я тоже не узнала. Обычный парень. Последнее время с друзьями виделся редко, наркотой раньше не баловался, но кто его знает. Многие отмечали его неуживчивый характер и сетовали, что он не пошел в армию. Глядишь, взялся бы за ум...

Потратив очень много времени на все это, я почувствовала досаду и даже злость.

К вечеру я присоединилась к ребятам Вешнякова и смогла убедиться, что среди официально зарегистрированных граждан приятель Александрова тоже не числится. Я просмотрела множество фотографий мужчин подходящего возраста, никого похожего. Выходит, жил он не на Владимирском проспекте, может, снимал там квартиру, а прописан был по другому адресу. Обратились к участковым, вновь безрезультатно. Если парень все-таки жил в данном районе, мы его в конце концов найдем, но сколько времени уйдет на это? Был еще вариант, который мне совсем не нравился: парня с Владимирским проспектом ничего не связывает. Неподалеку вокзал. Что, если на вокзал он в ту ночь и направился? Вышел через двор в Костерин переулок — и через пять минут уже на вокзале.

Мне нечем было похвастать, но и у Вешнякова дела шли не лучше. Ни Зимин, ни Князев на здоровье не жаловались, но это полбеды: Катя утверждала, что с Сашей и Валерой ничего общего они не имеют. Моя версия летела к чертям. Лялин тоже ничем не порадовал. Полоса невезения, да и только.

Разумеется, обследовали подвал в доме, который Кондаревский собирался продавать. Ничего общего с тем, что описывала Катя, он не имел. Прежде всего, во всех его помещениях были окна. Забранные решетками, они скорее напоминали бойницы, но все же имели место.

Затем пришла очередь многочисленных помещений, которые Кондаревский сдавал в аренду. Здесь ребятам Вешнякова пришлось здорово попотеть. Я не сомневалась, что они облазили каждый метр и заглянули в каждую щель. Жаль, что толку от этого не было. Если и имел Кондаревский подвал, где предавался своим диким играм, то о его местонахождении оставалось только гадать.

Лялин с пристрастием изучил биографии всех приятелей Кондаревского, включив сюда и адвоката Павленко, но ничего интересного выудить не смог. Грешки, конечно, были практически у всех, ими, например, могла заинтересоваться налоговая полиция, нас же они по большому счету не касались. Приятелей связывало только одно: они любили коротать ночи за карточной игрой. Просто хорошие знакомые и ничего больше. Я была склонна думать, что Кондаревский и в самом деле смог уговорить их подтвердить свое алиби. Сейчас они утверждали, что перепутали числа, а Кондаревский воспользовался этим. Объяснение глупее не придумаешь, особенно для взрослых дядей, но за их поступком и в самом деле могло быть желание помочь приятелю, оказавшемуся в сложной ситуации.

Выходило, что со смертью Ковтана у нас не осталось ни одной зацепки и дело действительно грозило оказаться нераскрытым. Артем проверил всех пациентов кожно-венерологического диспансера: фотографии тех, кто более-менее подходил под описание, показали Кате, однако никого похожего на Сашу и Валеру она среди них не обнаружила.

Далее пришел черед частно практикующих врачей.

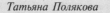
Вешняков грозил всем им, что лишит их лицензии, и это подействовало. Вот тут и выяснилось, что какой-то молодой человек обращался по поводу интересующего нас заболевания как раз через три дня после событий, описанных Катей. Вместе с ним был приятель, у того заболевание отсутствовало, а первый, узнав диагноз, очень разозлился. Врачу он рассказал, что впервые связался с проституткой и вот итог.

Не успели мы воспрянуть духом, как случилось очередное невезение: лечение в клинике проводится анонимно, следовательно, ни фамилия, ни имя пациента, ни тем более адрес не регистрировались. Есть лишь номер карточки. На повторный прием пациент не явился. Врач обещал позвонить, если он объявится, но я была почти уверена, что надежд питать не стоит. Болезнь нешуточная, и если парень не пришел в указанный день, то наверняка имел вескую причину на это.

Мы просмотрели несколько десятков дел об изнасиловании и ничего похожего на случай с Катей не нашли. Впору было докладывать Деду, что следствие зашло в тупик: ни идей, ни подозреваемых, одна головная боль и досада.

Дед вопросов о том, как идет следствие, уже не задавал, лишь недовольно хмурился, а меня подмывало сбежать куда-нибудь. К примеру, в Мексику, там сейчас тепло и вообще никаких проблем. Да жаль было Вешнякова.

В очередной раз заехав к нему на работу, я застала его в буфете. Он запивал горсть таблеток чаем, увидев меня, сразу принялся жаловаться.

— У меня от этого дела язва обострилась.

— Язву надо водкой прижигать, — посоветовала я.

— Знаю, что водкой, да начальство категорически против. Недовольно мною начальство, доверия не оправдываю. — Он допил чай и серьезно спросил: — Неужто мы их не найдем?

Я пожала плечами, но такую мысль все же допустить не могла и в конце концов сказала:

— Может, нам повезет.

— Ага, — кивнул Артем. — Сегодня с приятелем встретился, заговорили об этом деле и он вспомнил, что месяца два назад обращалась к ним девка по поводу изнасилования. Говорит, похожая история. Он мне и адрес пострадавшей сообщил. Сгоняй, тебе с женщиной разговаривать проще.

— Это я уже слышала, — хмыкнула я, но поехала, зайдя перед этим в кабинет Артема, где он и снабдил меня листком бумаги, на котором значилось: «Потемкина Алла Сергеевна, улица Сельскохозяйственная, дом два, квартира пять».

Артем для начала советовал мне заглянуть к его приятелю, что я и сделала. Минут пятнадцать я потратила на его поиски, бродя по коридорам, в своем кабинете ему не сиделось. Останавливая всех подряд и спрашивая, где Миронов, я наконец смогла его обнаружить. Точно вихрь, он мчался мне навстречу, на ходу крича кому-то, чтобы выслали машину.

— Вот он, — ткнув в него пальцем, сообщила мне девушка, у которой я как раз про него и спрашивала. Миронов повернул голову в мою сторону и спросил:

— Вы от Вешнякова? Идемте. У меня, к сожалению, времени в обрез. Значит, так. Девушка двадцати пяти лет поздно ночью возвращалась от подруги, сильно навеселе. Парень предложил подвезти ее до дома. Она согласилась, он завез ее в какой-то подвал, причем оказался не один. Она подала заявление, но потом передумала. Вы же знаете, большинство женщин предпочитает, чтобы о таких вещах знало как можно меньше

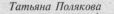
людей. Адрес я Вешнякову сообщил по телефону. Если будут вопросы, звоните. Да, девица эта вольного поведения и любит выпить, приврать, кстати, тоже, но на всякий случай проверьте.

Без особого воодушевления я поехала к Потемкиной. Дома застать ее не удалось, но она работала лифтером по соседству, о чем мне сообщили ее соседи.

Двенадцатиэтажка выглядела отнюдь не образцово, хоть и была построена совсем недавно. Дверь подъезда распахнута настежь, кто-то из одаренных детей нарисовал на лестничной клетке черта и сделал надпись: «Дядя Боря».

На двери лифтерной записка: «Буду через пятнадцать минут». Я ждала двадцать, прежде чем сообразила, что словосочетание «пятнадцать минут» можно понимать как угодно, а счастливые, как известно, часов не наблюдают.

Я позвонила в ближайшую дверь, мне открыла женщина лет тридцати. На мой вопрос, не знает ли она, где можно найти лифтера, женщина ответила весьма эмоционально:

— Сегодня Алкина смена, значит, в пятьдесят шестой квартире пьянствует. Лифт-то хоть работает?

Лифт работал, я поднялась в пятьдесят шестую квартиру. Звонила я долго, прежде чем дверь распахнулась и я смогла лицезреть бабу, которой могло быть от тридцати до пятидесяти, с синяком под глазом, остатками зубов, которые она охотно демонстрировала, в грязном халате без пуговиц, что позволяло видеть ее мощные нижние конечности, сплошь покрытые синяками. Трудно поверить, что на такую кто-то позарился, опять же сопротивление она должна была оказать нешуточное.

— Я ищу лифтера, — сообщила я.

— А чего случилось-то? — поинтересовалась она хмуро. — Лифты работают, вон грохочут.

— Так я не их ищу, а лифтера, — удивилась я. Баба моргнула, подумала и заорала:

— Алка, тебя ищут.

В прихожей появилась Потемкина. Эта выглядела вполне прилично, одета чисто, правда и тут без синяка не обошлось. Увидев мое удостоверение, она стыдливо прикрыла синяк рукой. Перегаром от нее несло за версту, пили они дня три, не меньше.

— Здравствуйте, — сказала она заискивающе. — Вот зашла чаю попить. А что случилось?

— Поговорить надо, — ответила я.

Подружки переглянулись, и Алла предложила:

— Пойдемте в лифтерную.

Тут очам моим предстал здоровенный мужик с красными глазами и волосами дыбом.

— Кому это неймется? — зарычал он грозно, но беззубая баба ухватила его за руку, горячо шепча:

— Иди отсюда, это из милиции, черт принес. — Обоих как ветром сдуло.

Мы спустились на первый этаж. Лифтерная оказалась маленькой комнатой без окна, диван, стол, электрическая плитка на табуретке. Чисто, но накурено. Я сразу же полезла за зубочисткой, мои дурные манеры вряд ли здесь произведут на кого-нибудь неблагоприятное впечатление.

Я устроилась на диване, а Алла за столом на расшатанном стуле.

— Жильцы нажаловались? — робко спросила она. — Так я на работе не пью. Лифты работают...

— Я по другому поводу, — успокоила ее я. — Вы заявление в милицию писали?

— Нет, я это... отказалась от всего. А что, нашли их?

254

— Нет, но произошел похожий случай.

— И чего? — помолчав, спросила она.

— Расскажите, что тогда с вами случилось?

— Ой... вспоминать-то совсем неохота. Да и с милицией я связываться не хочу. Я и заявление забрала, то есть я его еще и не написала, а ваш... как его... фамилию забыла, давай меня стращать: да ты пьяная, да твой моральный облик... Ну я и отказалась. Говорил, добра мне желает, я и поверила. Выпиваю я, да и моральный облик... соседи такого набрешут...

— То, что вспоминать не хочется, понятно, но и вы поймите, сколько еще женщин может пострадать.

— Это конечно... если просто поговорить... Но я ничего подписывать не буду. Это я тогда, с обиды... А мент ваш прав был, ведь срам один. И подруге-то не расскажешь.

— Мне можно, — заверила я.

— Ага, — вздохнула она. — У Ленки день рождения был, у подружки. Не у этой, у другой. Она у Горбатого моста живет, в новых домах. Обещала меня с мужиком познакомить, говорит, самостоятельный и не женат. Ну, я принарядилась, в парикмахерскую сходила. Вы не думайте, что я здесь от бедности работаю, у меня и образование есть. Отец в Москве, деньгами помогает, а вот здоровье у меня слабое, мне даже инвалидность дать хотели. Вот я в лифтеры и определилась... Отец отцом, но работать-то надо. Короче, я при всем параде, с прической, на каблуках, костюм на мне новый. Людка как взглянула, говорит, считай мужик у тебя в кармане. И он мне понравился. Внешне ничего и цветы принес, а не бутылку. Бутылку, конечно, тоже... У Людки гости все солидные, и я себя в рамках держала, а женишок-то с пятой рюмки околесицу понес, а потом и вовсе под стол свалился. В машину загружали как неживого. И так мне обидно стало... Видно, не судьба мне выйти замуж. Все люди как люди, вон даже у Катьки и то мужик есть, хоть и не путный, конечно, так и она не лучше. Ну, я с обиды и выпила. Людка мне такси предлагала вызвать, но я отказалась. На ногах стою крепко, пройдусь, о жизни подумаю. Ну и пошла. Как раз с площади свернула, и тут этот... на машине.

— Машина какой марки? — спросила я.

— «Жигуль», «девятка», но номера я не помню, не смотрела я на них, цвет вроде синий, в темноте не разглядишь. Тормозит и давай лясы точить. То да се. Смотрю, парень молодой, а у меня в душе обида. Ну я и села. Сначала он меня вроде домой повез. Думаю, может, и зайдет, я одна живу, вдруг это судьба моя? Он выпить предлагает, я, конечно, не против. Думала, возьмет бутылку и ко мне, а он говорит, давай в гараж заедем, чего-то ему выгрузить надо. Мне бы, дуре, насторожиться, так ведь не насторожилась, потому что дура, и парень понравился, веселый такой. Едем. Вдруг мент тормозит, улица пустая, уже поздно было, мой в переулок и давай деру. Я засомневалась, еще подумала, не угнал ли он тачку, а он объясняет, пива, говорит, выпил. По переулкам от мента ушли, сворачиваем у реки, я опять засомневалась, что там за гаражи, дома-то вокруг новые. Но молчу, чего бояться, если дома вокруг. И тут он предлагает прямо в машине выпить и бутылку из «бардачка» вытаскивает. У меня, говорит, с перепугу, что на мента нарвался, руки дрожат. Чего-то с бутылкой закопошился, я стаканчики вынимаю, эти, пластиковые... Думаю, он меня отравил чем-то...

— Подмешал снотворное?

— Да я и выпить-то не успела, отвернулась к окну — и все, вырубилась начисто. Только помню, он рукой до моей шеи дотронулся. Может, газ какой-нибудь? Или не газ, а прием карате, я такое в кино видела. В себя пришла и ахнула. Лежу на широкой постели, белье шелковое... Вы не думайте, что вру, вот ей-богу. — Она перекрестилась и даже покраснела с досады, что я могу ей не поверить. — Лежу, и этот гад рядом. Только тогда я о нем так не думала, даже совсем наоборот. Ну и хорошо все было, я бы сказала, очень хорошо... Если честно, я так даже обалдела, никогда ничего подобного... — Она вновь покраснела, на этот раз, наверное, от воспоминаний, а я начала теряться в догадках: если все так хорошо, зачем в милицию заявление подавать? Оказалось, я поторопилась с выводами. — Расслабилась я совершенно, — сказала Алла, — и тут выяснилось, что мы не одни.

— Что значит не одни? — насторожилась я.

— А то и значит. Явился еще один — и сразу ко мне. Я, конечно, поначалу в крик, но испугалась, разве мне с двоими справиться? Надо терпеть. Ну уж после такой подлости интереса у меня к этому гаду убавилось. Ясно, что если он со мной так поступил, под дружка подкладывает, значит, никаких серьезных намерений не питает или чокнутый, что еще хуже. Но они мне не грубили, только стыдно было и все казалось, что на меня кто-то смотрит. Еще зеркало это...

— Там было зеркало?

— Ага. Во всю стену. Мне в туалет понадобилось, я все это время, обалдев от эдаких дел, даже не спросила где мы, а когда меня козел этот в туалет повел, я чувствую, что-то не то, подвал какой-то, стены крашеные, окон нет. Я, конечно, спросила, где мы, а он смеется: «В гараже». Рядом душ был, я туда, а он ушел, дверь за собой запер.

— Молодого человека как звали? — спросила я.

— Сергей. Хотя, может, соврал. Я из душа выхожу,

там рядом вроде комнаты: диван стоит, дверь. Я к двери, она заперта. Мне не по себе стало. Стучу, не открывают, я громче. А так как выпивши была, я на диван и прилегла. Думаю, эти должны где-то здесь быть, может, правда в гараже и у них какие-то дела, ведь полно чокнутых. Заснула я, не заснула даже, а вздремнула вполглаза, чувствую, ко мне кто-то пристраивается, я-то думала, опять этот. Глядь, мужик какой-то. Старенький, лет шестьдесят. Я, конечно, возмутилась, а он давай уговаривать, хотя не столько уговаривал, сколько грозился. Тут Серега появился и, такая сволочь, руки мне заломил, а этот, козел старый... короче, попользовался. Так ему мало... говорить противно... Я, признаться, водки попросила, чтоб все это легче пережить.

— И что?

— Водки они мне дали. Правда, немного, не то от тебя, говорят, толку не будет. Дедок такой выдумщик оказался. И так ему и эдак, козел старый, а Серега ему вовсю угождает, а чуть я заартачусь, грозит зубы выбить. Допустим, сперва я сама пошла. Даже когда они вдвоем были, сопротивления не оказывала, потому что испугалась. Но здесь ведь прямое насилие, раз один держит, а другой пользуется, да еще пугают. К тому же дедок здоровьем похвастать не мог и всякие гнусности измышлял. Вы женщина и понять меня должны. Да если бы я не испугалась... Слава богу, дедок убрел, а этот козел мне одеваться велел. У меня сердце в пятках, что дальше будет...

— И что было?

— Да ничего. Видно, опять он мне какую-то дрянь подсунул. Водки налил, я выпила — и в отключку. Перед этим он мне сто баксов дал. Никому, говорит, ничего не рассказывай. Никого ты не видела и меня тоже. А будешь болтать, язык отрежу. Сунул баксы в лифчик, и тут же водки стакан. Очнулась я в парке, возле Соборной площади, сижу на скамейке, сразу в лифчик, а баксов-то и нет, спер, сволочь. Хотя, может, и не он... Да он, кто ж еще? И так мне горько и обидно стало, что я пошла в милицию. Пусть ищут козла этого и дедка.

Я достала фотографию Кондаревского.

— Он?

Алла долго разглядывала фотографию.

— Нет. Не похож даже. Тот-то маленький да толстый, а этот видно, что худой. И лицом не похож. Нет, не он. Значит, пришла я в милицию, ну а там... Я как про белье шелковое сказала, мент от смеха закатился, иди, говорит, проспись. Насильники все больше под кустом устраиваются, а тебя на шелковых простынях... Ну, я подумала, подумала и решила заявление не писать. Обидно, конечно, что со мной так обошлись, но что делать.

— А этот Сережа, он случайно лекарство при вас не пил?

— Лекарство? Нет. Водку он пил.

Я задала еще несколько вопросов и простилась с Аллой. Комната с диваном вряд ли та, где держали Катю, ни туалета, ни душа там не было. Но ее рассказ наводил на некоторые размышления, особенно зеркало во всю стену. Это она решила, что зеркало, а на самом деле скорее всего стекло. Охочие до таких забав дяди наблюдают, а те, кто слишком разохотится, могут даже поучаствовать. Скорее всего за отдельную плату и с включенной видеокамерой, о которой вряд ли догадываются. Просто, как все гениальное. Участники шоу связаны круговой порукой, вполне и липовое алиби могут состряпать, если приятель, расчувствовавшись...

Хотя шоу вполне мог устраивать Кондаревский, сам большой любитель и друзей прибаловал. А забитые насмерть парни участники этих дел? Могли, к примеру, шантажировать хозяина. Одному богу известно, кого он успел заснять на камеру. Парни погибли, а вслед за ними и Кондаревский, едва я стала проявлять к нему интерес. Если я получила кассету, логично предположить, что дружкам стало известно о видеокамере и, избавившись от Кондаревского, они уничтожили компромат. Теперь прижать этих деятелей можно, лишь разыскав свидетелей. Таких, как Алла.

И Юлю Якименко и Аллу подобрали у Горбатого моста. Приняли за проституток? Вряд ли. У проституток за спиной сутенер, следовательно, такие игры безнаказанными не останутся.

И все же проверить стоило. На следующий день я отправилась к великанше Любе. Я надеялась застать ее дома и не ошиблась. Мне она не обрадовалась, но и выгнать не посмела. Вместо долгих объяснений я дала ей прослушать кассету с рассказом Кати.

— Скоты, конечно, — вздохнула она, когда запись кончилась. — Думаешь, мало таких? Да сколько угодно.

— Думаю, среди девушек секретов нет. Никто ничего подобного не рассказывал?

Люба криво усмехнулась и, глядя мне в глаза, вдруг спросила:

— Говорят, ты с Тагаевым дружбу водишь? — Вопрос поставил меня в тупик. Что тут ответить? Наверное, дружба имеет место, в шахматы играем, в театре были, да и так есть что вспомнить. — Вот ты у него и спроси, — с усмешкой продолжила она. — А наши молчать будут. Жизнь у всех одна и язык тоже. А кто болтает много, запросто может лишиться и того, и другого.

Ясно было, она больше ничего не скажет. Я села в машину и помчалась в «Шанхай». Злость — плохой советчик, и я об этом прекрасно знала, но остановиться не могла.

Тимур сидел в своем кабинете и расставлял фигурки на шахматной доске. Услышав, что я вошла, он поднял голову, мне показалось, что он удивлен. Но, если удивление и было, он быстро с ним справился.

— Не хочешь сыграть? — сказал он вместо «здравствуй». Я села, откинулась в кресле и взглянула на него, затем сунула в рот мундштук и принялась его грызть. Может, кому-то сие и помогает справиться с бешенством, но мне не помогло. — У тебя неприятности? — спросил Тагаев и тут же добавил: — Я ведь говорил, не стоит тебе к нему возвращаться.

— Ага. Надо было к тебе переехать.

— Так что за неприятности? — вздохнул он.

— Только одна: следует осторожно выбирать друзей.

— Это ты обо мне?

То, что я собиралась ему сказать, говорить не следовало. Прежде всего потому, что толку от этого не будет. Более того, делу это скорее повредит. Но даже данное соображение меня не остановило.

— Вот я голову ломаю, обиваю чужие пороги, пристаю к людям с расспросами, — вздохнула я, — только, сдается мне, зря трачу время. — Он пожал плечами, а я продолжила: — Конечно, я в конце концов разберусь, да вот, боюсь, не стало бы это для меня неприятным сюрпризом.

— Не пойму, о чем ты? — нахмурился Тагаев.

— Я думаю, — медленно произнесла я, — что, приди

мне в голову спросить, а тебе ответить, я бы уже сегодня знала, кто в нашем городе балуется цементом.

Он смахнул фигуры с доски, и они рассыпались по столу. Тагаев поднял на меня взгляд и спокойно сказал:

— Катись отсюда.

— Ты...

— Катись отсюда, — повторил он, и я сочла за благо удалиться.

Ох и скверно было у меня на душе. В таком состоянии работа на ум не идет, тянет поближе к дорогому существу, душой отогреться. Вот я и поехала домой, чтобы устроиться перед телевизором с Сашкой на коленях. Терла лицо ладонью, чертыхалась и вроде бы даже хотела зареветь, но вместо этого начала материться.

За этим занятием меня и застал звонок в дверь. Открывать мне не хотелось, но звонили очень настойчиво, и я пошла. На пороге стоял тип в джинсовом костюме с плоской физиономией. Он хмуро сообщил мне:

— Я от Тагаева. — Признаться, я немного растерялась. — Поехали, — мотнул он головой.

— Куда? — Тут и он, похоже, растерялся.

— Как куда? Ты ж вопросы задать хотела или уже нет?

Возле моего порога стоял «БМВ», в него мы и сели. Парень молчал, а я раздумывала: то, что Тагаев узнал о моих намерениях выспросить девиц у Горбатого моста, удивления у меня не вызвало. О чужом любопытстве ему наверняка доносят, при этом оперативности позавидовать могут многие структуры. Сомнение вызывал факт, что наше общение принесет пользу. Тагаев демонстрировал обиду на мое недоверие и решил сделать жест, который, с его точки зрения, должен убедить меня в том, что скрывать ему нечего. Однако с той же оперативностью он мог предупредить своих людей, что мне

стоит сказать, а о чем следует молчать в тряпочку. И красивый жест так красивым жестом и останется.

Между тем мы прибыли в бильярдную на Владимирском проспекте. Я вошла вслед за парнем в просторную комнату за стойкой бара и обнаружила там мужчин с крайне неприятными физиономиями в количестве восьми человек. Выглядели они не то чтобы недовольными, скорее были растеряны. Мой сопровождающий привалился спиной к двери, сложил на груди руки и сказал:

— Спрашивай.

— Может, вы представите господ? — вздохнула я.

Ближайший из господ обрел дар речи.

— Без надобности, — заметил он хмуро, и все согласно кивнули.

— В таком случае хотя бы намекните о роде своей деятельности.

Зря я произносила такие слова, ничего они не поняли, лишь еще больше насторожились, а род их деятельности отчетливо читался на их физиономиях. С такими рожами только на большую дорогу проезжающих грабить. Но я и тут не угадала, потому что доверенное лицо Тагаева заявил:

— О девках у Горбатого моста они знают все. — Из чего я заключила, что передо мной сутенеры.

Затея Тагаева показалась мне совершенно идиотской. Надо было поворачиваться и уходить. Вместо этого я плюхнулась в кресло, вздохнула и начала задавать вопросы. Задала я их великое множество. Парни отвечали весьма неохотно, но постепенно разговорились. По вызовам девушек сопровождает охрана, но от Горбатого моста, бывает, и увозят. Девки — дуры, и за всеми не уследишь. Тут ведь не валютные проститутки. Наши чуть ли не под кустом обслужат, и бывает всякое, но жалобы в основном на то, что клиент расплатиться забыл или по пьянке в ухо заехал. С такими разбираются. После убийства Елизаровой девушки испуганы и бизнес страдает. Они как никто заинтересованы в том, чтобы найти убийцу. Оттого и вызвались помочь.

То, что вызвались, конечно, сильно сказано, но в то, что они заинтересованы в поиске убийцы, я поверила, особенно если они уже знают, а они, безусловно, знают, что в убийстве подозревается Кондаревский, богатый дядя с причудами, к тому же отошедший в мир иной.

Я знала, что теряю время, но в какой-то момент все вдруг изменилось. Это произошло, когда здоровяк в черном свитере с растянутым воротом сообщил:

— Один тип избил девушку, оказалось, что он ее сожитель. Заявил, что она его заразила. Ерунда, у нас такие не работают. Но он избил ее так, что она угодила в больницу с сотрясением мозга. Я бы этому гаду все ребра переломал, но он смылся из города.

Через полчаса я уже знала фамилию парня, через два у меня была его фотография. Вот тогда я по-настоящему поверила в удачу. Именно его я встретила в доме Александрова. На память я не жалуюсь, и это точно был он.

Я вертела фотографию в руках, сидя напротив Артема в его кабинете, а он читал вслух:

— Чемезов Александр Павлович, двадцать семь лет, безработный, ранее судим за разбой, освободился восемь месяцев назад.

Боясь спугнуть удачу, я отправилась к Кате. Она опознала на фотографии одного из своих мучителей. Но радость наша оказалась преждевременной, Чемезов был прописан у сестры, в районном городе. С ней срочно связались, но она заявила, что брата не видела с зи-

мы, когда он освободился. Жил он, по ее словам, у друга, кажется, зовут его Валера, познакомился он с ним в местах лишения свободы.

На следующий день мы знали фамилию Валеры. От матери ему досталась квартира, где он действительно до последнего времени проживал, но недели две назад исчез. Очень может быть, что навсегда.

— Если парни не дураки, — вздыхал Артем, — они смылись из города. Если не дураки их хозяева, то они уже мертвы. Но если все-таки живы... очень может быть, что предпочитают быть поближе к хозяевам, то есть к деньгам, которые надеются получить. Денег всегда мало, а у таких парней они и вовсе не задерживаются.

— Думаешь, есть шанс, что они все-таки в городе? — хмуро спросила я. Артем пожал плечами:

— Этот Саша жил с проституткой. От привычек труднее всего избавиться. У девок и следует поискать.

Так что в конце концов оказалось, что мне есть за что сказать спасибо Тагаеву, хотя вряд ли он в этом нуждался.

В разгар охоты за Сашей и Валерой позвонил Лялин.

— Загляни ко мне, — лаконично сказал он. — Есть новости.

Я помчалась к нему в контору. При виде самодовольной физиономии Лялина, с которой он встретил меня, мне сразу же захотелось сказать гадость, однако уже через десять минут это желание сменило другое: запечатлеть на его челе поцелуй, что я и поспешила сделать.

— Детка, — сказал он, должно быть из-за волнения забыв, что я терпеть не могу это дурацкое прозвище. — Один хороший человек под большим секретом сообщил мне: у вдовы Кондаревского возникли претензии к господину Дубикову, известному тебе владельцу ночного клуба. Она даже намеревалась обвинить его в мошенничестве.

— Занятно, — насторожилась я, устраиваясь поудобнее.

— И я так подумал, — кивнул Лялин. — Оказывается, Кондаревский продал внушительную часть своей недвижимости господину Дубникову. Вдова об этом узнала только после кончины мужа. Сделки оформлены по всем правилам, тут комар носа не подточит. Дубников объяснил, что у Кондаревского были долги. Он известный картежник, но удача ему часто изменяла, он постоянно нуждался в деньгах, вот Дубников по-дружески ему и помог. Суммы, заявленные в документах, внушительные. Вдова при всем желании не могла обвинить Дубникова в том, что он, пользуясь безвыходным положением супруга, обдирал его как липку. Ничего подобного. Судя по всему, долги у Кондаревского колоссальные, потому что даже части денег от продажи недвижимости вдова после его смерти не обнаружила. Так как официально все законно, она по здравому размышлению от претензий отказалась.

— А что, возможно, и были долги, — заметила я. — И Дубников по-дружески помог, купил недвижимость за хорошие деньги, хотя мог воспользоваться ситуацией.

— Точно. Но меня очень заинтересовало следующее обстоятельство: последняя сделка заключена буквально за несколько дней до смерти Кондаревского. А на следующий день кто-то покопался в тормозах твоей машины, — с веселой усмешкой сказал Лялин. — Но и это не все. Предыдущая сделка состоялась всего несколькими днями раньше. Отгадай, когда?

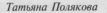

— Только не говори, что на следующий день после убийства девочки.

— Уважаю, за то, что догадливая. Правда, не на следующий, это ведь было воскресенье, а в понедельник. Как думаешь, зачем дяде понадобились деньги?

— К примеру, расплатиться с друзьями за липовое алиби.

— Если честно, не очень-то я в это верю. Все-таки солидные люди. Скорее всего Кондаревского шантажировали. Вот ему деньги срочно и понадобились.

— А не мог ли его шантажировать сам Дубников? В договоре купли-продажи указать можно любую сумму, а получил ли что в реальности Кондаревский, еще вопрос.

— Тогда выходит, что видеозапись сделали в клубе Дубникова. Кстати, очень подходящее местечко.

— Когда еще они заключали сделки? — спросила я, подумав.

Олег протянул мне листок бумаги с указанными на них датами. Хоть на память я никогда не жаловалась, но свои догадки решила проверить и помчалась к Вешнякову.

— Посмотри, когда и в каких числах два года назад исчезли проститутки? — с порога сказала я.

Первый раз Кондаревский продал часть своей собственности через два дня после исчезновения женщины, во второй — на следующий день. Возможно, это совпадения, но уж очень сомнительные.

Видя, как моя физиономия расползается в улыбке, Артем заволновался. Пришлось скоренько рассказать ему о том, что узнал Лялин.

— Кондаревского шантажировали, это факт. Вот ему деньги и понадобились.

— А если еще проще, — задумался Артем. — Что

если Кондаревский расплачивался за сокрытие трупов? Тогда становится понятно, почему от трупа Елизаровой он пытался избавиться сам. Вопрос: кто шантажировал или кто помогал? Мне лично нравится Дубников.

— Алла Потемкина говорит, что этот Сергей вез ее как раз в сторону клуба.

— Район большой, к тому же ничто не мешало парню поехать в другом направлении, когда деваха была в отключке. Но клуб надо проверить.

— А если спугнем гада? У нас против него ничего нет.

— А мы на него налоговую натравим, — воодушевился Артем. — И под шумок все подвалы прочешем.

Подвалы прочесали, но ничего интересного там не нашли. Хозяин задумал перестроить его под еще один бильярдный зал, все перегородки сломаны, на полу горы мусора, которые не успели вывезти. Я попыталась обнаружить следы туалета или душевой, но даже это было затруднительно. Правда, удалось узнать, что неделю назад во дворе клуба побывала грузовая машина. Хозяин объяснил, что часть мусора успели вывезти, подвал, по его словам, был захламлен. Я не поленилась и выяснила, как много народу играет здесь в бильярд. Вообще-то не мало, но особой необходимости в еще одном зале как будто нет. Впрочем, хозяину виднее. В любом случае, если в подвале и было что-то, компрометирующее Дубникова, он успел от всего избавиться. Вся надежда была на то, что Вешняков отыщет Сашу с Валерой. Хотя и это вызывало сомнения. Люди, стоящие за спиной Кондаревского, умеют действовать оперативно, и парни скорее всего мертвы. Поиски спутника Александрова пока результатов не дали. Я решила встретиться с матерью погибшего, возможно, ей что-то известно о друзьях сына.

Время я выбрала не совсем подходящее, женщина скорее всего на работе, но меня переполняла жажда деятельности. Дверь мне открыла высокая темноволосая женщина лет сорока, в бежевом костюме, с прической и безукоризненным маникюром, я сразу же подумала, что и мне не худо бы заняться собой.

— Что вам? — строго спросила она.

— Я бы хотела поговорить с Александровой Полиной Юрьевной.

— Я Александрова, — нахмурилась женщина, приглядываясь ко мне. Я извлекла удостоверение и протянула ей. Взяв его в руки, она внимательно все прочитала, пожала плечами и наконец предложила: — Проходите.

Квартира была трехкомнатная и ничем особенно не отличалась от десятков других квартир, которые я успела повидать. В гостиной стенка, мягкая мебель, журнальный столик, над ним две репродукции Айвазовского в темно-коричневых рамках, на полу ковер.

— Присаживайтесь, — кивнула Полина Юрьевна на ближайшее кресло. Я села, хозяйка осталась стоять, сложив руки на груди. — Вы по поводу Ромы? — все-таки спросила она.

— Да. Хотела бы задать вам несколько вопросов.

— Зачем? — Женщина смотрела сурово и неприязненно.

— В общем-то это моя работа. Вопросы задавать.

— Я не об этом. Зачем все это? Для чего? Рому похоронили. И никто даже не потрудился... — Она резко вышла из комнаты, хлопнув дверью. Наверное, в такой ситуации человек более чуткой души поднялся бы и ушел. Но я, вздохнув, продолжила сидеть в кресле. Где-то минут через пятнадцать Полина Юрьевна появилась в комнате, на ее лице душевные переживания никак не отразились. Она села в кресло и спросила: — Что вам от меня надо?

— Полина Юрьевна, — начала я, — так уж получилось, что мы с вашим сыном встречались. Незадолго до его гибели.

— Он что, в милицию попал? — нахмурилась она. — Рома мне ничего не рассказывал.

— Почему он ушел из дома? — задала я встречный вопрос. Она отвернулась и принялась разглядывать ковер.

— Это я виновата. В бедах детей всегда виноваты родители. Я развелась с мужем, естественно, надо было думать, на что жить с ребенком. Я очень много работала, дома бывала практически только ночью. Мне казалось, Рома все понимает, ведь я же в первую очередь старалась для него. Но... детей без присмотра оставлять нельзя. Конечно, он... он был предоставлен самому себе, и эта свобода оказалась для него губительной. Начались проблемы, прогулы, долги... Из колледжа его отчислили, а чего мне стоило пристроить его туда. Я пыталась с ним поговорить, он обещал исправиться. Глупость, конечно, но я ему верила. Потом пошли друзья, какие-то сумасшедшие девицы, выпивка. Обычная история, одним словом.

— Вы поссорились, и он ушел из дома?

— Из дома он ушел, потому что боялся, что его заберут в армию. Уговаривал меня, как он выражался, отмазать его от армии. Но я-то видела, что оставаться здесь ему нельзя, армия — это единственный шанс, там бы из него человека сделали. Я так ему и сказала. Он на меня накричал, сказал, что я никудышная мать, и ушел из дома.

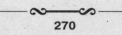

— Но вы виделись?

— Иногда он приходил. Редко. В основном за деньгами. Много дать я ему не могла. Не знаю, на что он жил...

— А где жил, тоже не знали?

— Он говорил, у друзей.

— С кем-нибудь из них вы были знакомы?

— У меня совсем не было времени. Я виновата, и ничего уже не поправить. У меня теперь никого нет, никого, только эта чертова работа. Ни мужа, ни сына... любовника и то нет. Но, если бы я осталась на своей прежней работе, мы бы пухли с голоду. Вот и думай, что лучше.

— Наркотиками Рома давно увлекался?

— Чушь, — нахмурилась она. — Мой сын не был наркоманом.

— Но ведь...

— Я знаю, — перебила она резко, — но мой сын не был наркоманом. Кем угодно, но только не наркоманом. Он всегда занимался спортом, у него было резко отрицательное отношение к наркотикам. Я говорила об этом в милиции, но меня не стали слушать.

— У него ведь был разряд по боксу?

— Первый юношеский. Его тренер говорил, что он талантливый мальчик, и если бы не дурная компания... но иногда талант не впрок. Когда Рома еще жил дома, он как-то за пять месяцев умудрился семь раз оказаться в милиции. Каждый раз за драку. Ясно было, что добром это не кончится. Поймите, я его от тюрьмы спасала, когда в армию хотела отправить, а он ничего не понял, решил, что от него хочу избавиться. — Она закрыла лицо руками и замерла так. Я не знала, что делать, встать и уйти или подождать, когда женщине станет легче.

Она вскинула голову, взглянула на часы. — Извините, мне через десять минут нужно быть на работе.

Мы вместе покинули квартиру, у подъезда простились, она села в новый «Форд» и скрылась с глаз. Я подумала, что навеки останусь старой девой. Ну, может, не девой, но детей заводить точно не буду. Лучше еще одну собаку. «Какая чушь в голову лезет», — с досадой покачала я головой и поехала в спортшколу, где некогда занимался Рома. Очень может быть, что тренер лучше знает его друзей.

В огромном зале, где терялся звук, боксировали человек двадцать мужчин разного возраста. Для начала я зашла в тренерскую. Мужчина лет шестидесяти читал газету. Я представилась, и мы немного поговорили.

— Из милиции у нас уже были, — сообщил он. — Александрова я знал. Действительно талантливый мальчишка. Тренером у него был Коротков, он сейчас на больничном. Рома подавал большие надежды, но как это часто бывает: компании, то да се... Еще родители развелись, матери не до него.... Короче, свои способности он в основном совершенствовал на улице. Пытались на него воздействовать, да что толку? Как говорится: что на роду написано...

— Я заглянула в зал, там в основном взрослые дяди, хотя школа вроде юношеская...

— Так ведь деньги зарабатываем, — усмехнулся тренер. — Вот один зал отдали любителям. Приходят, боксируют. И Ромка приходил трижды в неделю, обязательно. Иной раз денег нет, так скажет: «Я в долг». Конечно, не отказывали, наш же парень. Деньги всегда возвращал. Надо ему было в армию идти... Хотя с его характером...

— Неуживчивый был?

— Ну... как сказать... любил силой побахвалиться. Он ведь в легком весе, с виду не скажешь, что силач, а сила была и талант был. Только не впрок, — развел он руками.

— Рому здесь, наверное, многие знали? — спросила я.

— Конечно. Сейчас здесь его приятели. Щеглов и Вырубов. Спиридонов тоже пришел, по-моему. Если хотите...

Разумеется, я хотела. Пришлось подождать, когда парни закончат тренировку и примут душ. Мы устроились неподалеку от раздевалки и немного поговорили. Все трое твердили, что Ромка наркоманом не был.

— Чушь это, — сказал Щеглов. — Мы с ним недели за две до его смерти вот тут боксировали. Он был в прекрасной форме.

Меня сказанное не удивило. Ведь я придерживалась мнения, что парню помогли скончаться от передозировки, но продолжала настаивать.

— Может, был повод изменить своим привычкам или просто любопытство. Надоела человеку неустроенность, и все такое...

— Может, — кивнул Щеглов. — Только, если хотите знать мое мнение... — Все трое переглянулись. — А чего милиция Ромкой заинтересовалась? — перебил он самого себя. — Упал человек неудачно... Или, по-вашему, его специально наркотой накачали?

— Собственно, я ищу его приятеля. Бородка клинышком, живет где-то в районе Владимирского проспекта.

— Нет, — немного подумав, покачали головами все трое. — Никогда такого не видели. Ромка целыми днями по улицам болтался, от нечего делать, — пояснил

Щеглов. — Знакомых у него столько... в основном всякая шушера. А этот парень натворил что-нибудь?

— Ничего особенного.

— Так Ромка сам упал? — вдруг спросил Спиридонов. — Или у вас есть сомнения?

— У меня есть, — ответила я. — А у вас?

Парни вновь переглянулись.

— Вообще-то он последнее время с Матюшей связался, — словно получив разрешение от приятелей, вновь заговорил Спиридонов.

— Кто такой Матюша?

— Матвеев Вовка. Дрянной боксер и человек дрянной, болтается тут... Их с Ромкой часто видели.

— Где его найти?

— Адрес мы не знаем, но здесь вы его застанете, не сегодня, так завтра.

Не успел он договорить, как в коридоре появился парень. Невысокий, коренастый. Мои собеседники повернули головы в его сторону, и Щеглов сказал:

— А вот и он...

Я начала подниматься, глядя на парня, а он вдруг резко повернулся и бросился по коридору. Я бросилась за ним. Сработал инстинкт: если убегает, значит надо догонять. Надо сказать, бегал он быстро и наверняка бы смылся, но победила хитрость, моя, естественно, а уж если быть совсем точной, то случай.

Когда я свернула сюда с проспекта, мне пришлось объезжать школу по кругу. Возможно, в здании было несколько выходов, но школу окружал забор на добротных кирпичных столбах, и покинуть территорию можно было лишь через калитку, если, конечно, он не решит махнуть через забор, что все-таки и с его прытью затруднительно.

Я свернула к лестнице, спустилась на первый этаж

и, выбежав из здания, заняла пост у калитки. Если бы мне потребовалось чуть больше времени на это, я бы его упустила. Он выскочил через минуту и оказался в моих объятиях.

— Ты куда так спешишь? — спросила я. Он замер, в его глазах плескался испуг, в лице готовность отшвырнуть меня в сторону, даже если это окажется для меня весьма болезненным. Я вспомнила, что парень боксер, и затосковала. Черт с ним, далеко не убежит.

Внезапно выражение его лица изменилось. Он нахмурился, плечи опустились, и весь он заметно расслабился.

— В чем дело? — спросил он хрипло.

— Ты от всех так бегаешь, или это я тебе чем-то не понравилась? — улыбнулась я.

— Да в чем дело? — разозлился он. Я предъявила удостоверение. — Ну и что? — спросил он.

— Ничего. Интересуюсь, с какой стати ты бросился бежать, точно ошпаренный?

— Вспомнил, что утюг дома не выключил.

— Ясно. Утюг подождет. Скажи мне лучше, ты Ромку Александрова знал?

— Конечно. Его здесь все знают.

— Говорят, вас в последнее время часто видели вместе.

— Ну и что? Это не преступление.

— А кто о преступлении говорит? — удивилась я.

— Слушайте, что вам надо? Я ничего плохого не сделал. — Он явно нервничал, и это, конечно, меня настораживало.

— Наркотой Ромка баловался?

— Я не знаю. Может, и баловался, но не при мне.

— А дружка его знаешь — бородка клинышком, живет где-то на Владимирском проспекте?

— Славка? — спросил он.

— Тебе лучше знать.

— Зачем он вам? — Парень почувствовал себя гораздо спокойнее.

— Есть к нему вопросы. Так как его найти?

— Понятия не имею. Я их один раз с Ромкой видел. Славка этот чудной какой-то. Вот он на наркомана похож. Все нам про политику гнал.

— А где живет, он не говорил?

— Нет. Я в пивнушку зашел на Кольцевой, они там с Ромкой сидели. Если вопросов больше нет, я пойду, ладно?

— Ты чего удирал-то? — спросила я с улыбкой, уж очень было любопытно. Он вздохнул и отвернулся, но, зная настырность обладателей удостоверений, все же ответил:

— Вчера с двумя уродами подрался. Неподалеку отсюда. Закурить попросили, козлы... — Он сжал пальцы в кулак, и я обратила внимание, что костяшки сбиты в кровь. — Пришлось объяснить людям... Сейчас иду, Михалыч говорит, баба из ментовки явилась, а Щегол на меня кивает, и вы рядом, ну я и подумал, что те двое заявление накатали.

— И ты решил удрать? — подивилась я.

— Ну, это вроде как нечаянно получилось... Я пойду, или в отделение заберете?

— Адрес свой оставь, — вздохнула я. — И больше не бегай, это наводит на определенные мысли, а еще лучше — ни с кем не дерись. — Он продиктовал мне адрес, и мы простились.

Я поехала к Вешнякову, надеясь, что у него есть новости. Новости в самом деле были. Трупы, что нашли в опоре моста, наконец опознали.

— Меня начальство к себе требует, — сказал Ар-

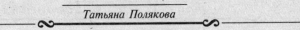

тем. — А ты пока ознакомься, может, мысль посетит какая ни на есть. — Он кивнул на бумаги, лежащие на столе, и удалился.

Сведений было не густо. Обычные паспортные данные, где работали, где учились. Оба приехали в областной центр из районных городов. Один работал грузчиком в типографии, другой на рынке. Вряд ли были знакомы. Второй появился в городе, когда первый уже погиб.

Я таращилась на листки бумаги, и тут меня, можно сказать, осенило. Я позвонила Вешнякову, но мобильный он выключил, потому-то я полетела к Лялину. Срочно требовалось поделиться своими догадками, а свободных ушей не было.

— Лялин, — начала взывать я к нему, потому что он тут же заявил, что занят и в настоящее время видеть меня не расположен. — Ты только послушай. У погибшего Александрова, что оставил у меня фотоаппарат в машине, лицо было в ссадинах, он еще сказал, что с кем-то подрался. Он ведь боксер, говорят, неплохой.

— Ну и что? — зевнув из вредности, спросил Лялин.

— А то. Два мужских трупа опознали. Ничего их не связывает, они даже не были знакомы. Но кое-что общее все же есть. Оба спортсмены. Один боксер, а другой занимался карате. — Я еще прикидывала, как потолковее объяснить свои догадки, а Лялин полез в сейф, достал те самые фотографии и ткнул пальцем в верхнюю.

— А я все голову ломаю, что это. Видишь, тень падает, темные полосы. Все очень просто, детка. Это ринг.

— Ага, — кивнула я, устраиваясь рядом с ним. — И что дальше?

— На фотографиях дата. В этот день никаких соревнований в городе не было, уж можешь мне поверить.

А дяди ведут себя очень эмоционально. Судя по всему, бой интересный.

— Кто-то устраивает подпольные бои?

— И не просто бои. Иначе бы в опоре моста не оказались два до смерти забитых парня.

— Черт, а я его отпустила, — кляня себя последними словами, пробормотала я.

— Кого?

— Матюшу. Я думаю, он вербовал участников для этих боев. Александров то ли хозяев собирался шантажировать, то ли вывести их на чистую воду. Они сочли его опасным и убили.

— Звони Вешнякову, — протягивая мне трубку, сказал Олег.

От Вешнякова мне здорово досталось. Если бы Матюше удалось смыться, Артем всю оставшуюся жизнь поедом ел бы меня. Но Матюшу задержали, когда он покидал свое жилище с двумя тысячами долларов в кармане. Видимо, за ними и возвращался.

Поначалу он от всего отнекивался и даже возмущался, но Вешняков оптимистично заверял его, что деваться ему некуда, расколется. Припугнул, что Матюшу отпустит, а Дубников уже сегодня узнает, что он всех их заложил.

— Александров на кладбище, и ты следом хочешь? — сурово вопрошал Артем.

В конце концов Матюша дал показания. Да, в клубе устраивали бои, да, он вербовал участников, в основном среди спортсменов-неудачников, которые нуждались в деньгах. Он назвал несколько человек, которые в настоящее время живы-здоровы. Свое участие в боях они отрицали, но, ознакомившись с показаниями Ма-

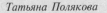
тюши, признались. Получали по двести баксов за бой. Ничего особенного, в городе подобные бои устраивают часто, даже тотализатор работает. О смерти Александрова Матюша, по его словам, узнал в спортивной школе и с его участием в боях никак это не связал, тем более что говорили, будто это несчастный случай.

Интересное началось, когда Вешняков выложил перед Матюшей фотографии Саши и Валеры. Парень их якобы не знал, но врал он так неубедительно, что сам на себя злился. Я не сомневалась, что долго он не продержится, а потому поехала к Деду, чтобы порадовать того. До окончательной победы еще далеко, но все же есть чем похвастать.

Приемная была пуста. Даже Ритка не восседала на привычном месте, я потянула дубовую дверь и обнаружила, что Дед стоит возле окна, с задумчивым видом созерцая пейзаж.

— Это ты? — спросил он, не поворачиваясь.

— Я. У меня есть новости. Не то чтобы очень хорошие, но оптимистичные.

Я с довольным видом устроилась в кресле, а Дед продолжил смотреть в окно. Это показалось мне обидным. Наконец он повернулся, прошел к столу и занял свое кресло.

— Рассказывай, — кивнул он вроде бы даже без особого интереса. Мой энтузиазм стал понемногу убывать, но начала я бодро.

— Значит, так. Господин Дубников, владелец ночного клуба, организовывал бои без правил. Говорят, вещь обычная в нашем городе, — не удержалась я. — Что в общем-то понятно, город, можно сказать, олимпийский. Чемпионов как грязи... — Тут я решила, что увлеклась. — Два таких боя закончились плачевно для их участников. Богатые дяди хотели видеть что-то экзотическое и повышали ставки, пока парни попросту не забили друг друга до смерти. Добропорядочные граждане испугались, что кто-то об этом узнает, и трупы решили залить цементом. Один из постоянных посетителей клуба Ковтан. Сам ли он предложил надежное захоронение или без него додумались, не знаю. От трупов избавились, но не от дурных привычек. В клубе старались во всем идти навстречу пожеланию клиентов и специально для любителей демонстрировали живое порно. — Дед поморщился, а я пожала плечами, уж извини, что есть, то есть. — Девушек для этого подбирали на улице. То ли проститутки их не устраивали, то ли доходами делиться не желали. Не знаю, сколько женщин побывало в этой малоприятной роли, но один раз устроители просчитались по-крупному. Парни, выехав на охоту, привезли двух девчонок. Одна из них оказалась Юлей Якименко. Возможно, она сама сказала, кто ее отец, возможно, кто-то из присутствующих узнал ее или она случайно увидела кого-то. Стало ясно, если девочка расскажет отцу... Кондаревский убил Юлю. Думаю, это было не первое его убийство. Он настоящий маньяк. Дубников снимал развлечения членов клуба на камеру. Это позволило ему легко договориться с ними, когда возникла необходимость. К примеру, все дружно подтвердили алиби Кондаревского. Дубников боялся, что тот покается в грехах следователю и добропорядочные граждане окажутся в сложной ситуации. Так вот Кондаревский убил девочку, а вскоре избавились и от самого Кондаревского, затем и от Ковтана, вынудив того принять яд. — Я сделала паузу, а Дед, выждав немного, спросил:

— Значит, какой-то психопат убивал женщин, а дружки его покрывали, когда же почувствовали опасность, избавились от него?

— Примерно так.

Дед с облегчением вздохнул. Не знаю, какого рассказа он ждал от меня, но этот ему, безусловно, понравился.

— Что ж, я рад, что вы смогли разобраться во всем этом, — заметил он.

— Разобраться мало, — возразила я, — надо все это доказать. Сейчас многое зависит от того, сможем ли мы найти двух подозреваемых и одного возможного свидетеля.

— Ну так ищите, — посуровел Дед, и я, воодушевившись после такого напутствия, пошла искать.

На следующий день Вешняков порадовал меня. Наконец-то смогли установить место жительства приятеля Александрова, которого я вместе с ним подвозила той ночью. Им оказался Солодков Вячеслав Сергеевич, журналист по профессии. До недавнего времени он работал в «Метрономе», довольно паршивой газетенке с характерной желтой окраской. Через два дня после гибели Александрова он без объяснений уволился. Квартиру, которую он снимал, оставил, сказав хозяйке, что получил выгодное предложение из Москвы.

В выгодное предложение я не очень поверила, скорее всего парень просто сбежал, заподозрив неладное. Встретиться с ним мне захотелось еще больше. Приехал он из поселка Заречный, это километрах в ста от города, окончил колледж, а затем и институт, факультет журналистики, работал в газете всего год. Отец с матерью до сих пор живут в Заречном. Им должно быть известно, где сейчас их сын.

В поселок мы поехали с Вешняковым. Была у меня надежда, что Вячеслав Сергеевич отсиживается у родителей, но Артем бурчал, что работы в поселке нет, журналисты там вообще без надобности, а на шее у отца с матерью особенно не рассидишься, если у них всех доходов две пенсии.

В Заречный мы прибыли ближе к обеду. Поселок был небольшим и поначалу показался нам необитаемым. Дома, те, что ближе к дороге, стояли заколоченные. Однако вскоре оказалось, что если жизнь здесь и не бьет ключом, то по крайней мере теплится. Навстречу нам попалась старушка с хозяйственной сумкой, от нее мы и узнали, где живут Солодковы.

Дом стоял у пруда, на скамейке что-то мастерил дедок в кепке. Выяснилось, что это дед Вячеслава Сергеевича. Отец с матерью были в доме.

Артем громко поздоровался и предъявил удостоверение. Женщина испуганно прижала руки к груди, отец нахмурился и сурово спросил:

— Чего натворил?

— А что, может и натворить? — спросила я.

Мужчина пожал плечами:

— Если милиция ищет, выходит, натворил. Да и чего б ему из областного центра уезжать? От работы, от цивилизации всякой. В армию надо было лоботрясу, а он, видишь ли, хворый.

— Замолчи, ради Христа, — подала голос женщина. — Я что, своего сына не знаю? Не мог он ничего плохого сделать. А с работы ушел, потому что начальник плохой попался. Да и жилье в областном центре снимать дорого.

— Где сейчас Слава? — спросила я. Женщина испуганно посмотрела на мужа. Оба молчали, но после повторного вопроса она все-таки ответила:

— У брата.

— А брат где?

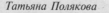

— В Рязанской области. Скажите, чего натворил, мне ведь теперь все ночи не спать, — взмолилась женщина.

— Ничего плохого ваш сын не сделал, — ответил Артем. — По крайней мере, нам об этом неизвестно. Мы просто хотели поговорить с ним о его друге.

— Правда? — не очень-то нам веря, спросила мать. Артем кивнул, выглядел при этом он убедительно.

Через пять минут нам дали адрес и номер телефона склада, где работал Вячеслав. Его брат временно пристроил грузчиком.

— Только он без дела звонить не велел, — забеспокоилась мать. — Только в крайнем случае. Да нам и позвонить-то неоткуда. Телефон в правлении, но по нему можно звонить разве что в пожарную или если кто помирает, чтоб «Скорую» вызвать.

Мы простились. Родители Солодкова проводили нас до машины.

— Махнем? — улыбнулась я Вешнякову.

— Спятила? Пусть тамошние менты с ним побеседуют.

— Это ж сколько времени займет, а мы через два часа будем там. — Я подмигнула, а Вешняков заволновался:

— Ольга, меня из дома выгонят. Я сегодня обещал в семь как штык. У пацана день рождения.

— Будешь в семь, — в свою очередь пообещала я и, между прочим, обещание сдержала. Правда, удостоилась не благодарности, а несправедливых обвинений, что езжу сломя голову и создаю опасные ситуации на дороге.

Дорога, кстати, оказалась лучше, чем я думала, и уже через полтора часа мы въезжали в районный городок. Артем хмуро таращился в окно.

— Чтоб я еще хоть раз... — начал он, но я перебила:

— Вешняков, ты русский?

— Ну... — насторожился он.

— Тогда обязан любить быструю езду.

Мы заехали в отделение милиции и узнали адрес складов, где работал Вячеслав Сергеевич. Очень скоро мы уже подъезжали к сооружению из красного кирпича. Среди многочисленных табличек на фасаде оказалась и нужная нам. Побродив по коридорам со стрелками, указывающими разные направления, мы наконец отыскали склад. Удача в тот день нам сопутствовала, распахнув ближайшую дверь, я обнаружила за столом Вячеслава Сергеевича, он что-то писал в толстеньком блокноте. Поднял голову, увидел нас и, безусловно, узнал меня, потому что выражение его лица мгновенно изменилось. Он с тоской перевел взгляд на окно, взвесил шансы и вздохнул, после чего решил быть законопослушным гражданином, чему способствовал тот факт, что Артем, предъявив удостоверение, сказал:

— Мы хотели бы задать вам несколько вопросов в связи с убийством Романа Александрова.

— Убийства? — сглотнув, поспешно спросил Слава.

— Убийства.

— Но ведь говорили...

— Говорили, что это несчастный случай, — кивнула я. — Но ты ведь не сомневался, что это убийство?

— Я... я подозревал, то есть я боялся, что его убили.

— Поэтому и уехал из города?

— Да... то есть я боялся, что они решат... Я ведь, собственно, знал очень мало. Точнее, ничего я фактически не знал...

— Вот что, Славик, — взяв стул, предложил Вешняков. — Давай по порядку. Здесь можно поговорить?

— Можно, — кивнул Слава. — Все ушли, а у меня

еще работа. Впрочем, это к делу не относится. Значит, так. С Ромой мы познакомились два месяца назад, в интернет-кафе. У меня своего компа нет и у него тоже. Он же от армии косил и жил где придется. Познакомились, разговорились, а когда я сказал, что работаю в газете, он очень заинтересовался. Предложил как-нибудь встретиться, но уже на следующий день сам пришел в редакцию. Я думаю, он проверял, соврал ли я насчет работы или нет. Дождался меня и предложил выпить пива. Я чувствовал, что он о чем-то хочет поговорить, но в тот день он так и не решился. А потом все-таки рассказал...

— О боях, которые устраивали в клубе? — поторопила я.

— Да. И не только. Он сказал, что боксеры убивают друг друга на потеху этим денежным мешкам. А еще в клуб привозят женщин, и эти козлы с ними развлекаются как хотят или наблюдают, как это делают другие. Ромка узнал об этом случайно. У него постоянного заработка не было, а жить на что-то надо. Он боксом занимался, вот кто-то из дружков и предложил ему поучаствовать в боях без правил. Он согласился. Сначала ему даже понравилось, все по-честному и деньги сразу. Потом он случайно такое увидел...

— Что увидел? — спросил Артем, потому что Слава замолчал, и мы услышали ответ, от которого едва не попадали со стульев.

— Не знаю, — беспомощно моргнув, сказал Слава. — Он не рассказывал, только повторял: «Ты не представляешь». Однажды пришел и говорит: «Напиши о них в газете, я тебе все расскажу, а ты напиши». У него, знаете, идея была, доказать матери, что он чего-то стоит, а здесь разоблачение, скандал на весь город, а он герой. Понимаете? Хозяин клуба на всех клиентов компромат собрал, и теперь они танцуют под его дудку. Конечно, это бомба, дураку ясно. И любой журналист мечтает о такой возможности, но ведь необходимы доказательства. Об этом я ему и сказал, а он: «Есть доказательства». Оказывается, он смог сделать фотографии. Фотоаппарат оставлял в клубе, так было проще, на входе проверяли, но его даже особо не обыскивали, потому что считали своим. Он сказал, что фотографий у него полно, на пять репортажей хватит. Конечно, я просил их показать, но он ответил: «Потерпи». Эти «потерпи» мне стали действовать на нервы, если честно, я уже сомневался, что он действительно что-то откопал. Он ведь даже отказывался говорить, что это за клуб. Я стал охладевать к идее. Он это заметил и тогда рассказал, что за клуб и кто там хозяин. В ту ночь, когда мы с вами встретились, он дрался на ринге. Хотел меня провести, чтоб я все увидел своими глазами, но меня не пустили. Вежливо так объяснили, что вход только для членов клуба, клуб снят на весь вечер, и все такое... Я остался ждать его на улице. Предчувствие у меня было нехорошее. Вдруг выскакивает Ромка, его всего трясло, ясно было, что-то случилось. Короче, засекли они его, но он успел смыться. Я, конечно, здорово испугался, ведь охранник меня с Ромкой видел и наверняка запомнил. Но Ромка сказал, мол, фигня, как они нас найдут? Он ведь в бомжатнике жил, где точно, даже его дружки не знали, он от армии косил и проявлял осторожность. Я тоже квартиру снимал... В общем, он сказал, пока они нас разыщут, ты уже статейку в газетку тиснешь и они нам будут не страшны, им о своих проблемах думать придется. Я ждал его на следующий день, как и договорились, но он не пришел. Я испугался. Заглянул в клуб, где он обычно тренировался, там и узнал... Если они его нашли, значит, и меня найдут. Вот я и сбежал. Что мне теперь делать? — помолчав немного, спросил он со вздохом. Вешняков хмуро разглядывал стену напротив, и отвечать пришлось мне.

— Думаю, скоро сможешь вернуться в редакцию. А пока лучше здесь пересиди.

— Ага, — кивнул он. — Я ведь правда ничего не знаю.

— Но им об этом неизвестно, — подал голос Артем. Мне его недовольство было понятно, ничего толком не узнали, а головной боли прибавилось: теперь за безопасность парня несем ответственность мы.

— Как, по-твоему, фотографии он дома хранил? — все-таки спросила я.

— Не знаю, — вздохнул Слава. — Говорю, он осторожный. Я спросил однажды, где они, а он: «Где, где, в дерьме». Вот и все. Больше я таких вопросов не задавал.

Мы помолчали, пока не стало окончательно ясно: у нас вопросов тоже нет. То есть их тьма-тьмущая, только Славка на них не ответит.

Мы вернулись в город. По дороге Вешняков молчал, по-прежнему хмуро пялясь в окно. Я тоже молчала, размышляя над рассказом парня, пока не решилась одну из своих мыслей высказать вслух.

— А если его слова следует понимать буквально?

— Чего? — повернулся ко мне Артем.

— Того, — отмахнулась я. Приди мне охота развивать свою мысль, Вешняков счел бы меня слабоумной. Честно говоря, и я о себе самой была не лучшего мнения, но отчего же не проверить? — Давай навестим пепелище? — миролюбиво предложила я.

— Зачем? — начал вредничать Артем, но я уже сворачивала на Рабочую, и он лишь тяжело вздохнул, должно быть вспомнив о семье. — Ты мне объяснишь, за каким чертом мы здесь? — проворчал он, выходя из машины вслед за мной.

Мусор после пожара так и не убрали, Вешняков взирал на него без всякого удовольствия.

— Или говори, что тебе здесь понадобилось, или поехали отсюда, — буркнул он и даже потянулся к дверце машины.

— Парень никому не верил, — вздохнула я. — Где, по-твоему, он спрячет фотографии, или что там у него было? Вряд ли у друзей. Однозначно не у матери, там будут искать в первую очередь. Тогда где?

— Ну, если в доме, так компромат вместе с домом и сгорел.

— Допустим, он рассчитывал, что отыскать его жилище будет нелегко, но ведь дом — убежище ненадежное, могут бомжи влезть и ненароком наткнуться на его тайник. А вот куда точно никто не полезет?

— Слушай... — Артем замер, посмотрел на меня с изумлением и пробормотал: — О господи...

— Давай заглянем к соседям, — усмехнулась я.

Тут точно по мановению волшебной палочки из-за угла появилась бабка, с которой не так давно я имела беседу. Увидев меня в компании Артема, она притормозила и даже предприняла попытку затаиться, но, сообразив, что ее уже заметили, с достоинством сказала:

— Здравствуйте. Помойкой нашей любуетесь?

— В доме был туалет? — с места в карьер спросила я бабку. Она насмешливо хмыкнула:

— Конечно. Как же без такой важной вещи? Вот тут пристроен был, справа одна стена сгнила совсем, и держался он на честном слове, разломали туалет, когда пожар тушили.

— Канализации здесь не было? — на всякий случай спросил Артем и удостоился повторного смешка.

— У нас, милок, такая канализация: берешь ведерко —

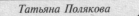

и со своей нуждой на помойку. Так с горочки и льем. Яму листом железа прикрыли, — сказала она совсем другим тоном, — чтобы кто-нибудь не провалился.

Мы подошли и подняли кусок ржавого железа. От туалета осталась лишь нижняя доска с вырезанным в ней круглым отверстием. Не чистили здесь много лет, так что бабка права, если кто в яму попадет, скорее всего примет бесславную кончину. Воняло премерзко. Физиономию Артема перекосило от отвращения.

— Ольга, если это твои шуточки... — злобно начал он, но тут же спросил: — Чего делать? Машину вызывать, чтоб откачали эту гадость?

— Может, сами справимся, — усмехнулась я и повернулась к бабке: — Лом в хозяйстве есть?

— Есть, — кивнула она несколько удивленно. — А вы...

Артем предъявил удостоверение, и бабка повела его к сараю, стоявшему неподалеку.

Вернувшись с ломом, Артем поднял прогнившую доску, крякнул, скорее от отвращения, доска приподнялась, и мы увидели конец лески, прикрепленный к доске скотчем.

— Принеси воды, — попросила я Артема, но бабка уже бросилась раньше него выполнять поручение. Колонка была рядом, и вернулась она быстро, держа в руках пластмассовое ведро.

— Чего там? — спросила она с придыханием.

Достав носовой платок, я ухватила им леску и медленно начала тянуть на себя. Очень скоро на свет божий появился пакет, перетянутый крест-накрест леской. Вылив на него ведро воды и отойдя подальше от смердящей ямы, мы вскрыли пакет. Завернутые в несколько целлофановых мешков, там лежали фотографии и видеокассета.

Мы поехали в отделение. По дороге Артем позвонил жене и заверил, что дома будет попозже, но непременно будет. Что ему ответила супруга, я не слышала, но по тому, как его перекосило, стало ясно: ничего хорошего.

Двадцать пять фотографий лежали перед нами на столе. Мы смотрели на них с большим прискорбием. Уважаемые граждане нашего города были запечатлены не в лучшие моменты своей жизни (впрочем, может, для них они были незабываемы и прекрасны). Короче, граждане в основном были без штанов с юными и не очень особами женского пола. Их стоило пожурить за безнравственность, хотя и здесь возникал вопрос: а почему бы и нет? Имеет право человек отдыхать так, как считает нужным. В любом случае это никоим образом не поможет изобличить убийц. Отдыхали люди как хотели. Если женщины не против, то и разговора нет.

Конечно, был шанс, что кто-то из женщин на фотографиях даст показания, что их принуждали к сексу, но я в это не верила. Фотографии годились для шантажа, но никак не для наших целей. Косвенное свидетельство того, что у нескольких мужчин были причины желать смерти Александрову.

— Адвокатишка тоже здесь, — ткнув пальцем в фотографию, сказал Артем. — Может, Ковтан не сам отравился, может, дружок помог?

— Может, — кивнула я. — Жаль, что суд наше «может» в расчет не примет.

С видеокассетой дела обстояли примерно так же. Наш знакомый адвокат и еще двое типов, чьи имена предстояло выяснить, развлекались с особой, которой на вид было лет четырнадцать. Девчонка, скорее всего накачанная наркотой, больше напоминала заводную куклу, а развлечения дядей носили садистский характер. Но при желании это можно назвать и сексуальной игрой, почему бы нет? Адвокат так и назовет. Девчушка не вопит, то есть вопит, но вопить ей положено по сценарию.

— Как это он умудрился заснять? — хмуро спросил Артем.

— Ты Александрова имеешь в виду? Кассету он скорее всего украл, а вот фотографии... Славка сказал, что он в клубе был своим человеком. Все развлечения гостей записывались на камеру, может, и Ромка как-то приспособился.

— Да-а, — протянул Артем без энтузиазма. — И все-то мы знаем, да ничего доказать не можем. Вот если бы найти Валеру с Сашей... Но, боюсь, они уже давно с того света приветы шлют. Если от Ковтана и Кондаревского избавились без сожаления, то два бывших уголовника для них и вовсе ерунда.

— Думаешь, оба мертвы? — с унылым видом спросила я.

— Уверен. Очень глупо рисковать. А так концы в воду. На фотографии ни Юли, ни Кати нет, как нет и погибших боксеров. Есть пленка, где Кондаревский убивает Юлю, но как доказать, что запись сделана в клубе? Дяденьки поспешили избавиться от всех улик. В лучшем случае мы немного подгадим вот этим типам. — Артем кивнул на фотографии. — Разведутся с ними жены, возможно, полетят со службы... Хотя и это не факт. Так что дела наши, Ольга Сергеевна, по-прежнему хреновые.

Я вернула Артема его семейству и поехала домой. По дороге я заскочила в супермаркет, вовремя вспомнив, что холодильник у меня пустой, а Сашка голодный.

Я забросила пакеты на заднее сиденье и успела доехать до ближайшего светофора, где была остановлена бдительным сотрудником ГАИ. Надо сказать, что с ни́ми у меня давно установились теплые и дружеские отношения, то есть они совершенно не обращали внимания на меня, а я на них. Неожиданный интерес инспектора ГАИ ко мне был тем более удивителен, что ничего нарушить я не успела. Выходило, парень новичок и каким-то непостижимым образом ничего до сих пор не слышал о моей машине. И это в то время, как даже рядовые граждане... Я притормозила и открыла окно. Инспектор козырнул и сказал дежурную фразу, а я почувствовала смутное беспокойство. Парень хоть и молод, но не новичок, смотрит чересчур пристально, а самое настораживающее — заметно нервничает. За его спиной маячил напарник — тоже молодой, с цепким взглядом.

Я протянула документы, в том числе и удостоверение. Обычно его хватало за глаза и дальше машиной уже никто не интересовался. Однако на этот раз никакого впечатления оно не произвело. Парень изучил мои документы, всем своим видом подчеркивая, что никуда не спешит и мне не советует. Потом он вежливо предложил:

— Откройте багажник, пожалуйста.

Такая немилость должна была иметь объяснения. Я вышла, открыла багажник, и глаза у меня полезли на лоб. Обычно пустой багажник в настоящий момент был забит до отказа, потому что там лежал труп.

— О черт, — буркнула я. С изумлением перевела взгляд на инспектора, который не спеша приближался ко мне, и почувствовала себя крайне скверно.

Тут сзади послышался скрип тормозов и бодрый голос проорал:

— Командир, ты Симушина не видел?

«Командир» резко повернулся к вопящему, а я увидела «Хаммер» Тагаева, из которого появился он сам в

сопровождении дюжего молодца с улыбкой от уха до уха. Именно молодец и орал на всю улицу. Второй инспектор поздоровался с парнем за руку, а я хлопнула крышкой багажника.

— Можно ехать? — спросила я с улыбкой, игнорируя Тагаева. Второй инспектор кивнул. На лице первого изобразилась сложная борьба чувств. В конце концов он вернул документы, так и не заглянув в багажник, испуганно косясь на Тагаева. Тот, в свою очередь, проводил меня хмурым взглядом.

Руки у меня дрожали, кусая губы, я торопливо тронулась с места. Схватила мобильный и набрала номер Вешнякова. Отозвалась его жена.

— Простите, с Артемом Сергеевичем...

— Совести у вас нет, — возмущенно ответила женщина. — Может человек раз в год спокойно побыть с семьей? — И отключилась.

Я ее понимала, досадливо чертыхнулась, но еще раз набрала номер, на сей раз мне никто не ответил. Я свернула к своему дому, въехала в гараж, торопливо опустила ворота и ткнулась лбом в руки, которыми вцепилась в руль так, что они посинели. Посидела я так с полминуты, после чего начала немного соображать.

Для начала вышла из кабины и открыла багажник. Скрючившись в багажнике, в позе эмбриона лежал парень в джинсах и темной ветровке. Черная вязаная шапка натянута до бровей. Щека на ощупь казалась каменной и жутко холодной. Ветровка была испачкана кровью. Судя по всему, стреляли в грудь. Глаза закрыты, рот точно сведен судорогой, но узнать его можно — Саша Чемезов. С ним мы встречались в доме, где жил Александров. Тогда он удрал от меня. Артем оказался прав, от парня избавились и не придумали ничего умнее, как засунуть труп в мою машину. Любопытно, когда только изловчились? Неужто в тот момент, когда мы с Вешняковым разглядывали наш улов у него в кабинете? Машину я бросила в переулке, место там удобное. Хотя могли и еще раньше. Тогда выходит, что я с этим подарком по городам и весям раскатывала... От этой мысли мне сделалось так нехорошо, что я покрылась холодным потом. В любом случае за мной следили, а это значит... Я вновь потянулась к телефону, представляя, какое лицо будет у Вешнякова, когда он узнает, в чем дело. Набирая номер, я произнесла нечто в высшей степени неприличное, мне полегчало, но лишь на минуту, зато соображать я стала быстрее. Второй свидетель по имени Валера скорее всего тоже мертв, значит, по большому счету паниковать дядям не стоит. Они решили усложнить мне жизнь, чтобы я больше заботилась о своих делах и меньше лезла в чужие. Я набирала номер Вешнякова, то и дело услаждая свой слух короткими гудками.

Сашка, который все это время сидел возле двери в холл и с недоумением разглядывал меня, заливисто залаял, бросился к входной двери и тут же смолк. Я нахмурилась, пытаясь сообразить, кого там черт принес. Надеюсь, это все-таки не Дед. Вот уж с кем не хотелось бы иметь сейчас содержательную беседу, хотя в любом случае придется.

Дверь захлопнулась, послышался шум шагов, шли несколько человек. Я поднялась в холл и едва не столкнулась с Тагаевым. Кроме мордастого парня, что так заразительно улыбался гаишникам, с ним был еще один человек — невысокий, сутулый, с умным лицом и едва заметным шрамом возле глаза.

— Ну? — сурово поинтересовался Тагаев, обращаясь ко мне. Это самое «ну» могло означать что угодно, а я не расположена была болтать, оттого сухо спросила:

— Разве я тебя сюда приглашала?

— Ключи от машины, — буркнул он и протянул руку с таким видом, точно ни секунды не сомневался, что я не отвечу отказом. Отказать ему в самом деле было трудно, а когда налицо численное превосходство, то и вовсе невозможно.

Я отдала ключи, он передал их улыбчивому, тот открыл багажник и громко произнес:

— Ух ты, ешкин кот.

— Ты его знаешь? — подходя ближе, спросил Тагаев.

— Виделись.

— Мент тебя на дороге пас. Яснее ясного.

С этим я спорить не стала, очень похоже на правду.

— А как ты-то там оказался? — спросила я вместо этого. Отвечать ему явно не хотелось, он даже поморщился.

— Ребята за тобой присматривали. У тебя скверная привычка наживать неприятности. Вот я и решил...

Он мог говорить правду: приставил следить за мной своих головорезов, очень беспокоясь о моем телесном здравии. Впрочем, у него мог быть и свой интерес, и мое здоровье волновало его мало, просто хотел быть в курсе происходящего. В любом случае от этого может быть польза.

— Когда в моей машине появился подарок? — спросила я.

— Думаю, когда ты в ментовке ошивалась. Моих парней обвели вокруг пальцев, точно лохов... — Он зло зыркнул на улыбчивого, тот поник головой.

— Тимур, да кто ж думал...

— Лучше заткнись, — посоветовал Тагаев, и парень мгновенно замолчал. — Хорошо хоть ума хватило мне рассказать. Ну вот я и решил, что не худо бы тачку твою проверить, а тут и сборщики, гвардия дороги...

— Почти что в центре города запихнуть в багажник труп... — Я развела руками. — Либо очень лихие умельцы, либо сильно припекает, когда риск уже не благородное дело, а неизбежность. — Что ж, разобрались, — кивнула я без всякого удовольствия и невесело добавила: — Всем спасибо, все свободны.

Вот тут и зазвонил телефон, он надрывался в холле, а мой пес, чуя беду, беспомощно жался к ногам Тагаева. Не поверите, как меня это разозлило. Я сняла трубку, мужской голос не без издевки поинтересовался:

— Ольга Сергеевна?

— Она в обмороке, но вы можете поговорить со мной, — бодро ответила я. — Так и быть, все как есть передам.

— Изволите шутить? — Голос посуровел.

— Мне не до шуток. В багажнике труп, о чем вам должно быть известно, пес скулит, и я сама с минуты на минуту готовлюсь к нему присоединиться. Так что поторопитесь.

— Рад, что у вас такое чувство юмора. Хотя ситуацию я бы благоприятной не назвал. Так вот, Ольга Сергеевна, предлагаю разойтись полюбовно: о вашей маленькой шалости никто не узнает.

— Маленькая шалость — это труп? — не поверила я.

— Не придирайтесь к словам. Так вот, вы взамен прекращаете эту глупую затею... С вашими возможностями это не трудно. Убийца девочки уже наказан, а остальное... это ведь такая ерунда, Ольга Сергеевна. Согласитесь, стоит ли из-за этого портить себе жизнь? Сегодня вам предстоят неприятные объяснения с милицией, а дальше будет еще хуже. Вы же понимаете, это лишь предупреждение.

Тагаев взял трубку из моих рук. Лицо его ничего не

выражало, и говорил он спокойно, слегка нараспев, но я почувствовала себя крайне неуютно.

— Послушай, умник, — сказал он. — Ты свалял дурака. Не стоило этого делать. Это моя женщина, и теперь дело ты будешь иметь со мной. — После чего повесил трубку и повернулся ко мне: — Открой ворота.

— Зачем? — нахмурилась я.

— Помолчи немного, — очень вежливо попросил он. — Помолчи и открой ворота.

Ворота он открыл сам. Улыбчивый вышел и вскоре въехал в гараж на «Хаммере». Ворота опять закрыли, оба парня решительно направились к моей машине, а я заволновалась:

— Ты что, с ума сошел? Надо звонить Артему. Мы обсудим ситуацию и решим, что делать дальше.

— Ты ничего не поняла, — покачал головой Тагаев.

— Это ты ни черта не понял, — рявкнула я, слыша, как «Хаммер» покидает гараж. — Речь идет об убийстве. И твои бандитские методы...

— Я тебя просил немного помолчать, — заметил он укоризненно.

— Да пошел ты... Ты решил, что твоя честь задета? Ради бога! Только при чем здесь я? Это мое дело, понимаешь? Мое. И поступать я буду так, как считаю нужным.

— Только не сейчас. — Он вздохнул, после чего сгреб меня в охапку и запихнул в гардеробную. Окна здесь не было, а дверь он запер и для верности подпер ее чем-то. — Постарайся вести себя прилично, — попросил он с укоризной и, судя по всему, покинул мою квартиру.

Сашка тявкал под дверью, как видно недоумевая, что за охота пришла мне прятаться в гардеробной. Если б Сашка был человеком, мог бы позвонить Вешнякову, а так... единственное, что мне остается, сидеть на корточках и жаловаться ему на жизнь через дверь.

Зазвонил телефон, сначала домашний, потом мобильный. Наконец, позвонили в дверь. Затем она хлопнула и кто-то торопливо подошел к гардеробной. Сашка вновь тявкнул, вполне доброжелательно, так что я не очень удивилась, когда увидела Вешнякова. Зато на его лице читалось изумление.

— Чего случилось-то? — пробормотал он и, не дожидаясь моего ответа, продолжил: — Звоню, звоню... Жена сказала, что меня домогались. Долго мучилась, но утаить сей факт все же не посмела. Голос женский, ясно, что ты, у кого еще совести вовсе нет. Звоню, звоню... — Сообразив, что начал повторяться, он досадливо крякнул. — Короче, решил проверить. Дверь открыл какой-то придурок... А где он? — с недоумением огляделся Вешняков. — В кресле сидел... Спрашиваю про тебя, он пальцем в дверь тычет, а дверь стулом подперта. Это что, какой-то розыгрыш? Я посмеяться люблю, но лучше не сегодня. Сегодня меня могут и из дома погнать.

— Вешняков, помолчи ради Христа, — попросила я с печалью. — Без тебя тошно.

— Молчу. А в чем дело-то?

— Пока мы с тобой фотографиями любовались, враги не дремали и запихнули в багажник труп.

— В какой багажник? — нахмурился Артем.

— В мой, естественно. То есть в багажник «Феррари».

— Уже хорошо, начинаю что-то понимать. А труп чей?

— Нашего доброго друга Саши.

— Отбегался, значит... Грустно, но не удивительно. И что труп? Все еще лежит там? А ты от него в гардеробной прячешься?

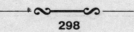

Пришлось подробно рассказать о своих приключениях.

— Так, значит, Тимур оставил своего парня приглядывать за тобой. Он-то мне дверь и открыл, а сам пост покинул. Скорее всего потому, что Тимур ему успел позвонить, что все в порядке и напакостить ты не сможешь.

Вешняков вышел в гараж и заглянул в багажник машины. Тот был пуст.

— Никаких трупов, — констатировал он. — Должно быть, привиделось. Говорил я тебе, пиво по такой погоде пить вредно. Лучше водку. От водки глюков не бывает. Если только перепьешь или паленая попадется...

— Вешняков, — вздохнула я, — хватит дурака валять.

— Я не валяю, — обиделся он. — Я нервы успокаиваю. У меня есть нервы, чтоб ты знала. И, между прочим, я здорово сдрейфил, когда ты на звонки не отвечала. — Он совершенно неожиданно обнял меня за плечи и привлек к себе. — Водка есть? — спросил он тихо.

— Коньяк.

— Сгодится. Снимем стресс и обмозгуем.

Обмозговывать мы начали сразу, пока я колбасу нарезала.

— Гаишнику наводочку дали, это ясно. Скандалец вышел бы немалый. Ты ведь теперь не сама по себе, а в штате Деда. Прикинь, как весело бы стало. Тут только отмахивайся, не до убийств и прочего... Надо честь спасать. Для политиков убийство — тьфу, а вот шумиха... Извини, увлекся. Так что Тагаев появился весьма вовремя.

— Ага. А потом труп увез. Прикопает в лесочке, и всех дел... Налицо явный сговор. Я парня замочила, а любовник помог мне от трупа избавиться.

— А ты чего хотела? — возмутился Вешняков.

Я тоже возмутилась:

— Ты в своем уме?

— Если хочешь знать мое мнение... Ну, вызвали бы милицию, скандал, то да се... а следствию от всего этого какая польза?

— Может, и была бы польза...

— Может, но лично я сомневаюсь. — Вешняков выпил и поморщился.

— По-твоему, он поступил правильно? — съязвила я, имея в виду Тимура.

— Как государев человек, призванный стоять на страже, я не приветствую сокрытие улик, а тем более трупов. — Вешняков вдруг засмеялся и покачал головой.

— Чего это тебя разбирает? — недоверчиво спросила я.

— Говоришь, Тимур сказал, что теперь им придется с ним иметь дело? Это хорошо.

— Чего хорошего? — начала я злиться, упорно не понимая, чему Вешняков радуется.

— У нас с тобой руки связаны, потому что нам положено уважать закон. А Тагаеву на закон плевать.

— Оттого ты и веселишься?

— Я печалюсь. А смех нервный. Я уже сказал, много пережил, пока сюда мчался. Так вот, есть идея, что Тагаев сможет то, что в силу разных причин не смогли бы мы.

— Кулаками признания вышибать?

— Так если к нам человек придет и чистосердечно, от всей души... Ты на него злишься за то, что он тебя в гардеробной запер?

— У нас была договоренность не лезть в дела друг друга.

— Выходит, он решил, что это его дело.

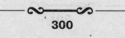

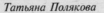
— А если у меня свое мнение, значит, меня в гарде-робную?

— Уж очень ты... Молчу! Я в сердечные дела не лезу. Можно вопрос задам и ей-богу больше не полезу... Тебе не приходило в голову, что он тебя любит?

— Иди ты к черту, — с чувством сказала я.

Вешняков поднялся.

— Если не возражаешь, я лучше пойду к жене, пока она меня в самом деле из дома не выгнала. А тебе в квартире одной находиться не следует. Угрожать могли вполне серьезно.

— Я к Ритке уеду, — кивнула я, чтобы отделаться от него.

Вешняков ушел, а я загрустила. То, что Тагаев так стремительно избавил меня от неприятностей, то есть от трупа, никакой благодарности в моей душе не вызвало. И в его предполагаемую любовь я тоже не верила, а вот то, что он приказал своим парням приглядывать за мной, наводило на некоторые размышления. Игорный бизнес, проституция и прочее, прочее, прочее находится в ведении моего дорогого друга, и теперь у него вполне естественное желание навести в доме порядок, как он это себе представляет. Тут либо желание наказать мерзавцев, которые у него под носом устраивают свои делишки с ним не делясь, либо нежелание, чтобы собственное участие в «делишках» выплыло наружу. В этом случае кое-кем можно с легкостью пожертвовать и я от его желания поучаствовать в расследовании, в отличие от Вешнякова, никакой пользы не вижу.

Утро выдалось на редкость скверное. Сыро, мрачно и холодно. Лето как-то вдруг и неожиданно сменила осень. Еще вчера было плюс двадцать, а сегодня температура едва доходила до десяти градусов. Желтые листья в парке гонял ветер, а я смотрела в окно и размышляла на тему: «Еще одна осень в моей жизни». Осень я в принципе не жалую, впрочем, я затруднялась назвать время года, которое мне по душе.

Зазвонил телефон. С крайней неохотой я сняла трубку.

— Ольга Сергеевна? — спросил мужской голос. Впечатление было такое, что человек торопливо поднимается по лестнице на небоскреб и половину пути уже прошел.

— Слушаю вас очень внимательно, — вздохнула я.

— Надо поговорить, — незамысловато сообщил он.

— Надо, так говорите.

— Я... — Похоже, он растерялся. — Вы ведь занимаетесь клубом? Ну, этими убийствами?

Сонную одурь с меня как ветром сдуло.

— А вы чем занимаетесь? — спросила я.

Он усмехнулся:

— Прячусь. Сашку убили? Вы наверняка знаете. Убили?

— Убили, — не стала я спорить, мое сердце ухнуло вниз в предчувствии удачи. — А вы, собственно, кто?

— Какая разница. То есть вы меня не знаете. Я долго работал в клубе и могу многое вам рассказать. Только мне нужны гарантии.

— Поясните, — попросила я.

— Я сам никого не убивал. В чем виноват, за то отвечу. А вы... все знают, что вы... в общем, если вы захотите мне помочь, я помогу вам. Кассета у меня.

— Какая кассета? — насторожилась я.

— С тем боем, когда убили парня. Я ее прихватил для собственной безопасности.

— И вы хотите отдать ее мне?

— Если мы договоримся. Давайте встретимся и все

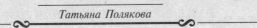

обсудим. Сможете подъехать через час на Сортировку? Там старая лесопилка, место тихое. Только предупреждаю, если вы с собой потащите ментов, я не приду. Ментам я не верю. Они сначала наобещают, а потом сдадут с потрохами.

— А мне с какой стати верите? — разозлилась я.

— Знающие люди говорят, что вы слово держите. Если пообещаете замолвить за меня словечко, я все расскажу. И этим придуркам мало не покажется.

Он повесил трубку, оставив меня гадать на кофейной гуще: что делать? Разумеется, звонить Вешнякову. Но парень предупредил, что в этом случае наш разговор не состоится.

Это может быть ловушкой. Только смысла в ловушке я не вижу. Подкинуть еще один труп? Если у парня действительно есть кассета, это наш шанс.

Я быстро переоделась, схватила куртку и направилась к машине. Сашка, который уже минут пять дежурил у двери, с недоумением воззрился на меня.

— Извини, пес, — расстроилась я. — Придется потерпеть. Очень важное дело.

Я включила ему телевизор, чтобы не скучал, и через пять минут уже неслась к Сортировке.

Откуда взялось это название, мне неведомо. Знаю только, что рядом проходит железная дорога. В любом случае место выбрано верно. Сортировка в черте города, при этом такая глухомань, хоть коноплю выращивай. По слухам, там любила забивать стрелки местная братва.

Лесопилка давно не работала, подъехать к ней можно было лишь по одной дороге. Дорога эта просматривается аж до самого клуба железнодорожников, если, конечно, выбрать позицию повыше, а заметив машины, легко уйти через пешеходный тоннель под железной дорогой, сделанный для удобства граждан, потому что за железкой находятся гаражи. Там и машину спрятать легко.

На предельной скорости я пылила по дороге, впереди показался покосившийся забор лесопилки с распахнутыми настежь воротами. Я лихо въехала на территорию и затормозила. Вышла из машины и огляделась.

Тишина здесь стояла удивительная, точно нет совсем рядом большого города, воздух казался морозным. Я зябко передернула плечами. Разглядывать здесь было нечего. Сооружение, напоминающее амбар, с проваленной крышей, забор, местами рухнувший, и груды железа, бог знает чем бывшие еще недавно.

Я вернулась в машину, дверь оставила открытой. До встречи оставалось еще десять минут, а парню наверняка захочется проверить, одна я здесь или с друзьями.

Я сидела и насвистывала какой-то мотивчик, настроясь на терпеливое ожидание.

— Оружие есть? — спросили совсем рядом.

— Шутишь? — удивилась я. — Я стрелять не умею. — Явное отклонение от истины, но иногда и соврать не грех.

— Выйдите из машины, медленно и не оглядываясь.

Я вышла, и меня торопливо обыскали.

— Теперь все? — спросила я.

— Три шага в сторону, — последовал ответ. Я сделала четыре и, наконец, повернулась.

Он ошибался, говоря, что я его не знаю. Мы не встречались, это верно, но его фотографию, а также биографию я изучила даже слишком хорошо.

— Узнали? — криво усмехнулся он.

Я кивнула:

— Привет, Валера. Где будем разговаривать?

— Вон там, — указал он в сторону шаткого сооружения.

Оружия в его руках не было, но держался он настороженно, шел сзади и чуть сбоку. Мне сделалось смешно при мысли, что здоровый мужик всерьез опасается меня. Он что думает, я начну дрыгать ногами, демонстрируя приемы карате, как красотки в дурацких фильмах? Да я при такой погоде и руки не подниму, кости ноют.

Мы присели на два ящика у стены.

— Кассета у тебя? — спросила я.

— Нет. В надежном месте. Но она есть, можете не сомневаться. У Дубникова их было около сотни, всяких разных, но я выбрал эту, когда почуял, что запахло жареным.

— Он хранил кассеты в клубе?

— Да. Такая специальная комната. С замком, который он считал надежным. Только для меня замки не проблема, зря он на него рассчитывал. Даже этот пацан Ромка смог стянуть кассету. Правда, тогда мы не знали, что это он. Дубников подозревал всех, особенно своих дружков. Им ведь не нравилось, что они у него на крючке.

— Давно он их шантажировал?

— С самого начала, как только открыли клуб. К Дубникову всю эту команду затащил Кондаревский, они давно были знакомы. Играли в карты в задней комнате, никто не мешает, и вообще... им нравилось. К Дубникову они относились свысока, его это злило. У них денег мешки, а он что? Так, мелкая сошка. В день рождения Кондаревского ему преподнесли подарок от клуба: девицу в большом торте, что в клубе у шеста вертелась. Я думаю, Дубников им в пойло подмешал какой-то дряни. Они там такое выделывали. А Дубников все записал на пленку. Им об этом не сказал, но они и так чувствовали себя хуже некуда. Вместо того чтобы послать его подальше, наоборот, в клуб зачастили, пытались его задобрить. В общем, приняли в компанию. Дубников и рад стараться, мы друзья и все такое, хотя его волновали только деньги, оттого он и взял Кондаревского в оборот. Тот ведь форменный псих, жена об этом догадывалась. Сдать его ментам она не могла, честь семьи и все такое, вот и отвешивала поклоны во всех церквях.

— Дубников знал, что он убивал женщин?

— Конечно. Кондаревский после убийства к нему прибежал, боялся, что на него менты выйдут, ну и просил подтвердить, что он в клубе в карты играл.

— Это было через несколько дней после убийства Юли Якименко?

— Нет. Год назад, даже больше. Он этим давно баловался. Я ж говорю, форменный псих. Он отвалил Дубникову денег, и тот обещал подтвердить алиби, а одного парня из охраны отправил следить за этим типом. Парень видел, как Кондаревский убил вторую проститутку. Дубников его пожурил. Тот плакал и каялся, что черт попутал. Сошлись на кругленькой сумме. Конечно, Дубникову понравилось так деньги зарабатывать. А тут еще Рылов, из спортобщества, заговорил о боях без правил. Дубников сразу просек: дело выгодное и незаконное. Значит, лишний раз всех повяжет. Боксеров поставлял Матюша, его Рылов привел. Старались, чтобы парни были не местные. Не один Дубников в городе такой умный, за удовольствия надо платить, а он делиться не хотел. Большинство этих придурков бои мало интересовали, я имею в виду настоящий бой, профессиональный. Им просто нравилось, когда люди выбивают мозги друг у друга. Особенно некоторым. Однажды привезли бомжей и велели драться. Сказали, что отпустят лишь одного, того, кто выиграет. Не представляете, что там творилось. Они кусались, выдавливали глаза друг другу, а эти радостно гикали. — Я слушала, хмуро разглядывая кроссовки. Возмущение я разделяла, но поверить в его искренность мне мешал рассказ Кати. Как раз Валера с ней и развлекался, не уступая в подлости хозяевам. — В конце концов один попросту загрыз другого, победителя проводили до ближайшего канализационного колодца, где его и нашли через неделю, объеденного крысами. С бомжами удобнее, их никто не ищет и не особо задаются вопросом, кто их убил. Некоторые бои готовились, и там все было по-честному. В них Ромка был фаворитом. Лично мне он нравился. Классный парень и дрался классно. Потом стал вопросы задавать. Я только освободился, в клуб меня Сашка привел. Я порадовался — работа и платят прилично, но на работу нас не взяли, в штате мы не числились, выполняли разные поручения. Это меня насторожило, я стал приглядываться. Тут еще Ромка с вопросами. Короче, я быстро сообразил, что дело нечисто с этим клубом. Ну а когда два парня, не бомжи, а два нормальных парня погибли... вы на кассете увидите, что там творилось. Это форменное убийство. Одному сломали шею, и добил его Сашка. А что делать? Не в больницу же везти? Ну вот тогда Дубников и поставил всех перед фактом: мы, господа, соучастники убийства. Давайте думать, что делать с трупом. Ох, как они расстроились, даже обиделись. Ну и перепугались до судорог. От трупа надо избавиться, на улице не бросишь, это не бомж, возникнут вопросы. Дубников и предложил закатать в бетон. С таким же успехом их можно было закопать в лесу, просто Дубникову хотелось взять Ковтана за яйца. Тот был самым строптивым. В том состоянии, в котором они находились, подбить их можно было на что угодно. Ковтан сказал, что участвовать во всем этом не намерен, но по-настоящему не возражал. Тут весьма кстати оказалось, что один из доверенных лиц Дубникова водит дружбу с парнем, что работает в охране моста. Ну и все прошло без сучка и задоринки. Дядям влетело это в копеечку, большую часть денег Дубников положил себе в карман. После этого убийства они в клуб ходили неохотно, но Дубников собирал их регулярно. Ослушаться никто не смел.

— Расскажи об убийстве Юли, — попросила я. Выражение его лица изменилось, он нахмурился и начал подбирать слова.

— Я уже говорил, в клубе были и другие развлечения. Приглашали шлюх и кино устраивали. Шлюх сразу в клуб никогда не доставляли, соблюдали конспирацию, иногда просто подбирали на улице пьяных баб, везли в гараж или еще куда, потом мешок на голову и в клуб. Расплачивались щедро, чтобы бабы не возмущались и языком не трепали. Дубников очень боялся, что об этом узнают. За бабами обычно мы ездили. Дубников о конспирации пекся, специально две раздолбанные тачки держал, оформленные на ворованные паспорта. Номера на них каждый раз меняли. Кондаревский придумал бархатные маски надевать, вроде какой-то секты. Форменный псих. Он начал ныть, что проститутки не годятся, с ними не интересно. Ему надо было, чтобы вопили и брыкались. А это, между прочим, изнасилованием называется, и статья есть. Но Дубников был рад стараться. Заводила, конечно, Кондаревский, потом адвокатишка, тоже помешанный на этом деле, и Львов. Дяди вошли во вкус. Кондаревский просто слюной исходил, просил молоденьких. А где их взять? На Горбатом мосту особо не потолкаешься, враз засекут, заинтересуются, и делиться придется, а Дубников делиться не хотел. Он ведь понимал, как ему повезло, что его богатые дяди — сплошь извращенцы. Обычно мы ехали к Стожарам, там возле бензозаправки девки стоят деревенские, лет по шестнадцать и не совсем потрепанные. Иногда везло и подбирали в городе пьяную шлюшонку. Главное, привезти ее в клуб так, чтобы место не вспомнила. Сашка на такие штуки был мастер. И в тот раз за девками мы поехали. Этих двоих заметили сразу. Еле шли, до того пьяные. Сашка говорит — в самый раз. Я стал отговаривать, какой от них прок, по уши в водке, а он: «Под душик холодный — и в самый раз, зато малолетки, дядям понравятся». Вот и привезли. — Здесь он сделал паузу и настороженно взглянул на меня. — Одну девчонку в чувство привели, а вторая совсем расклеилась. Ее в подвале оставили. А Юлю эту к дядям. Она в самом деле девчонкой оказалась, хоть и выглядела шлюхой. Дяди от этого совершенно прибалдели и трудились над ней вчетвером. Она кричала что-то про папу, но никто ее особо не слушал, всем было весело. Потом у нее зазвонил мобильный, Сашка полез в сумку, чтобы отключить, а там пропуск в бассейн. Фамилия Якименко и отчество подходит. Самому-то Сашке это было по фигу, он такой фамилии не слышал, потому что политикой не интересовался, но Дубникову сказал, а тот прямо позеленел и давай на нас орать: «Кого вы привезли?». Ну, мы, конечно, сдрейфили. Дубников быстро пришел в себя. Девчонку, говорит, отпускать нельзя. С таким папой... короче, неприятностей не оберешься. И велел нам от нее избавиться. Но мы сразу сказали: никакой мокрухи. Расклад такой, что в худшем случае нам соучастие, а так что? Они чистенькие, а на нас убийство повесят. Спасибо, наученные. Он еще немного поразорялся, но потом отстал от нас. Убил девчонку

Кондаревский, подбил ли его на это Дубников или у него так вышло, не знаю. Короче, он ее задушил, а Дубников это все заснял.

— Неужели Кондаревский об этом не догадывался?

— Да он полный шизик. Он же через несколько дней опять девку убил. Его давно надо было изолировать, чтоб стены были мягкие и замки крепкие. Прибежал к Дубникову сам не свой. Он от трупа пытался избавиться, да навыков у него нет. Что взять с психа. Ну, Дубников, как всегда, решил помочь, конечно, не бесплатно. Выслал «похоронную команду», как мы их звали.

— Зимина и Князева? — уточнила я. Валера уважительно взглянул на меня, кивнул:

— Ага. Вадиму из охраны моста свистнули, он тоже в доле был. Но когда парни приехали, в кустах парочка укрылась, как раз рядом с трупом. А тут еще менты подкатили. Короче, ребята рисковать не стали и труп там же и оставили. Дубников не очень-то расстроился, проститутка к клубу никакого отношения не имеет. А Кондаревский запсиховал, особенно когда вы им стали интересоваться. Грозить начал. Дубников его успокаивал, мол, алиби и все такое. Но он не унимался, большие деньги сулил, хотел от вас избавиться. Дубников согласился и послал своих головорезов.

— Это кого?

— Зимина и Князева. Вы, должно быть, знаете, Зимин у него в охране, а дружок его как раз на мосту и работал. Тоже психи. Они от трупов избавлялись. Ну и с вами хотели разобраться. И тут Дубников узнал, что вы... Ну, вернулись в администрацию. Так перетрусил, говорил, слава богу, пронесло. А Кондаревский, конечно, грозить принялся, мол, если его заметят, так и всех тогда.

— Кто его убил?

— Думаю, они же и потрудились. Ну а потом и Ковтана очередь пришла, он совсем расклеился, покаяться хотел. Его адвокат отравил. Я почти уверен, что он. Слышал, как они с Дубниковым ругались. Адвокат у него на крючке сидел так, что не соскочишь. И с девчонкой он развлекался. Подергался и поехал как миленький.

— Почему Катю отпустили? — спросила я, наблюдая за его лицом. Услышав это имя, он невольно поморщился:

— Может, Дубников и боялся, что она проболтается, но лишней крови не хотел. И мы с Сашкой его уговорили: девчонка ничего не видела, ничего не помнит.

— Это ты зря, — усмехнулась я.

— Если вы по поводу... Между прочим, она была не против, сама к Сашке в штаны полезла. А нам чего отказываться? Я понимаю, она малолетка и все такое, но маменькины дочки у Горбатого моста не шляются. Откуда нам было знать?

— Рассказывай дальше, — кивнула я.

— Ну, как только трупы в опоре моста нашли, Дубников приказал в клубе все убрать. Он хоть и храбрился, но здорово боялся и переживал, что Ромка мог фотки кому-то показать. Ромка с дружком в клуб приходил. Дубников велел дружка этого найти, да где его найдешь? Мы и Ромку-то нашли по чистой случайности.

— Его Сашка убил?

— Сашка, — неохотно ответил он. — Он его убивать и не думал. По башке шваркнул, чтоб тот не рыпался. Он ведь боксер, с таким запросто не сладишь. Накачал наркотой и стал фотки искать.

— Как Ромка смог сделать фотографии, где эти типы с женщинами?

— Он их украл. Фотографии хранились у Дубникова. Как это Ромке удалось, не знаю, но как-то смог. Спер то, что под руку попалось. Фотки эти и видеокассету.

— Зачем же ему фотоаппарат понадобился?

— На фотках одна порнуха, а Ромку, я думаю, бои интересовали. Кто-то мог об убийстве проболтаться. Он фотоаппарат и принес, воображал себя умником. Его случайно засекли. Он смылся, а Дубников страшно разозлился. Ведь неизвестно, что он там успел заснять. Дубников боялся, что Ромка начнет шантажировать его клиентов. Сашка с дозировкой переборщил и фоток не нашел, ну и столкнул Ромку с лестницы, чтоб Дубников не переживал. А потом и дом сожгли, на всякий случай. Нам было сказано из города смыться. Дубников дал нам по тысяче, смех, да и только. Я предчувствовал, как дело может повернуться, когда трупы нашли, и решил о себе позаботиться, вот и спер кассету с тем боем. Дубников думал — я дурак, буду жить на его подачки и молчать в тряпочку. Деньги быстро кончились, и мы вернулись. Дубников разозлился. Мол, с ума сошли, менты вас ищут. Я ему про кассету напомнил, он враз подобрел. И еще денег дал, по пять тысяч. А потом Сашка исчез. Я сразу понял: теперь моя очередь. Верну кассету — убьют, и не верну — тоже убьют. Вот я подумал-подумал и решил к вам обратиться.

— И чего ты от меня хочешь? — хмуро оглядываясь, спросила я.

— Чтоб я по делу шел свидетелем. Оно, в общем, так и есть. Может, и были грешки, но я никого не убивал. Допустим, с девчонкой этой... Но ведь уголовное дело не завели, я точно знаю. Я все расскажу и отдам кассету. Только не говорите, что обещать ничего не можете. Кондратьев сделает, как вы скажете, а он здесь царь и бог.

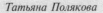

— Ты преувеличиваешь мое значение.

— Так не пойдет. Или...

Наш торг прервался совершенно неожиданно. В воротах появились дюжие молодцы в количестве пяти человек. Возглавлял процессию тип, которого я тоже имела счастье видеть на фотографиях. Он служил в охране клуба, а рядом с ним скорее всего та самая «похоронная команда», о которой рассказывал Валера.

— Валера, — сказал тот, что шел впереди. — Кассета у тебя?

— Нет.

— Тогда придется прокатиться за ней.

Меня он принципиально игнорировал, и я особо не дергалась, сидела себе спокойно и грызла зубочистку. Ответить Валера не успел, за воротами послышался шум мотора, а потом раздался грозный вопль:

— Оружие на землю.

Я-то думала, что это родная милиция, ведь иногда и они успевают вовремя, но не тут-то было: в ворота на полном ходу въехал «Хаммер».

Должно быть, парням из клуба здорово припекало, потому что они открыли пальбу по ребятам Тагаева, а я повалилась на землю, сбив с ног Валеру. Я вжала его головушку в траву и начала молиться, чтобы нас ненароком не подстрелили.

Бой вышел шумным, но недолгим. Выстрелы и матерщина стихли, но подниматься я не спешила, береженого бог бережет. Послышались шаги, и Тагаев спросил:

— Ты что, успела его полюбить? — Это он на тот предмет, что я доблестно закрывала Валеру собственной грудью, то есть спиной.

— Мне нужна кассета, — пояснила я, поднимаясь и пытаясь отряхнуть джинсы.

— Так мы договорились? — обрадовался Валера, понемногу приходя в себя.

— Тебя обманули, парень, — покачала я головой. — Я с мразью не договариваюсь.

Легко раненные в этой войне были, а убитых, слава богу, нет. Через двадцать минут прибыл Вешняков. На Тагаева и его ребят он подчеркнуто не обращал внимания. Пленных в количестве пяти человек запихнули в автобус, Валеру отправили машиной.

Вешняков собирался мне что-то сказать, но покосился на Тагаева и отбыл без слов. А я расстроенно уставилась на «Феррари». Какой-то стрелок наделал дырок в крыле. Я насчитала семь штук. Потыкала в них пальцем и расстроилась еще больше.

— Тебе не интересно узнать, как мы здесь оказались? — подал голос Тагаев. Может, он всерьез думал, что я брошусь ему на шею за его геройский подвиг? Мой славный Робин Гуд, золотой парень...

— Не очень, — ответила я, достала зубочистку и принялась жевать ее. — Скорее всего, так же как и эти, следили за мной. Тачку жалко. Хорошая была тачка.

— Ерунда. Получишь на день рождения новую. Последнюю модель. Только скажи, какого цвета.

— А ты прав, — хмыкнула я. — Получу. Возможно, сразу две.

После моего доклада Дед особо радостным не выглядел.

— Черте-те что, — пробормотал он ворчливо. — Под носом у правоохранительных органов...

— И у господина Тагаева, — подсказала я. Дед нахмурился, но смолчал.

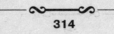

— А фамилии какие... уважаемые граждане, — передохнув, продолжил он. — Целый список уродов. Организовали клуб любителей дрянных развлечений, и никто об этом ни слухом ни духом. Если бы не гибель девочки...

— Якименко на выборы не пойдет? — невинно поинтересовалась я.

— Эта трагедия подорвала его здоровье, — пригорюнился Дед. Вот как. Мой старший друг и из этой истории умудрился извлечь пользу. — Скандал на всю Россию нам ни к чему, — вздохнул он. — Убийца девочки найден, Дубников во всем сознался, пора сворачивать всю эту деятельность, и позаботься о том, чтобы журналисты не копались в этом дерьме. Навыдумывают страшилок, а к чему народ пугать? Коротко и по делу. Задержаны, предъявлено обвинение... Ну, ты знаешь...

— Это без меня, — сказала я, поднимаясь.

— Что? — нахмурился он.

— У нас с тобой был договор. Как только закончим дело...

— Ты с ума сошла. Что сейчас-то не так? Чем ты недовольна, скажи на милость? Я хоть раз вмешался в твою работу? Нет. А сейчас... ты же должна понимать.

— Да, я понимаю, — сказала я, направляясь к двери.

— Хорошо, я заеду вечером, и мы все спокойно обсудим.

— Я на рыбалку решила махнуть с Лялиным. Надо развеяться. Вернусь, позвоню.

Дома меня ждал сюрприз. Тагаев в компании Сашки смотрел телевизор. Я прошла и села рядом.

— Была у Деда? — спросил он.

— Да.

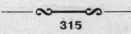

— И что? Ты остаешься?

Я решила проигнорировать вопрос. Тагаев достал из кармана мундштук и положил его на стол.

— Ты в ресторане оставила.

— Спасибо, — кивнула я.

— Пожалуйста. Ну, я пошел. — Он поднялся, а я взяла его за руку.

— Тимур...

— Ты молчи, — улыбнулся он. — Сейчас скажешь лишнее, потом жалеть начнешь. Знаешь пословицу: «Насильно мил не будешь. И тут уж ничего не поделаешь».

Он пошел к двери, а я окликнула его:

— Эй, как-нибудь сыграем в шахматы?

— Конечно, — пожал он плечами. — Просто некоторое время я буду очень занят. Позвоню, как освобожусь.

Он ушел, а Сашка перебрался ко мне на колени, он вздыхал и смотрел на меня с укоризной.

— И что, по-твоему, я должна была ему сказать? — вздохнула и я, а потом философски добавила: — Ничего, прорвемся. Баба скачет и задом и передом, а дело идет своим чередом.

Литературно-художественное издание

Полякова Татьяна Викторовна
БОЛЬШОЙ СЕКС В МАЛЕНЬКОМ ГОРОДЕ

Ответственный редактор *О. Рубис*
Редактор *Г. Калашников*
Художественный редактор *Н. Кудря*
Художник *А. Яцкевич*
Технический редактор *О. Куликова*
Компьютерная верстка *Т. Жарикова*
Корректоры *Т. Гайдукова, Н. Сгибнева*

ООО «Издательство «Эксмо».
127299, Москва, ул. Клары Цеткин, д. 18, корп. 5. Тел.: 411-68-86, 956-39-21.
Интернет/Home page — www.eksmo.ru
Электронная почта (E-mail) — **info@ eksmo.ru**
По вопросам размещения рекламы в книгах издательства «Эксмо»
обращаться в рекламное агентство «Эксмо». Тел. 234-38-00.

Оптовая торговля:
109472, Москва, ул. Академика Скрябина, д. 21, этаж 2.
Тел./факс: (095) 745-89-16.
Многоканальный тел. 411-50-74. E-mail: **reception@eksmo-sale.ru**

Мелкооптовая торговля:
117192, Москва, Мичуринский пр-т, д. 12/1. Тел./факс: (095) 411-50-76.

Книжные магазины издательства «Эксмо»:
Супермаркет «Книжная страна». Страстной бульвар, д. 8а. Тел. 783-47-96.
Москва, ул. Маршала Бирюзова, 17 (рядом с м. «Октябрьское Поле»). Тел. 194-97-86.
Москва, Пролетарский пр-т, 20 (м. «Кантемировская»). Тел. 325-47-29.
Москва, Комсомольский пр-т, 28 (в здании МДМ, м. «Фрунзенская»). Тел. 782-88-26.
Москва, ул. Сходненская, д. 52 (м. «Сходненская»). Тел. 492-97-85.
Москва, ул. Митинская, д. 48 (м. «Тушинская»). Тел. 751-70-54.
Москва, Волгоградский пр-т, 78 (м. «Кузьминки»). Тел. 177-22-11.

Северо-Западная Компания представляет весь ассортимент книг издательства «Эксмо».
Санкт-Петербург, пр-т Обуховской Обороны, д. 84Е.
Тел. отдела реализации (812) 265-44-80/81/82.

Сеть книжных магазинов «БУКВОЕД». Крупнейшие магазины сети:
Книжный супермаркет на Загородном, д. 35. Тел. (812) 312-67-34
и Магазин на Невском, д. 13. Тел. (812) 310-22-44.

Сеть магазинов «Книжный клуб «СНАРК» представляет самый широкий ассортимент книг
издательства «Эксмо». Информация о магазинах и книгах в Санкт-Петербурге по тел. 050.

Всегда в ассортименте новинки издательства «Эксмо»:
ТД «Библио-Глобус», ТД «Москва», ТД «Молодая гвардия»,
«Московский дом книги», «Дом книги в Медведково», «Дом книги на Соколе».

Весь ассортимент продукции издательства «Эксмо»
в Нижнем Новгороде и Челябинске:
ООО «Пароль НН», г. Н. Новгород, ул. Деревообделочная, д. 8. Тел. (8312) 77-87-95.
ООО «ИКЦ «ДИС», г. Челябинск, ул. Братская, д. 2а. Тел. (3512) 62-22-18.
ООО «ИнтерСервис ЛТД», г. Челябинск, Свердловский тракт, д. 14. Тел. (3512) 21-35-16.

Книги «Эксмо» в Европе — фирма «Атлант». Тел. + 49 (0) 721-1831212.

Подписано в печать с готовых диапозитивов 19.12.2003.
Формат 84х108 $^1/_{32}$. Печать офсетная. Бум. тип.
Усл. печ. л. 16,8. Уч.-изд. л. 13,0.
Тираж 90 000 экз. Заказ № 4402014.

Отпечатано на ФГУИПП «Нижполиграф».
603006, Нижний Новгород, ул. Варварская, 32.